치과진료 후 발생하는
골치 아픈 증례들

TOUGH CASES

김영균 김을영형 지음

vol.1 신경손상

치과진료 후 발생하는
골치 아픈 증례들 TOUGH CASES
VOL. 1 신경손상

첫째판 1쇄 인쇄   2021년 02월 17일
첫째판 1쇄 발행   2021년 03월 03일

지 은 이   김영균 김일형
발 행 인   장주연
출 판 기 획   한수인
책 임 편 집   이경은
편집디자인   양란희
표지디자인   박한나
일 러 스 트   김경열
발 행 처   군자출판사
            등록 제 4-139호(1991. 6. 24)
            본사 (10881) 경기도 파주시 회동길 338(서패동 474-1)
            Tel. (031) 943-1888   Fax. (031) 955-9545
            홈페이지 | www.koonja.co.kr

ISBN 979-11-5955-675-3
      979-11-5955-674-6 (세트)

정가 90,000원

치과진료 후 발생하는
골치 아픈 증례들

TOUGH CASES

목차

CHAPTER 1

신경손상 증례 ···· 013

머리말

　약 35년간 치과의사, 구강악안면외과 전문의로서 수많은 환자들을 진료하였습니다. 한때는 내가 치과의 특정 분야에서 최고라는 자만감에 빠져 환자 및 동료들에게 거만한 자세를 취한 적도 있었습니다. 그러나 아무리 열심히 연구하고, 양질의 진료를 하려고 노력하여도 합병증과 다양한 문제점들을 끊임없이 경험하면서 좌절감과 죄책감을 느낀 적도 많았습니다. 물론 지금까지도 계속 경험하고 있습니다. 치과의사는 치아만 치료하는 기술자가 아닌, 환자의 몸을 치료하는 의료인입니다. 사람의 몸은 매우 복잡해서 개인마다 치료에 대한 다른 반응을 보이기도 하고, 다양한 의학적 전신질환들이 동반된 경우엔 치료하는 것이 더욱 어려울 수 밖에 없습니다. 이제는 과거의 나를 버리고 겸손한 자세로 환자를 대하고, 선후배 및 동료 치과의사들로부터 많은 것을 배우면서 최선의 진료를 하는 치과의사가 되고자 하는 마음으로 금년부터 제가 경험한 많은 문제점들을 솔직하게 책으로 엮어서 출판할 예정입니다. 저와 동일한 길을 걷고 있는 많은 치과의사 선생님들에게 도움이 되길 간절히 바라면서 약 2년간 총 11권의 소책자로 출판하기로 결심하였습니다.

　저서는 논문이 아니기 때문에 집필자들의 사적 의견들이 많이 제시될 수 있습니다. 따라서 독자들은 책자의 내용을 전적으로 신뢰해서는 안 되며, 비판적인 시각을 갖고 필독하시면 제가 경험했던 골치아픈 증례들을 통해 많은 교훈을 얻을 것을 확신합니다. 가급적 참고문헌들을 기반으로 근거 있게 집필하도록 노력하였지만, 저의 의견이 잘못 기술된 부분도 많이 발견될 것입니다. 본 책자는 독자들에게 현란한 술식들과 성공적인 치료 증례들을 자랑하는 것이 목적이 아닙니다. 골치아픈 증례들을 소개하면서 문제 목록 및 해결한 과정, 참고문헌 고찰을 통한 각각의 증례들에 대한 필자의 의견들을 작성하였고, 예상하지 못한 합병증과 다양한 문제들이 발생한 사례들을 솔직하게 제시하고 제 나름대로의 의견과 잘못된 치료에 대한 반성 등을 기록하였습니다.

　명의? 실력 있고 논문을 많이 쓰고 학회에서 발표를 많이 하고 강연, 연수회를 많이 개최하는 치과의사, 의사가 명의일까요? 이들의 실력을 누가 검증할 수 있을까요? 학식이 많고 경력이 뛰어나며 봉사를 많이 하고 진료하는 환자 수가 많을수록 명의인가요? 저도 치과과장, 학회장을 역임한 바 있지만 병원장, 과장, 학장 등 주요 보직을 했다고 해서 명의가 될 수 있을까요? 명의라고 해서 합병증

없이 모든 환자들을 잘 치료하고 그들이 치료하면 모든 환자들이 다 성공적으로 치유될 수 있을까요? 모든 치과의사, 의사들은 명의가 되고 싶은 꿈과 욕망이 있을 것이고, 필자 본인도 마찬가지입니다. 그러나 35년간 임상진료를 해 오는 가운데 많은 문제가 발생하였고 지금도 계속 발생하고 있습니다. 교과서, 문헌들에 나와있는 대로 치료되지 않는 증례들도 매우 많습니다. 사람의 몸은 매우 복잡하고 이해하기 어려운 것이 너무 많습니다. 원칙에 입각한 양질의 치료를 수행하는 것이 기본이지만, 가장 중요한 것은 환자와 치과의사, 의사의 상호 신뢰감과 좋은 유대관계라고 생각됩니다. 환자가 의료인을 신뢰하면 치료 결과가 좋고, 설사 문제가 발생하더라도 의료분쟁이 발생하는 경우는 거의 없습니다.

저는 열심히 공부하면서 진료하고 있는 모든 치과의사들에게 다음을 강조하고자 합니다. 1) 유명한 연자의 강의, 논문, 기타 학술대회 강연 내용은 참고만 해야 합니다. 저자가 언급하는 내용들도 100% 옳은 것이 아닙니다. 2) 임상가들은 스스로 공부하면서 자신의 확고한 치료 개념을 정립하고, 최대한 근거 기반의 윤리적인 진료를 수행해야 합니다. 3) 치과분야에서 행해지는 많은 연수회는 본인의 술기를 향상시키는 데 큰 도움이 됩니다. 그러나 합병증이나 문제점들에 대한 강의나 해결방안을 제시하지 않고 술기 위주로 진행하는 연수 프로그램은 가급적 피하시는 것이 좋습니다. 4) 치과의사들은 사람(환자)을 치료하는 것이지 멋있고 현란한 술식을 자랑하는 것이 아닙니다. 치과진료뿐만 아니라 의과 분야에서도 100% 완벽한 진료를 수행할 수 없습니다. 환자들도 100% 완벽 진료를 원하는 것이 아닙니다. 최근 치과의사협회에서 발간한 "Issue report"에서 치과대학에서 학생들을 대상으로 완벽 위주의 술기와 치료를 지나치게 강조하는 교육을 문제 삼은 바 있습니다. 완벽한 치과치료를 수행하려고 노력하는 것은 당연하지만, 더욱 중요한 것은 환자-치과의사의 유대관계를 돈독하게 하면서 환자들이 치과의사를 신뢰할 수 있도록 진료하는 자세 입니다.

치과 전문의들이 일반의들에 비해 실력이 월등히 우수하다고 단정할 수 있을까요? 제 생각으로는 전문의는 자신의 분야에 한해서 일반의들보다 좀 더 많이 알고 진료할 수 있지만, 전공 외 타 분야에서는 일반의들의 실력에 훨씬 미치지 못할 수도 있습니다. 오히려 포괄적 지식은 더 모자라고 다른 학자들의 의견을 수용하지 않으면서 편견에 치우친 생각을 더 많이 가질 수도 있습니다. 특히 치과의 특성상 턱관절질환, 임플란트와 같은 진료 분야는 아주 특수한 경우를 제외하곤 일반의들이 더 잘 진료할 수 있습니다.

필자는 구강악안면외과 전문의로서 턱관절장애, 턱교정수술, 골절, 감염, 임플란트 수술 등의 진료를 수행하고 있고, 타전문의나 일반의들에 비해 합병증에 대한 경험이 좀 더 많을 수 밖에 없습니다. 그렇기에 본책에는 제가 35년간 진료하면서 경험했던 다양한 합병증과 문제점들을 증례와 함께 제시하였고, comment에는 저의 개인적 의견들을 작성하였습니다. 일부러 일반의 관점에서 문제를 살펴보는 것이 중요하다고 생각하여 보철과, 치주과, 교정과, 구강내과 전문의들의 자문을 구하지 않고 집필하였습니다. 제시된 증례들을 필독하면서 나름대로의 문제점을 생각해 보고, 궁금한 부분은 문헌고찰 파트에서 찾아보시거나 관련 참고문헌들을 구해서 필독하시면 큰 도움이 될 것이라고 생각합니다.

"모르는 것은 죄가 아니다"라는 말이 있는데, 치의학(의학) 분야에서는 "모르면 죄가 된다"가 맞는 것 같습니다. 치과의사들은 은퇴하기 전까지는 끊임없이 공부해야 하며, 국가에서도 의료인 보수교육을 필수사항으로 정하고 있는 것은 계속 공부하면서 최신 의술을 습득하고, 환자들에게 현시점에서 최선의 진료를 하라는 의미인 것 같습니다. 이 책을 집필한 주 목적 중 하나는 "원인 불명"이거나 "분명히 치과의사의 잘못이 아님"에도 불구하고 환자나 보호자, 법조인들에게 잘 설명하지 못하고, 적절히 대처하지 못함으로 인해 모든 책임을 지게 되는 일들을 최소화하기 위함입니다. 중대한 잘못으로 문제가 발생하였을 경우엔 전적으로 의료진이 책임을 져야하지만, 불가항력적이거나 원인 불명으로 인해 문제가 발생한 경우 의료진은 책임에서 벗어나야 합니다.

아직 필자가 열정과 힘이 남아 있는 기간 동안에 35년간의 치과 임상분야에서 경험하였던 "골치아픈 증례들"을 최대한 많이 정리하여 문헌고찰과 함께 필자 본인의 의견과 반성을 솔직하게 제시하면서 총 11권의 책을 마무리하고자 합니다. 본 책자의 구성은 다음과 같이 계획되어 있습니다.

1. 신경손상

2. 구강안면통증

3. 턱관절 관련 질환

4. 구강 및 턱얼굴 감염

5. 상악동 관련 문제점

6. 임플란트 실패

7. 임플란트 주위질환

8. 골치아픈 임플란트 관련 합병증 및 문제점

9. 턱교정수술 및 안면골 골절관련 문제점

10. 구강병소 및 기타 특이 질환

11. 기타 치과진료 관련 합병증 및 문제점

　본 책자의 특성상 환자들의 개인정보 노출 등을 피하기 위해 일부 내용들은 사실과 다르게 수정되기도 하였습니다. 독자들이 책을 읽다 보면 "어떻게 저런 식으로 진료를 했을까? 대학교수로서 어떻게 저런 잘못된 개념을 가지고 있을까?" 등의 문제들도 발견될 것입니다. 그러나 독자들은 책을 필독하면서 문제점을 발견하고, 저자들의 치료 내용 및 기술한 의견을 비판하거나 비난하면서 자신의 생각과 비교하는 것 자체가 공부에 큰 도움이 될 것임을 확신합니다. 총 11권으로 구성된 책을 읽으면서 잘못된 치료가 이루어지지 않도록 예방하고, 유사한 사례를 경험하였을 때 해결할 능력을 갖출 수 있길 희망합니다.

　본 책자를 작성하는 데 가이드라인과 많은 조언을 해주신 군자출판사 한수인 팀장님과 임직원들, 원고의 편집과 일러스트 작업을 해 주신 담당자분들께 깊은 감사의 말씀을 드립니다.

2021년 2월

대표 저자 **김 영 균**

저자 소개

김영균

1986	서울대학교 치과대학 졸업
1986- 1989	서울대학교병원 치과진료부 구강악안면외과 수련
1989 - 1992	육군 치과군의관
1992-1997	조선대학교 치과대학 전임강사 및 조교수
1998-2003	대진의료재단 분당제생병원 치과 구강악안면외과장
현재	분당서울대학교병원 치과 구강악안면외과 교수
	서울대학교 치의학대학원 치의학과 교수
	대한민국의학한림원 정회원
	대한구강악안면외과학회지 편집장
	대한검도 공인 4단
	SCI(E) 논문 129편, KCI 등재 논문 274편, 기타 국내학술지 250편, 기타국제학술지 31편
저역서	"턱관절장애와 수술교정" 외 77편

2010	조선대학교 약학대학 졸업
2014	조선대학교 치의학전문대학원 졸업
2014 - 2015	국군수도치과병원 인턴
2015 - 2018	서울대학교 치과병원 구강악안면외과 수련
2018 - 2020	국군수도치과병원 진료지원실장
2018 - 2019	대한악안면성형재건외과학회 이사
현재	분당서울대학교병원 치과 구강악안면외과 임상강사 및 턱얼굴외상클리닉 팀장
	대한구강악안면외과학회 평의원
	외상술기교육연구학회 ESPIT (Essential Surgical Procedures in Trauma) Provider (치과의사 최초)

김 일 형

1

신경손상 증례

신경손상 증례

Case 1 >> 21세 여자 환자의 우측 하순과 턱 감각둔화

2019년 11월 21일 21세 여자 환자가 우측 하순과 턱의 감각이상을 주소로 내원하였다(Fig 1-1, 1-2). 치과의원에서 3주 전 #48 매복지치 발치 이후부터 우측 하순과 턱의 감각둔화 증상이 발생하였는데, 당시 2주간 약을 처방받아 복용하였다. 임상 검사 시 우측 하순과 턱에 2 cm 밴드 크기의 감각둔화가 존재하였고 통증과 촉각을 잘 인지하지 못하였다. 계속 저린 증상이 있고 손으로 입술을 건드릴 때 따끔거리며, 말할 때 지장이 있고 입술을 씹어서 피가 난 적이 있다고 하였다. Visual analogue scale (VAS)에서 감각둔화 지수 5, 통증 지수 4 정도로 표기되었다. Neurometer를 이용한 전기생리학적 검사에서 우측 하치조신경 지배 부위의 감각둔화 소견이 관찰되었다(Fig 1-3A). 우측 하치조신경 손상으로 잠정 진단하고 전기침자극요법(electrical acupuncture stimulation therapy, EAST)과 레이저 치료를 이용한 물리치료를 시행하면서 Trileptal (Oxcarbazepine 150 mg bid for 7 days), Pharma mecobalamin (Mecobalamin 0.5 mg bid)을 처방하였다. 물리치료는 감각둔화 부위에 침 4개를 삽입하고 전극을 연결하여 통증 감각을 느낄 때까지 자극을 가하고 상방에 레이저를 조사하였으며, 치료시간은 약 10분 정도 부여하였다. Trileptal로 통증 조절이 잘 되지 않아 2019년 12월 12일부터는 Neurontin (Gabapentin 100 mg bid)을 4주간 복용하였다. 2020년 1월 2일 우측 이공과 하악공 주변에 Eglandin (Lipo-PGE1 10 mcg/2 mL), Beecom hexa injection (Vitamine B, 2 ml)를 리도카인과 함께 주사하였다. 2020년 3월 5일

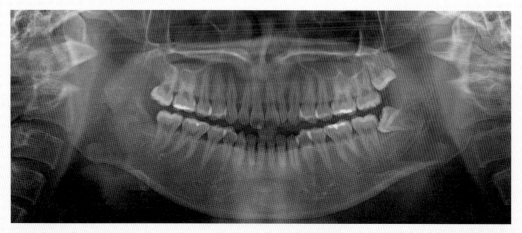

Fig 1-1 초진 시 파노라마 방사선 사진. #48 매복치가 발치된 흔적이 관찰되며, 심부에 매복된 상태로서 치근이 하악관에 매우 근접해 있었을 것으로 추정된다.

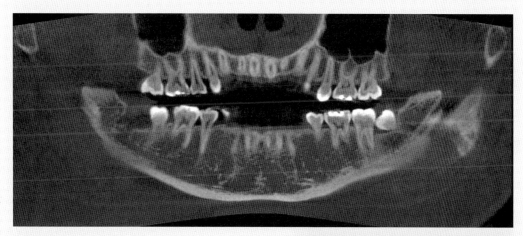

Fig 1-2 초진 시 CBCT 방사선 사진. 발치창이 하치조관에 매우 근접해 있는 것이 관찰된다.

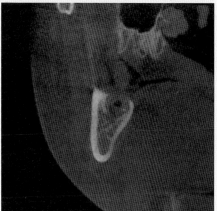

Neurometer 검사에서 초진과 비교하여 현저한 회복 징후가 관찰되었고 통증과 촉각을 인지하였으며 신경병성 통증은 거의 소멸되었다**(Fig 1-3B)**. 그러나 우측 하순과 턱의 무딘 감각은 여전히 남아 있는 상태였으며, Oropherol soft cap. (Tocopherol 100 mg bid)을 4주간 처방하고 치료를 종료하였다.

(A) 초진

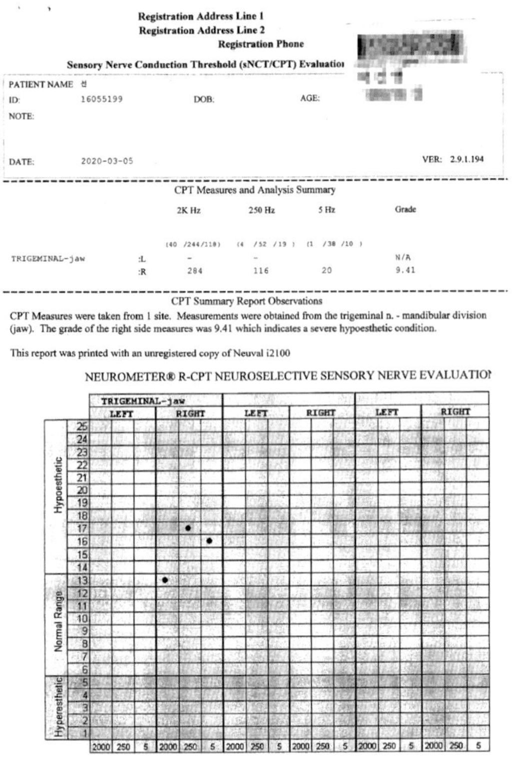
Registration Address Line 1
Registration Address Line 2
Registration Phone
Sensory Nerve Conduction Threshold (sNCT/CPT) Evaluatio

PATIENT NAME 선				
ID: 16055199	DOB:	AGE:		
NOTE:				
DATE: 2020-03-05				VER: 2.9.1.194

CPT Measures and Analysis Summary

		2K Hz	250 Hz	5 Hz	Grade
		(40 /244/118)	(4 /52 /19)	(1 /38 /10)	
TRIGEMINAL-jaw	:L	-	-		N/A
	:R	284	116	20	9.41

CPT Summary Report Observations
CPT Measures were taken from 1 site. Measurements were obtained from the trigeminal n. - mandibular division (jaw). The grade of the right side measures was 9.41 which indicates a severe hypoesthetic condition.

This report was printed with an unregistered copy of Neuval i2100

NEUROMETER® R-CPT NEUROSELECTIVE SENSORY NERVE EVALUATIO

(B) 최종

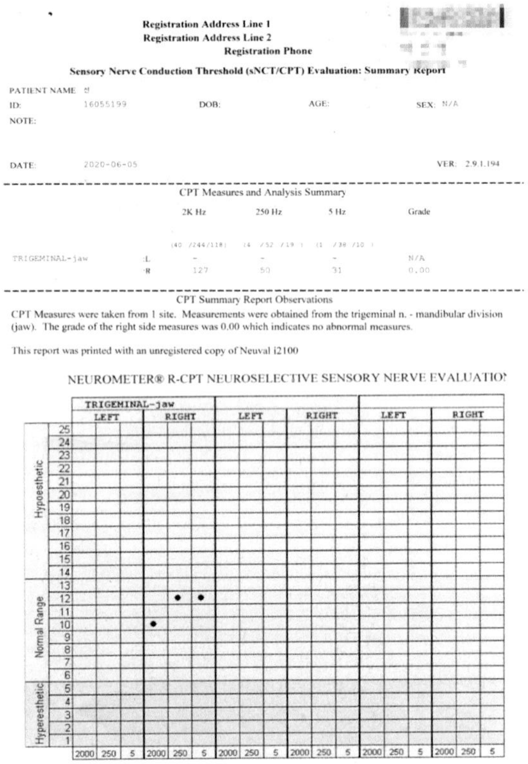
Registration Address Line 1
Registration Address Line 2
Registration Phone
Sensory Nerve Conduction Threshold (sNCT/CPT) Evaluation: Summary Report

PATIENT NAME 선			
ID: 16055199	DOB:	AGE:	SEX: N/A
NOTE:			
DATE: 2020-06-05			VER: 2.9.1.194

CPT Measures and Analysis Summary

		2K Hz	250 Hz	5 Hz	Grade
		(40 /244/118)	(4 /52 /19)	(1 /38 /10)	
TRIGEMINAL-jaw	:L	-	-	-	N/A
	:R	127	50	31	0.00

CPT Summary Report Observations
CPT Measures were taken from 1 site. Measurements were obtained from the trigeminal n. - mandibular division (jaw). The grade of the right side measures was 0.00 which indicates no abnormal measures.

This report was printed with an unregistered copy of Neuval i2100

NEUROMETER® R-CPT NEUROSELECTIVE SENSORY NERVE EVALUATIO

Fig 1-3 초진 및 치료 종료 시점에 측정한 Neurometer 소견. 감각 둔화가 거의 정상으로 회복된 것을 볼 수 있다.

TOUGH CASES

1 매복지치 발치(#48)

2 하치조신경 생리적신경차단성 손상(neurapraxic injury)

3 신경병성 통증

📋 치료 및 경과

1 약물(Trileptal, Vitamin, Neurontin, Prostaglandin E₁)

2 물리치료

3 예후 양호

🔊 Comment

● 신경손상으로 의심되는 증상들이 발현되면 환자가 호소하는 증상들을 **의무기록지**에 자세히 기록하고 신속히 약물 및 물리치료를 시행해야 한다. 이러한 치료법이 신경손상을 회복시킨다는 확실한 근거는 없지만, 아무것도 하지 않으면서 막연히 기다리는 것보다는 훨씬 좋다. **추후 의료분쟁이 발생할 경우 증상을 회복시키기 위해 초기부터 치과의사가 적극적인 치료를 했는지 여부가 중요하다.** 본 증례에서는 초기에 투여한 Trileptal로 통증이 완화되지 않아 Gabapentin으로 변경한 후 **신경병성 통증**을 해소할 수 있었다. 그러나 돌이켜 생각해 보면 Trileptal의 투여 용량(150 mg bid로 사용되었는데 신경병성 통증을 치료하기 위한 성인의 상용량은 300 mg bid이다)이 적었던 것이 통증을 완화시키지 못한 원인일 수도 있다는 생각이 들었다. 감각둔화를 회복시키기 위해 비타민 계열(Mecobalamin: Vitamin B₁₂, Beecom hexa inj: Vitamin B, Tocopherol: Vitamin E)의 약물이 사용되었고 Prostaglandin 주사제가 사용되었다. 이러한 약물들이 "감각 회복에 도움이 되었는지? 시간이 경과하면서 자연적으로 치유되고 있는 것인지?"는 분명하지 않다. 그러나 신경손상이 발생한 증례 치고는 감각의 회복이 매우 빠른 편이었음을 주목할 필요가 있다.

Case 2 >> #47 임플란트 수술 도중 하악 골수강으로 임플란트가 전위되면서 신경손상이 발생한 증례

2018년 12월 31일 65세 여자 환자가 우측 하순의 감각둔화를 주소로 내원하였다(**Fig 2-1**). 당일 오전에 치과의원에서 하악 우측 구치부 임플란트 수술 도중에 1개가 하악골 하방으로 깊게 전위된 상태였다(**Fig 2-2**). 하순과 턱의 감각이 둔하지만 침 자극 시 경미한 통증을 인지하는 상태였다. 임플란트 전위로 인한 하치조신경 손상으로 진단하고 전신마취 하에 제거를 결정하였다. **2019년 1월 2일** 우측 하악골 골체부의 협측 피질골(buccal cortical plate)을 제거하여 전위된 임플란트의 위치를 확인하였다. 골창을 제거할 때 하악관 손상을 최소화하기 위해 Piezoelectric drill을 사용하였으며, 하치조신경을 조심스럽게 외측으로 견인하면서 전위된 임플란트를 제거하였다(**Fig 2-3**). 신경 주변에 Dexamethasone 5 mg/mL을 주사하고 골창을 원위치시킨 후 봉합하였다(**Fig 2-4**). 술후 항생제(Amoclan duo, Amoxicillin/Clavulanate 500 mg 2T bid)와 소염진통제(Aclofen, Aceclofenac 100 mg bid)를 5일 처방하였고 스테로이드는 테이퍼링 요법으로 5일 처방하였다[Dexamethasone 0.5 mg tid (2T-1T-2T) → (2T-1T-1T) → (1T-1T-1T) → bid (1T-1T) → qd (1T)]. 수술 1주 후 봉합사를 제거하고, Pharma mecobalamin (Mecobalamin 0.5 mg bid)을 4주간 처방하였다. **2019년 7월 17일** 최종 내원 시 감각이상 등 모든 증상은 완전히 소멸되었다(**Fig 2-5**).

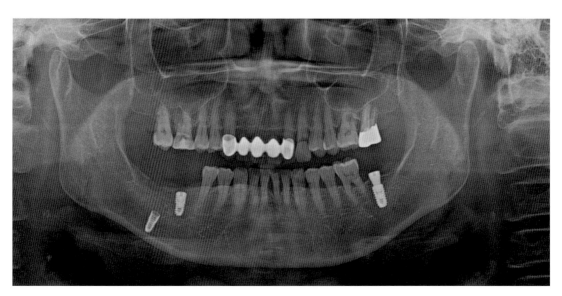

Fig 2-1 초진 시 파노라마 방사선 사진. #47 임플란트가 하악골 하연까지 전위된 것을 볼 수 있으며, 하치조신경 손상은 불가피하다.

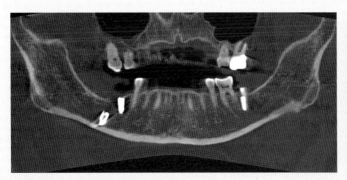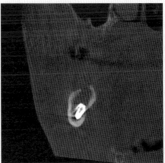

Fig 2-2 초진 시 CBCT 방사선 사진. 임플란트가 하악관을 압박하고 있는 소견이 관찰된다.

Fig 2-3 Piezoelectric drill로 협측 피질골판을 제거한 후 하치조신경을 노출시킨다. 조심스럽게 신경을 견인하면서 임플란트(화살표)를 제거한다.

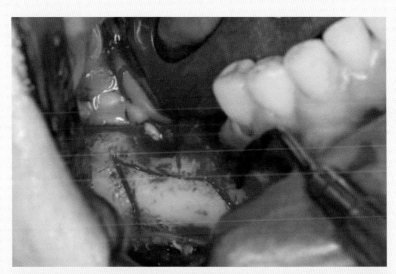

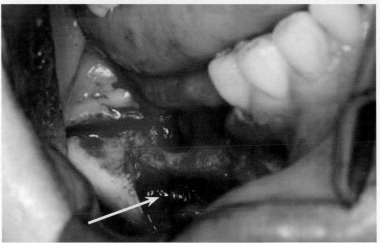

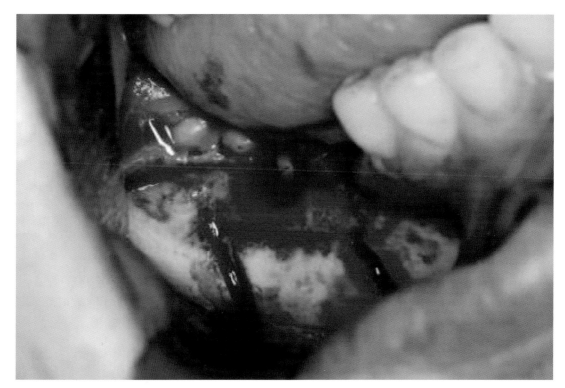

Fig 2-4 노출되었던 신경 주변에 스테로이드를 주사하고 제거하였던 협측 피질골판을 원위치시킨 모습.

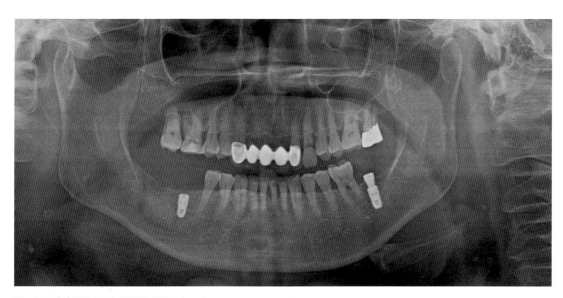

Fig 2-5 술후 파노라마 방사선 사진.

1 하악 구치부 임플란트 식립 도중 임플란트가 하방으로 전위됨
2 하치조신경 생리적신경차단성 손상

📋 **치료 및 경과**

1 임플란트 제거
2 약물치료(Dexamethasone, Vitamin)
3 예후 양호

🔊 **Comment**

● 골다공증을 보유한 40대 후반 이후의 여자 환자들 중 **하악골 골수강이 텅 비어있거나 골질이 매우 약한 경우가 많다.** 따라서 술전 파노라마 방사선 사진에서 하악골 하연의 피질골의 윤곽, 소주골의 치밀도 등을 잘 살펴보고 가급적 CBCT를 촬영하여 골밀도를 정확히 파악하고 수술에 임하는 것이 좋다. 하악골 하연 피질골의 연속성이 소실되거나 불규칙한 양상을 보이는 경우 골다공증을 의심해 볼 수 있다(김주연 등; 2008, Nicolielo LFP, et al; 2020). 그러나 본 증례와 같이 방사선 사진에서 특이한 이상소견이 관찰되지 않는 경우도 많이 있다. 따라서 골질이 불량하거나 골다공증이 의심되는 환자들에서 하악 구치부 임플란트 드릴링을 시행할 때 끝이 뭉툭한 깊이 탐침기(depth gauge)를 삽입하여 확인하면서 수술을 진행해야 한다. 만약 내부 공간이 텅 빈 경우엔 탐침기가 드릴링한 깊이보다 더 깊게 들어갈 것이다. 내부에 빈 공간이 있는 것이 확인되면, 식립할 최종 임플란트 직경보다 작은 크기로 최종 드릴링을 시행하고 입자형 골이식재를 소량 충전한 후 임플란트를 조심스럽게 식립해야 한다. 또한 임플란트 식립 시 rpm을 확실하게 확인해서 저속으로 식립해야 한다. 실제 임상에서는 무심코 드릴링 중에 설정된 고속 rpm을 바꾸지 않고 그대로 임플란트 고정체를 식립하는 오류를 범하는 경우가 자주 발생하고 있다. 임플란트 고정체가 하악 골수강 내부로 깊이 전위되면 하치조신경에 대한 손상은 불가피하다. 신경이 절단되는 경우는 드물지만 임플란트가 신경을 압박함으로 인해 감각둔화 증상이 발생하게 된다. 제거는 **하악골 협측의 피질골판을 제거하여 측방으로부터 접근해야 한다.** 절대로 임플란트 드릴링을 시행한 구멍을 통해 제거할 수는 없다. 제거 후에 신경손상 회복을 위한 약물 및 물리치료를 적극적으로 시행한다면 대부분 큰 문제없이 회복되는 경향을 보인다.

본 증례에서는 사고 발생 2일 후 임플란트를 신속히 제거하였고 노출된 신경 주변에 **스테로이드를 국소주사**하였다. 스테로이드는 부종과 염증을 완화시키면서 손상된 신경의 초기 회복에 매우 좋은 효과를 발휘하기 때문에 치과 치료 도중 신경손상이 발생하였다고 추정되는 경우엔 즉시 스테로이드 국소주사를 시행하는 것이 결코 나쁘지 않다고 생각한다. 협측 피질골창을 제거할 때 **Piezoelectric drill**을 사용한 것을 주목할 필요가 있다. Piezo는 연조직 손상을 거의 유발하지 않기 때문에 해부학적으로 위험한 구조물이 있는 부위의 골절단술을 시행할 때 유용하게 사용할 수 있다(D'Agostino A, et al; 2019, Metzger MC, et al; 2006).

Case 3 >> 34세 여자 환자에서 #46 임플란트가 하치조신경을 침범한 증례

2004년 10월 18일부터 #16, 17, 36, 37 임플란트 치료가 시행되었다(Fig 3-1). 심장 수술 병력이 있어 수술 1시간 전에 예방적 항생제 Amoxicillin 500 mg 4 capsules을 복용하고 임플란트 식립 및 #46 발치가 시행되었으며, #47 근관치료가 진행되었다. 2005년 6월 17일 예방적 항생제 투여 후 #46 부

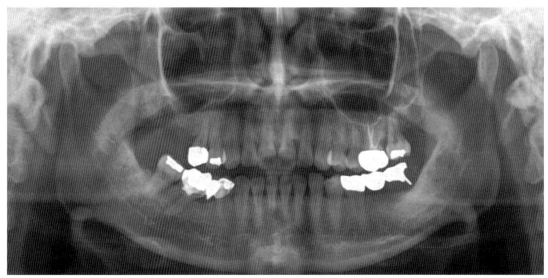

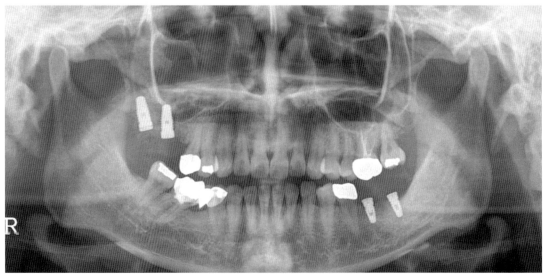

Fig 3-1 초진 및 술전 파노라마 방사선 사진. #16, 17, 36, 37 부위 임플란트가 식립되었으며, 환자가 임플란트 치료 과정에 대해 만족하여 #46 부위 임플란트 치료도 희망하였다. #44-46 보철물을 철거하고, #46 발치 후 임플란트를 식립하고 #44 자연치와 연결하는 bridge 치료를 계획하였다.

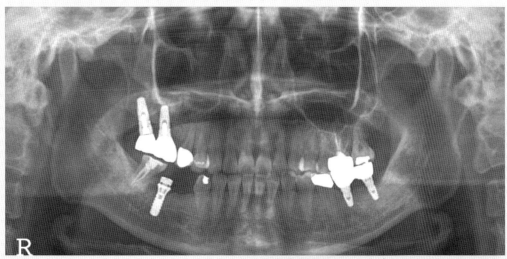

Fig 3-2 임플란트 식립 후 파노라마 방사선 사진. 임플란트가 하치조관을 침범한 소견이 관찰되었으며, 우측 하순의 감각 마비 증상이 존재하였다. #47은 근관치료가 완료된 상태이다.

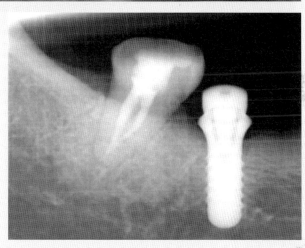

위에 임플란트가 1회법으로 식립되었다(ITI 4.8 D/10 L). 수술 후 촬영한 파노라마 방사선 사진에서 임플란트가 하악관을 침범한 소견이 관찰되었다. 우측 하순과 턱의 감각 둔화 및 찌릿한 통증이 존재하였으며(Fig 3-2), 촉각과 통각은 인지하는 상태였다. 즉시 역회전 시켜서 임플란트를 약간 빼내고 Neurontin (Gabapentin 100 mg tid)을 1주 처방하고 경과를 관찰하였다. **2005년 6월 24일** 봉합사를 제거하였으며,

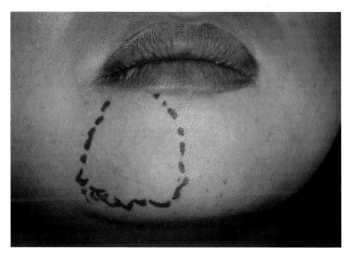

Fig 3-3 감각 이상 부위를 마킹펜으로 표시하고 촬영한 모습. 감각둔화 및 찌릿한 통증이 존재하였다.

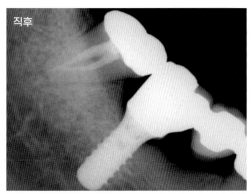
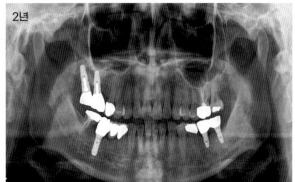

Fig 3-4 상부 보철물 완료 후 방사선 사진.

우측 턱과 하순에 감각둔화 증상이 있었고 찌릿한 통증과 벌레가 기어가는 듯한 간지러운 증상을 호소하였다**(Fig 3-3)**. Neurontin 300 mg tid로 증량하고 **2005년 7월 8일**부터 전기침자극요법(EAST)과 레이저 치료를 주 2회 시행하였다. 침 삽입 시 통증을 인지하였고, 마비 부위는 처음에 비해 많이 감소되었으며 가끔 찌릿한 통증이 있다고 하였다. **2005년 7월 19일**부터 투약을 중지한 후 물리치료를 계속하였다. **2005년 11월 1일** 촉각, 통각, 온각, 냉각은 모두 회복되었으나 감각이상은 계속 남아 있었고 찬 바람이 닿으면 우측 하순이 시큰거린다고 하였다. **2005년 12월 14일** #44 자연치와 #46 임플란트를 연결하는 3-unit bridge 치료와 #47 단일치관 수복이 완료되었다**(Fig 3-4)**. 이후 정기 유지관리를 시행하면서 경과를 관찰하였으며 **2006년 3월 13일** 내원 시 우측 하순과 턱의 감각이상은 계속 남아 있었다. **2006년 8월 22일** 내원 시 찌릿하고 화끈거리는 이상 통증이 자주 발생하며 하순과 턱의 불쾌감각이 더 심해진다고 하였다. 물리치료를 시행하면서 Dipental 크림(Capsaicin 0.025% 20 g)을 처방하여 하순과 턱 부위에 하루 4회 도포하도록 지시하였다. **2011년 7월 8일**까지 정기 유지관리를 받다가 지방 이주 관계로 장기간 내원하지 못하였다. **2019년 2월 8일** #44-47 부위 잇몸 염증 및 출혈과 간헐적 통증이 발생하여 내원하였으며, 치근활택술을 시행하고 항생제를 처방하였다. 우측 하순의 감각이상은 여전히 남아 있는 상태지만 적응하고 잘 지내고 있다고 하였고, 신경병성 통증은 없는 상태였다**(Fig 3-5)**.

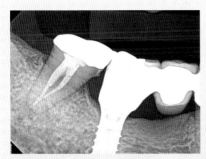
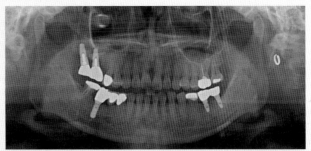
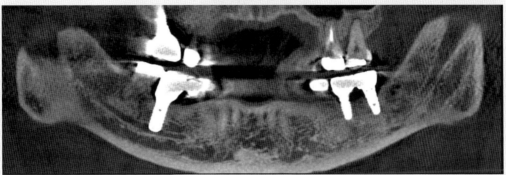

Fig 3-5 임플란트 수술(신경손상 발생일) 13년 8개월 후 방사선 사진. 임플란트가 하악관 상벽을 침범한 것이 확인된다.

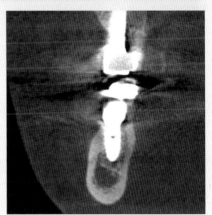

⊗ Problem lists

1 임플란트 하악관 침범

2 임플란트를 제거하지 않고 역회전시켜서 약간 빼냄

3 하치조신경손상: 축삭절단

4 신경병성 통증 동반

치료 및 경과

1 약물치료(Neurontin, Capsaicin)

2 물리치료

3 하순 감각이상 잔존

4 중등도 예후

Comment

● 임플란트 식립 전 잔존골량 평가를 소홀히 하고 부적절하게 수술이 진행되었다. 즉 CT 혹은 파노라마 확대율을 이용한 잔존골량 평가가 이루어지지 않았으며, 길이 10 mm 임플란트를 일회법으로 식립한 것이 잘 이해되지 않는다. 수술 도중에 depth gauge를 이용한 탐침 과정도 잘 이행되지 않았을 것으로 추정된다. 경제적 여유가 있는 환자임에도 불구하고 #44 치아와 #46 임플란트를 연결하는 bridge 치료계획을 수립한 것도 잘 이해되지 않는다. 지금 치료를 진행한다면 #44 단일치관 수복, #45, 46 짧은 길이 임플란트 식립 후 보철치료를 진행하였을 것이다.

술후 방사선 사진에서 임플란트가 하악관을 침범한 소견을 확인하였다. **임플란트 역회전이 아니라 즉시 제거했어야 한다.** 과거에는 임플란트가 하악관을 침범하였을 때 역회전시켜서 빼내고 경과를 관찰하라는 의견들이 많았다. 그러나 최근 개념을 기반으로 돌이켜 생각해보면 전혀 근거가 없는 의견들이었다. 신경 손상을 회복시키기 위해서는 조기에 원인을 제거하고 약물 및 물리치료를 적극적으로 시행해야 한다. 하악 관을 침범한 임플란트는 신경에 지속적인 압박을 가하면서 영구적인 손상과 신경병성 통증을 유발할 가능 성이 크기 때문이다. 본 증례에서 사용된 Gabapentin과 Capsaicin 크림은 신경손상 회복 목적으로 사용한 것이 아니다. 감각둔화와 함께 신경병성 통증이 존재하여 본 약물들을 사용하였으며, 통증은 소멸되었다. **신경손상 초기에 항부종 및 항염증 효과와 손상된 신경의 치유 촉진을 위해 스테로이드가 사용되지 않았던 점이 아쉽다.** 임플란트가 하악관을 침범한 상태임에도 불구하고 감각둔화가 경미하고 환자가 문제를 제기하지 않는 이유는 무엇일까? 나름대로 이유를 정리해 보면 **Tip 1-1**과 같다.

Tip 1-1 **임플란트가 하악관을 침범하였음에도 불구하고 감각둔화가 경미한 이유**

1. **환자와 치과의사의 돈독한 유대 관계**로 인해 환자가 치료과정에 협조적이었다.
2. **하악관 상방에 혈관이 존재하고 그 하방에 신경이 존재한다.** 본 증례는 하악관 상방에 있는 혈관을 손상 시켰고, 그로 인한 압력으로 인해 감각마비가 발생하였을 가능성이 있다. 즉 신경에 대한 직접적인 손상은 경 미하였기 때문에 양호한 예후를 보였던 것으로 생각된다.
3. **조기에 적극적인 약물 및 물리치료가 시행**되었으며, 만성 신경병성 통증의 발생을 방지할 수 있었다.
4. **환자의 성격이 긍정적이고 덜 예민**하기 때문에 잔존하고 있는 감각이상에 잘 적응하고 있는 것으로 생각된다.

Case 4 >> 70세 남자 환자에서 하악 좌측 임플란트 식립과 골유도재생술 시행 후 이신경의 생리적신경차단 손상 (neurapraxic injury)이 발생한 증례

70세 남자 환자가 하악 좌측 무치악 부위 임플란트 치료를 목적으로 내원하였다. 상하악에 다수 임플란트 치료가 되어 있는 상태였으며, 파노라마 방사선 사진에서 좌측 하악 치조정 부위 골밀도가 저하되어 있는 것으로 보아 이전의 발치 부위 골치유가 덜 되어 있을 것으로 추정되었다(Fig 4-1).

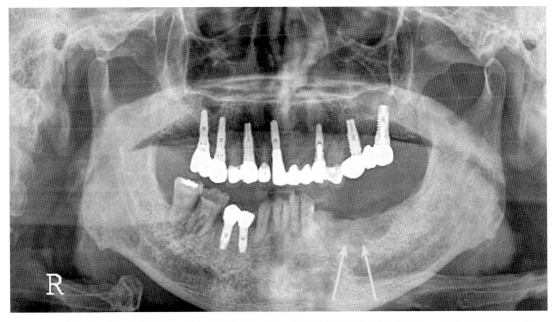

Fig 4-1 초진 시 파노라마 방사선 사진. 좌측 하악 무치악 치조능 부위의 골밀도가 저하되어 있는 소견이 관찰된다(화살표).

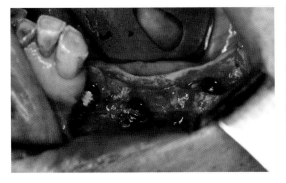
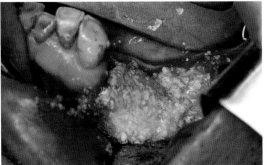

Fig 4-2 하악 좌측 임플란트 식립 후 협측 골량이 부족하여 골유도재생술을 시행하였다.

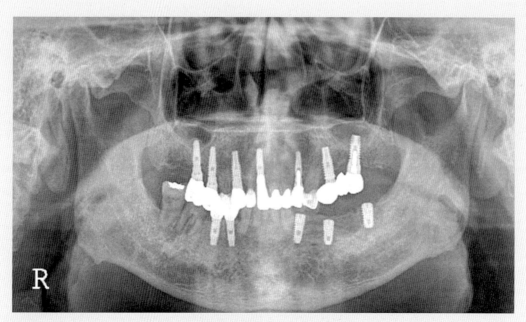

Fig 4-3 술후 파노라마 방사선 사진. 식립된 3개의 임플란트는 이공 및 하악관과 충분한 안전거리를 유지하고 있다.

2012년 11월 14일 #33, 35, 37 부위에 임플란트(Osstem TS Ⅲ SA, #33:4 D/10 L, #35:4.5 D/8.5 L, #37:5 D/8.5 L, Osstell ISQ, #33:59, #35:48, #37:75)가 식립되었고, 주변 골결손부에 InduCera, ExFuse를 혼합하여 이식하고 Bio-Arm 차폐막을 피개하고 창상을 봉합하였다**(Fig 4-2)**. 약물은 Yucla 625 mg (Amoxicillin/Clavulanate 625 mg tid), Asec (Aceclofenac 100 mg bid)을 처방하였으며, 술후 파노라마 방사선 사진에서 식립된 임플란트가 하방의 이공 및 하악관과 충분히 안전거리가 확보되어 있는 것이 확인되었다**(Fig 4-3)**. 수술 후 피가 많이 났으며 피하출혈 및 혈종이 발생하였다. 수술 2일 후에는 설사가 매우 심해서 현재 복용 중인 약을 중단하고 항생제를 Flasinyl (Metronidazole 250 mg tid)로 교체한 후 Andilac-S 캡슐(Lactobacillus acidophilus 300 mg tid)을 추가 처방하였다. 2012년 11월 22일 봉합사를 제거할 때 좌측 하순 주변 마취가 덜 풀린 느낌이라고 호소하였다. 1주 2회 EAST (4 acupunctures) & 저수준 레이저 치료(low level laser therapy, LLLT)를 시작하였으며, 2013년 1월 3일 감각둔화 범위가 약간 감소되었다. 2013년 1월 4일부터는 이동식 레이저(hand-grip soft laser)를 환자에게 대여하여 1회 5분씩 마비 부위에 접촉식으로 회전하면서 사용하도록 하였고, 1주 2회 내원하여 물리치료를 계속 시행하였다. 2013년 1월 24일 2차 수술(Osstell ISQ, #33:60, #35:68, #37:70)을 시행하였다. 2013년 3월 26일 상부 보철물을 장착하였고 환자에게 이동식 레이저와 충전기를 장기 대여하여 거의 정상으로 회복되면 반납하도록 하였다. 2013년 10월 21일 내원 시 감각둔화는 처음에 비해 많이 회복되었으나 약 20% 정도 남아있다고 표현하였다. 좌측 이공 주위에 Dexamethasone 5 mg/ml을 수사하고 물리지료를 시행하였다. 2013년 11월 28일 감각둔화 부위는 약 10% 정도만 남아있고 생활에 지장이 없다고 하면서 대여한 레이저를 반납하였다. 이후에도 환자가 시간 날 때마다 내원하여 EAST & laser 치료를 받았으며 2014년 5월 29일 감각둔화는 거의 회복되고 약 2-3%만 남았다고 표현하였다**(Fig 4-4)**. 물리치

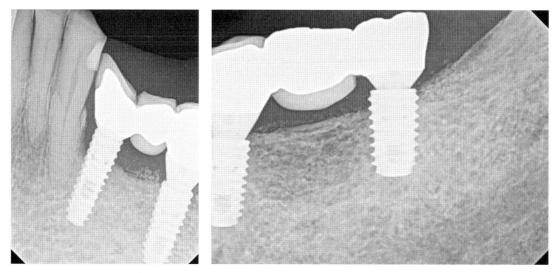

Fig 4-4 2014년 5월 29일 촬영한 치근단 방사선 사진. 감각둔화는 거의 회복되었다. #33 부위 변연골 소실이 관찰되지만 임플란트 주위염 증상은 없는 상태이다.

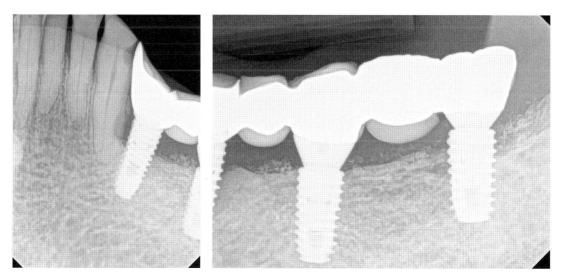

Fig 4-5 상부 보철물 장착 7년 4개월 후 치근단 방사선 사진. 감각이상은 완전히 소멸된 상태이며, #33 임플란트 주변 변연골 흡수도 정체 상태를 유지하고 있다.

료는 중단하고 6개월 간격으로 임플란트 및 치주 유지관리를 시행하고 있으며 감각이상은 완전히 소멸된 상태이다(**Fig 4-5**).

⊗ Problem lists

1 임플란트 식립 및 골유도재생술
2 술후 피하출혈 및 혈종
3 좌측 이신경 손상: Neurapraxia
4 투약 후 설사
5 임플란트 주위 변연골 소실

치료 및 경과

1 약물 치료: Dexamethasone
2 물리치료
3 예후 양호

⊰)) Comment

● 상기 환자에서 발생한 **설사**는 술후 투여한 항생제 Yucla로 인해 발생한 것으로 생각되며, 항생제를 Metronidazole로 교체하고 **Andilac-S 캡슐**을 투여하여 해결하였다. Andilac-S 캡슐은 Lactobacillus acidophilus를 함유하여 장내세균총 이상의 회복 및 정상화를 목적으로 사용되는 약물이다. 설사를 유발하는 항생제 치료를 받고 있는 환자, 급성 감염성 설사, 괴사성 장염의 치료에 사용된다.
본 환자에서 발생한 감각이상의 원인은 **골유도재생술을 시행하고 봉합하는 과정에서 이신경 가지들이 직·간접적으로 손상**되었거나 술후 발생한 **혈종**에 의한 압력으로 인해 발생한 생리적신경차단 손상으로 추정된다. 감각의 회복은 자연 치유일 가능성이 크지만 적극적인 약물 및 물리치료가 직·간접적으로 치유에 도움을 주었을 것으로 생각된다. 본 증례에서 주목할 점은 장기간 물리치료를 시행하고 환자에게 레이저 장비를 대여해 주는 등 **환자-의료진 간의 긴밀한 유대관계**가 회복에 큰 도움을 주었으며, 이것이 의료분쟁으로 진행되지 않은 원인이라고 생각된다.

Case 5 >> 53세 남자 환자에서 #46 임플란트 식립 후 혀 감각이상이 발생하였던 증례

2013년 6월 18일 53세 남자 환자의 #46 부위에 임플란트(Zimmer 4.7 D/10 L, Osstell ISQ 76)가 1회법으로 식립되었다(Fig 5-1, 2). 치유 지대주를 연결하고 원심측과 협측 골열개 부위에 MBCP를 이식한 후 봉합하였다. 10일 후 봉합사를 제거할 때 우측 혀 측면의 이상감각을 호소하면서 마취가 덜 풀린 느낌이라고 표현하였다. 수술 당시 마취할 때 몹시 아팠다고 상기하였으며 혀 끝이 따끔거리고 우측 혀의 촉각과 통각을 덜 인지하는 상태였다. 우측 혀에 2개의 침을 삽입한 후 EAST & laser 치료를 시작하였고 Tegretol (Carbamazepine 100 mg tid), Beecom (Vitamin B, C qd)을 처방하였다. 2013년 7월 4

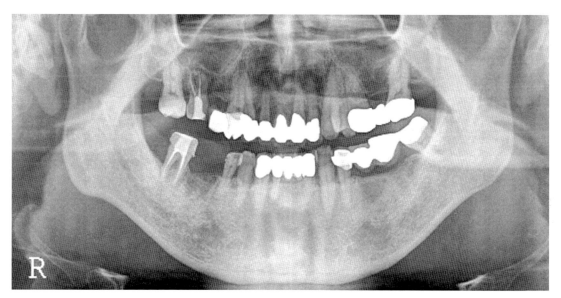

Fig 5-1 53세 남자 환자의 초진 시 파노라마 방사선 사진.

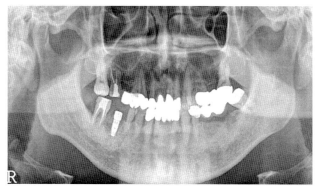 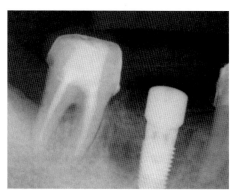

Fig 5-2 임플란트 식립 후 방사선 사진.

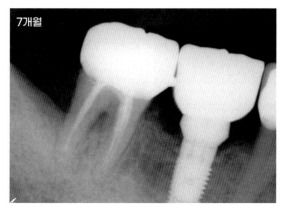
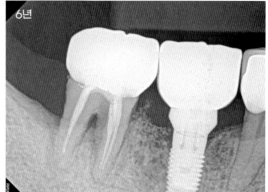

Fig 5-3 상부 보철물 장착 후 치근단 방사선 사진.

일 혀 끝 감각은 회복되었지만 매운 것, 찬 것, 뜨거운 것을 먹으면 따끔거리고 화끈거리는 증상이 심하고 가끔 혀를 씹는다고 하였다. 환자가 편한 시간에 내원하여 물리치료를 계속 받도록 하였으며, **2013년 8월 19일** 상부 보철물이 장착되었다. 정기 유지관리를 시행하면서 관찰한 결과 **2014년 3월 27일**(수상일 기준 9.5개월 경과) 감각이상은 완전히 회복되었다**(Fig 5-3)**.

⊗ Problem lists

1 국소마취 관련 설신경손상: Neurapraxia
2 신경병성 통증

🖑 치료 및 경과

1 약물치료: Tegretol, Vitamin
2 물리치료
3 예후 양호

🔊 Comment

● 본 증례의 증상들은 **설신경 손상**과 연관된 것들이며, 관련 원인은 **국소마취**였을 가능성이 크다. 즉, 하치조신경전달마취를 시행할 때 주사바늘이 직접 설신경에 접촉되었을 수 있으며, 환자가 상기하는 **마취 시 극심한 통증**이 주사침 손상과 연관이 있다고 생각된다. 신경손상의 치료는 무조건 조기에 신속히 시작되어야 한다. 본 증례에서 사용된 약물은 따끔거리고 화끈한 통증 조절을 목적으로 사용되었다. 통증을 장기간 방치할 경우 만성 **신경병성 통증**으로 진행될 수 있기 때문에 적극적인 통증완화 치료가 중요하다. 본 증례의 신경손상은 생리적신경치단 손상일 가능성이 크기 때문에 혀 감각이상의 회복은 자연 회복이었을 가능성이 크다. 그러나 **EAST & laser**와 같은 물리치료가 손상된 신경의 치유에 직접적으로 관여하진 않더라도 초기에 적극적으로 시행하는 것이 환자를 위해 나쁠 것은 없다. 하치조신경과 달리 설신경 손상의 객관적 진단은 매우 어렵고 환자의 주관적 증상에 의존할 수밖에 없기 때문에 의료분쟁 발생 시 대처하기가 매우 어렵다. 이런 관점에서 **혀의 마비 부위에 침을 삽입**하는 방법은 통증 인지 여부 및 회복과정을 판단할 수 있는 유용한 방법이다.

Case 6 >> 67세 여자 환자에서 #33, 35 임플란트 식립 후 감각이상이 발생한 증례

2017년 2월 7일 67세 여자 환자에서 #33, 35 부위에 임플란트(Superline #33:3.6 D/8 L, #35:4 D/8 L, Osstell ISQ #33:64, #35:75)를 식립하고 주변 결손부에 골이식(AutoBT, Ossix plus)을 시행하였다**(Fig 6-1)**. 수술 10일 후 봉합사를 제거할 때 좌측 하순과 턱이 멍멍하고 마취가 덜 풀린 느낌이면서 아프다고 하여 국소적인 감염 및 염증이 있는 것으로 생각하고 Mesexin (Methylol cephalexin lysinate 500 mg bid)을 3일 처방하였다**(Fig 6-2)**. 2017년 4월 24일 2차 수술을 시행(Osstell ISQ #33:70, #35:85)하였는데, 하

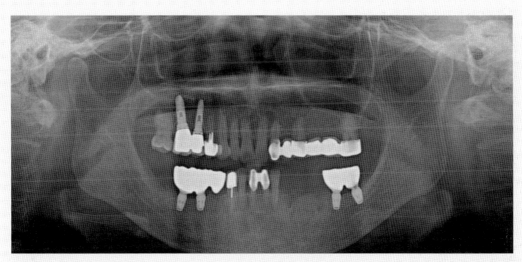

Fig 6-1 술전 파노라마 방사선 사진. #33, 35 부위 임플란트 식립을 계획하였다.

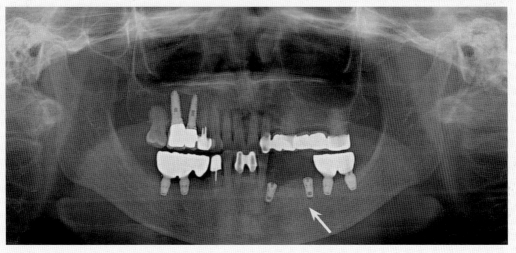

Fig 6-2 임플란트 식립 후 파노라마 방사선 사진. 식립된 임플란트와 이공(화살표) 사이에 충분한 안전거리가 확보되어 있는 것이 확인되지만, 술후 좌측 하순과 턱의 감각이상이 발생하였다.

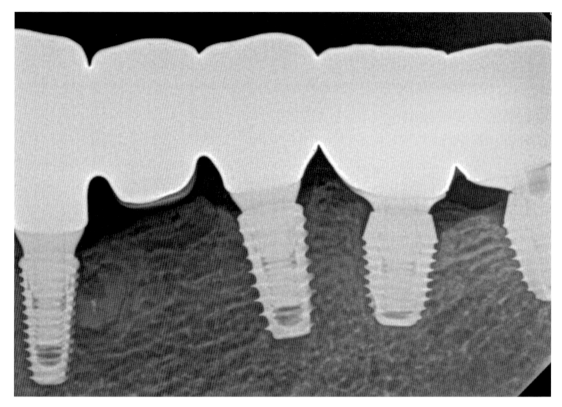

Fig 6-3 보철기능 3년 후 치근단 방사선 사진. 감각이상은 완전히 소멸된 상태이다.

악 전치부 감각이상이 남아 있지만 수술 직후에 비해서는 많이 좋아졌다고 표현하였다. **2017년 5월 8일** 좌측 하순의 찌릿한 통증이 심해졌으며, 손가락으로 입술을 건드리면 통증이 심해진다고 하였다. 또한 가만히 있을 때도 갑자기 전기가 오는 듯한 통증이 발생한다고 호소하였다. 신경병성 통증이 발생한 것으로 판단하고 Trileptal (Oxcarbazepine 300 mg bid)을 1주 처방하면서 경과를 관찰하였다. **2017년 6월 8일** 증상이 더 심해져서 이공 주위에 Dexamethasone 5 mg/ml을 리도카인과 함께 주사하고 Trileptal 300 mg bid, Sensival (Nortriptyline 10 mg qd)을 처방하였다. **2017년 6월 15일** 위장장애가 심해져서 투약을 1/2로 감량하였고, EAST (pad)와 레이저를 이용한 물리치료를 시작하였다. 보철치료를 위해 내원할 때마다 물리치료를 하였으며, **2019년 2월 18일** 치료를 종료하였다. **2019년 8월 12일** 내원 시 감각둔화 및 신경병성 통증은 완전히 소멸되었으며 임플란트 유지관리가 잘 시행되고 있다 **(Fig 6-3)**.

⊗ Problem lists

1 임플란트 식립과 골유도재생술

2 이신경 손상: Neurapraxia

3 신경병성 통증

⎙ 치료 및 경과

1 약물 치료: Trileptal, Sensival, Dexamethasone

2 물리치료

3 예후 양호

🔊 Comment

● #35 **임플란트 식립과 동시에 골유도재생술**을 시행하는 도중에 협측 조직의 과도한 견인에 의한 이신경 압박 혹은 일차 봉합을 위해 협점막 피판 하방에서 **undermining**을 시행하는 과정에서 이신경의 가지에 손상이 가해졌을 가능성이 있다. 일정 시간 경과하면서 **신경병성 통증**이 발생하였으며, 적극적인 약물 및 물리치료를 초기에 시행하여 정상으로 회복시킬 수 있었던 증례이다. 이신경가지 손상을 최소화하기 위해선 협점막 피판 하방의 undermining을 가급적 표층으로 시행하여야 한다. 깊게 시행할 경우 손상 위험성이 증가한다.

치과치료 이후 신경병성 통증이 발생할 경우엔 초기부터 적극적인 치료를 시행해야 한다. 통증이 만성화되면 자율신경계 반응과 신체화 증상들이 발생하면 치료가 매우 어려워진다. 신경병성 통증 조절을 위해 사용된 1차 약물(Carbamazepine, Antidepressants)에 반응을 보여서 매우 다행이었던 증례이며, **스테로이드 국소주사**는 1회 시행하였으나 그로 인한 효과가 있었는지는 확실하지 않다. 신경손상 및 신경병성 통증 치료는 환자에게 상황을 잘 설명하면서 **초기부터 약물 및 물리치료를 적극적으로 시행**하고 처방한 약에 반응을 보이지 않거나 심한 부작용이 발현되면 **다른 약물로 교체해 나가면서 환자에게 가장 적합한 적정 약물을 찾아서 처방하는 방식**으로 치료해 나가는 것이 일반적인 방법이다.

이 증례에서 주목할 점은 감각이상이 2년 이상 경과하여 회복되었다는 것이다. 약물 및 물리치료로 인해 감각이 회복되었는지는 알 수 없다. 통상적으로 치과치료 후 감각이상이 발생할 경우 6개월 이내에 회복된다고 하면서 아무런 조치도 취하지 않는 경우가 많다. 6개월 이내까지 회복 속도가 빠르다는 의미이지, 전부 회복된다는 것은 아니다. 한성희 박사의 논문(2009)과 대한구강악안면외과학회지에 게재된 장애평가 가이드라인(악안면장애평가위원회; 2012)을 보면 **최종 후유장애진단서 발급을 수상일 기준 2년 후**로 제안하고 있는 것을 주목해야 할 것이다.

Case 7 >> 53세 여자 환자에서 하악 우측 구치부 임플란트 식립 후 감각이상이 발생한 증례

2012년 8월 28일 53세 여자 환자에서 #44, 46, 47 부위에 임플란트가 식립되었다. #44를 발치한 후 치조정절개를 시행하여 피판을 거상하였다. 날카로운 치조능의 일부를 bone rongeur로 제거하

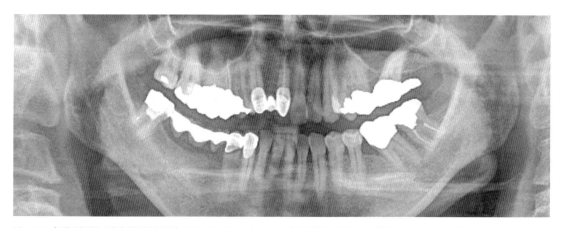

Fig 7-1 초진 시 파노라마 방사선 사진. #43-48 long bridge가 존재하고 있으며, 임플란트 치료를 계획하였다.

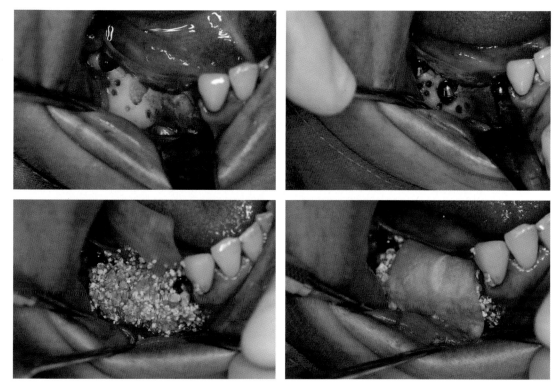

Fig 7-2 임플란트를 식립하고 골유도재생술을 시행하는 모습.

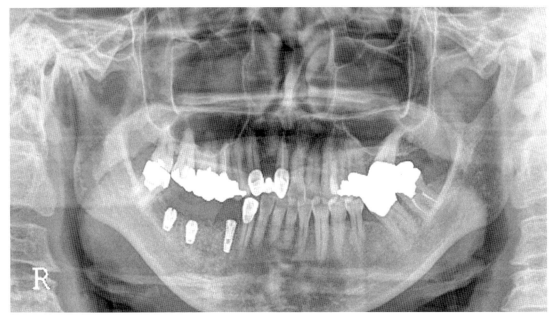

Fig 7-3 임플란트 식립 후 파노라마 방사선 사진. 임플란트와 하악관 및 이공 사이에 충분한 안전거리가 확보되어 있는 것을 볼 수 있다.

여 평탄하게 한 후 드릴링을 시행하고 임플란트를 식립하였다(Superline, #44:4 D/10 L, #46, 47:5 D/7 L, Osstell ISQ, #44:51, #46:81, #47:81). 주변 골열개 부위에 드릴링 중 수집된 자가골 분말과 Osteon, Pedi-Stick을 혼합하여 이식하고 Bio-Arm 차폐막을 피개한 후 봉합하였다(Fig 7-1, 2). 술후 촬영한 파노라마 방사선 사진에서 임플란트와 하악관은 충분한 간격이 있는 것이 확인되었다(Fig 7-3). 그러나 **2012년 9월 6일** 봉합사를 제거할 때 우측 턱의 통증과 하순 감각둔화 증상을 호소하였다. Methylon (methylprednisolone 4 mg bid), Reumel (Meloxicam 7.5 mg bid)을 1주 처방하고 관찰하였으나 감각둔화와 찌릿한 통증이 지속되었다. Neurometer로 평가한 결과, 우측 하순과 턱 부위의 감각저하 소견이 관찰되었으며, EAST (4 acupunctures) & laser 치료를 시작하면서 Pharma mecobalamin을 처방하였다. 우측 하순과 턱의 약 5 mm 밴드 부위에서 감각을 느끼지 못한다고 하였고, 침 삽입 시 통증을 인지하지 못하였다. **2012년 10월 25일** 감각둔화가 많이 완화되어 물리치료를 중단하였다. **2012년 12월 10일** 2차 수술(Osstell ISQ, #44:81, #46:80, #47:71)을 시행하고 **2013년 2월 19일** 상부 보철물을 장착하였다(Fig 7-4). 이후 정기 유지관리가 시행되었고, **2014년 10월 2일** 내원 시 통각, 촉각, 온냉 감각은 모두 인지하는 상태이고 통증은 없으나, 날씨가 추워지면 우측 입술 감각이 이상하다고 표현하였다(Fig 7-5). **2016년 3월 28일** 우측 하순 일부가 가끔 전기 오는 듯한 찌릿한 증상(겨울에 심하고 여름에 덜 하다고 표현)이 있다고 하여 레이저 치료와 스케일링을 시행하고, 환자 스스로 우측 입술 마사지와 온찜질을 수시로 하면 회복에 좋다고 설명하였다. **2020년 6월 30일** 관찰 시 임플란트는 안정적으로 유지되고 있으며 감각이상은 존재하지 않았다(Fig 7-6).

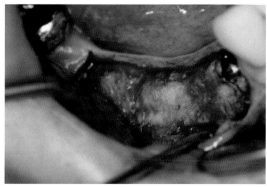
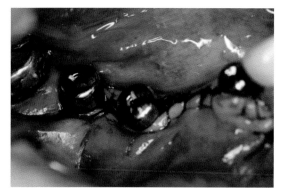

Fig 7-4 임플란트 2차 수술이 시행된 모습.

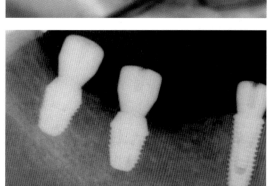

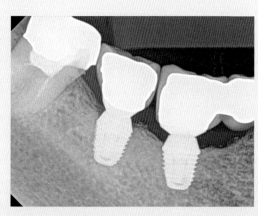
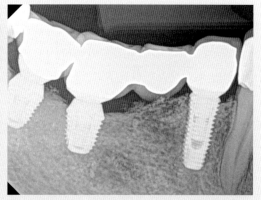

Fig 7-5 상부 보철물 장착 2년 3개월 후 치근단 방사선 사진. 우측 입술의 이상감각은 계속 남아 있는 상태였다.

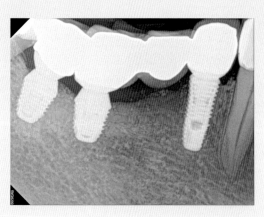

Fig 7-6 보철물 장착 7년 4개월 후 치근단 방사선 사진. 감각이상은 존재하지 않으며, 정기적인 유지관리를 꾸준하게 받고 있다.

⊗ Problem lists

1 임플란트 식립과 골유도재생술
2 이신경 손상: Neurapraxia
3 신경병성 통증

치료 및 경과

1 약물 치료: Methylon, Vitamin
2 물리치료
3 예후 양호

◀)) Comment

● 본 증례의 신경 손상 원인은 **골유도재생술** 후 봉합하는 과정에서 이신경가지가 손상을 받았던 것으로 추정된다. 증상 발현 초기부터 적극적인 약물 및 물리치료가 시행되었고, 환자에게 상세한 설명을 하면서 열심히 치료하는 모습을 보여준 것이 회복에 좋은 영향을 미쳤다고 생각된다. 본 증례의 신경손상의 회복 과정에서 주의 깊게 살펴볼 부분은 초기에 통증 및 감각을 전혀 느끼지 못하였으나 시간이 경과하면서 회복되었고, 2개월 후엔 **객관적 증상은 거의 정상으로 회복**되었다는 것이다. 그러나 이후에도 환자의 **주관적 증상(감각이상, 찌릿한 통증 등)이 장기간 지속**되었으며, 완전히 소멸되는데 4년 정도 기간이 소요되었다. 즉 환자의 주관적 증상은 오랜 기간 지속되며 경우에 따라서는 영구적으로 남아 있을 수도 있다. 환자-의료 친 간에 상호 신뢰감 및 유대관계가 좋지 않다면 의료분쟁으로 비화되었을 것이다.

Case 8 >> 55세 여자 환자에서 #45, 46 임플란트 수술 후 구강저 혈종과 감각 이상이 발생한 증례

2012년 9월 24일 55세 여자 환자가 하순과 턱 중앙부(양측 이공 사이) 감각둔화와 구강저 종창을 주소로 내원하였다**(Fig 8-1)**. 2주 전 치과의원에서 #45, 46 임플란트 식립 수술이 시행되었으나 술후 감각이상이 존재하여 #45 임플란트를 제거한 상태였다. 만성 간질환이 존재하여 수술 후 항생제 및 진통제를 전혀 복용하지 않았다고 하였다. 초진 구강검사 시 구강저에 파동성 종창과 점막의 발적 및 혀 거상 소견이 존재하였고, 턱 하방 종창 및 압통을 호소하였다**(Fig 8-2)**. 통증 지수는 VAS 7.5, 감각둔화 지수는 VAS 8.5로 측정되었으며 Neurometer 검사 시 심한 감각저하 소견이 관찰되었다**(Fig 8-3)**. 임플란트의 이공 침범과 술후 혈종으로 인해 감각둔화가 지속되는 것으로 추정하고 즉시 주사기로 흡인한 결과 다량의 혈액이 배출되었으며, 설측 치은연을 통해 구강저 혈액을 다량 배출시키고 배양검사를 의뢰하였다. 배양검사 결과에서 세균 증식은 검출되지 않았다. 설측 치은연에서 출혈이 발생하는 것을 방지하기 위해 인상을 채득하여 하악에 Omnivac stent를 장착하였다. 당일 시행한 혈액검사에서는 WBC 3,870, RBC 3,590,000, Hb 12.4, Hct 35.7, ESR 20, platelet 72,000, AST 65, ALT 50, Total bilirubin 4.4 소견을 보였다. 약물은 Mesexin (Methylol cephalexin lysinate 500 mg bid), Reumel (Meloxicam 7.5 mg bid)를 처방하였다. 수술 다음날 창상을 소독할 때 구강저 종창은 원래 상태와 동일

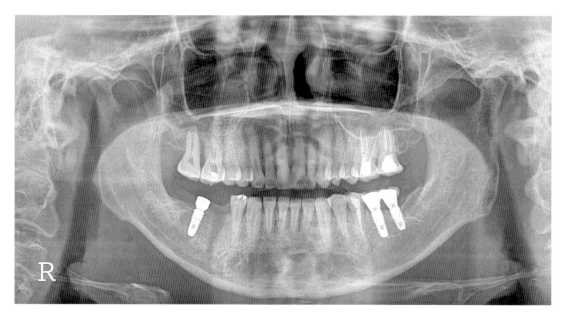

Fig 8-1 초진 시 파노라마 방사선 사진. #45 임플란트 제거 부위의 방사선투과상이 이공과 연결된 소견을 보이고 있다.

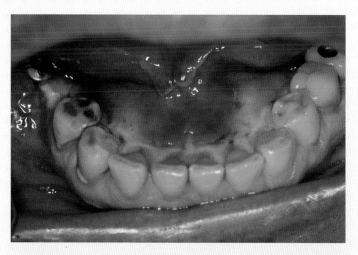

Fig 8-2 구강저 종창으로 인해 혀가 거상된 상태이며, 점막의 발적 소견을 보이고 있다. 촉진 시 파동감이 인지되었다.

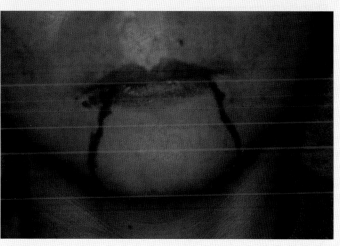

Fig 8-3 하순과 턱의 감각둔화 부위를 마킹펜으로 표시한 모습.

해졌으나, 촉진 시 파동감이 인지되어 구강저 내부에서 출혈이 지속되고 있는 것으로 추정되어 지혈 촉진 목적으로 Tranexamic Acid Inj. (Tranexamic acid 500 mg)를 근육주사하였고, Transamin Cap. (Tranexamic acid 250 mg tid)를 2일 처방하였다. 그럼에도 **2012년 9월 27일** 구강저 종창의 크기는 변화가 없었고 턱 하방의 압통은 더 심해진 상태였다. **2012년 10월 2일** 주사침과 설측 치은연을 통해 혈액을 빼내고 국소지혈제 Surgicel을 충전하였다. 혈액검사에서는 AST 48, ALT 37, Total bilirubin 5.0, PT INR 1.73, aPTT 53.2, WBC 4,830, RBC 3,270,000, Hb 11.3, Hct 32.1, platelet 56,000, ESR 27로 측정되었으며, 출혈 성향이 증가된 양상을 보였다. 혈소판 수치는 감소 양상을 보여 혈액종양내과 협진을 의뢰하고 입원 관리를 계획하였다. 현재의 간기능과 혈소판 수치를 참고할 때 전신마취 및 수술 위험도가 높기 때문에 혈소판 2U, 신선동결혈장(FFP) 3U 수혈을 우선 시행하라는 자문을 받았다. 수혈 후 **2012년 10월 8일** 측정한 혈액검사에서 PT INR 1.81, AST 49, ALT 14, platelet 117,000 소견을 보였으며, **2012년 10월 10일** 전신마취 하에서 설측 치은열 절개를 시행해 피판을 거상하여 구강저 혈종 부위에 접근하였다. 내부의 혈종 덩어리를 제거하여 조직검사를 의뢰하였고, Surgicel을 충전한 후 Tisseel로 추가 지혈처치를 시행하고 봉합하였다. 추후 조직검사 결과는 혈종으로 확진되었다. 이후 구강저 종창은 감소하고 출혈은 정지되었으며, **2012년 10월 22일** 감각둔화 증상은 완전히 소멸되었다.

⊗ Problem lists

1 만성 간질환
2 #45, 46 임플란트 식립 후 구강저 종창, 출혈 및 혈종
3 혈소판 감소
4 임플란트 식립 시 이신경 손상: Neurapraxia
5 촉진 시 압통 및 파동감

치료 및 경과

1 약물치료: Mesexin, Meloxicam, Transamin
2 수혈
3 혈종 제거 및 지혈 처치
4 예후 양호

◀)) Comment

● **간질환**이 있는 환자들은 지혈이 잘 안 되는 경향을 보인다. 이 환자의 경우 간기능이 저하된 상태에서 임플란트 수술이 시행되었으며, 환자 본인이 간질환 악화를 우려하여 술후 항생제 등 약물을 복용하지 않았다. 임플란트 수술 당시 상황과 임플란트 식립 직후 방사선 사진을 볼 수 없어서 확실하게 알 수는 없지만, #45 임플란트를 제거한 부위의 방사선투과상이 이공과 연결되어 있는 소견을 참고할 때 임플란트가 이공을 침범했던 것으로 추정된다. 또한 술후 출혈이 지속되면서 형성된 **혈종**이 설신경 및 이신경에 압박을 가하면서 감각이상을 초래하였을 것으로 생각된다. 국소마취 하에서 2회 구강저에 고여 있는 혈액 배출을 시행하였지만 내부 출혈이 지속되는 양상을 보였다. 본 증례는 **간기능 저하 및 혈소판저하증**으로 인해 출혈 위험성이 매우 큰 환자이기 때문에 내과와 협진 하에 수혈을 먼저 시행한 후 구강저에 접근하여 혈종을 제거하고 국소지혈처치를 시행하였다. 혈종이 제거되면서 감각둔화 증상은 완전히 회복되었다.

Case 9 >> 39세 여자 환자에서 #47 치근단 농양이 하악관으로 파급되면서 발생한 감각이상

2009년 4월 27일 39세 여자 환자가 우측 하순과 턱 감각이상을 주소로 내원하였다 **(Fig 9-1)**. 1개월 전부터 갑자기 증상이 시작되었는데, #47 심한 우식증과 통증이 존재하였다. 감각이상 부위의 촉각과 통각은 인지하는 상태였으며, 손가락으로 건드리면 찌릿한 통증이 발현된다고 하였다. 방사선 사진에서 #47 치근단 방사선 투과상이 하악관과 연결된 상태로 심한 우식증 소견이 관찰되었다**(Fig 9-2)**. 핵의학 검사에서 우측 하악골의 섭취율(uptake) 증가 소견이 관찰되었다(Fig

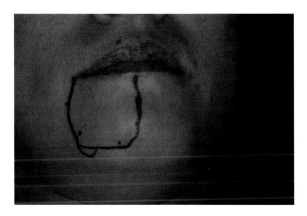

Fig 9-1 초진 시 안모 사진. 우측 하순과 턱에 감각이상이 존재하였다.

9-3). **2009년 4월 30일** #47을 발치하고 Suprax Cap. (Cefixime 100 mg bid), Melocox (Meloxicam 7.5 mg bid)를 처방하였다. **2009년 5월 7일** 봉합사를 제거하고 레이저 물리치료를 시행하였으며, 감각이상

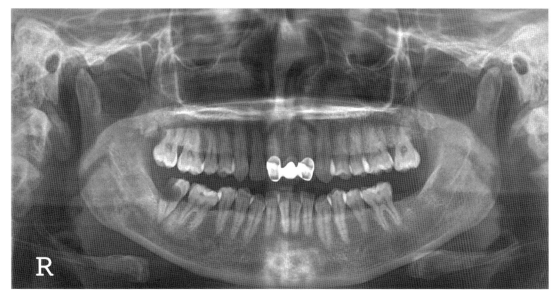

Fig 9-2 초진 시 파노라마 방사선 사진. #47 치근단 방사선 투과상이 하악관과 연결된 상태이며 심한 우식증 소견이 관찰된다.

증상은 현저히 감소된 양상을 보였다(**Fig 9-4**). 집에서 입술과 턱에 온찜질을 하면서 마사지를 수시로 하도록 하였으며 시간이 경과하면서 회복될 가능성이 매우 높다고 설명하였다. 이후 환자는 내원하지 않았으며 전화로 상태를 문의한 결과 감각이상은 완전히 소멸되었다고 하였다.

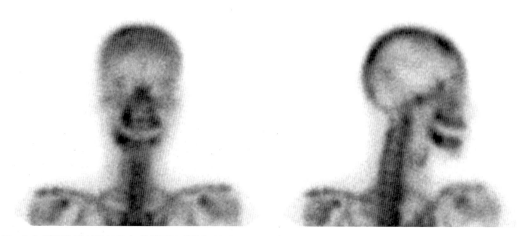

Fig 9-3 핵의학 검사에서 우측 하악골의 섭취율 증가 소견이 관찰된다.

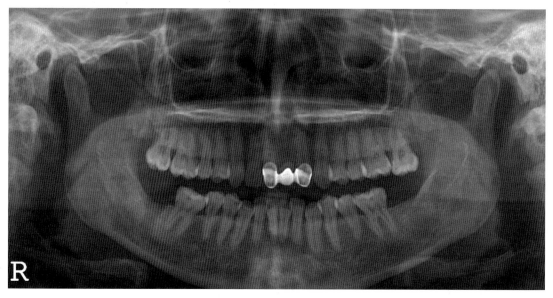

Fig 9-4 #47 발치 10일 후 파노라마 방사선 사진. 감각이상은 많이 감소되었다.

⊗ Problem lists

1 치근단 농양의 하악관 침범

2 하치조신경 손상: Neurapraxia

3 신경병성 통증

치료 및 경과

1 원인치 발치

2 약물치료: Suprax, Meloxicam

3 물리치료

4 예후 양호

🔊 Comment

● **감염**이 신경 주변으로 파급될 경우 세균 및 고름에 의한 **화학적 손상**이 발생할 수 있다. 본 증례는 전형적으로 치근단 농양이 하악관으로 확산되면서 감각이상이 발생한 증례였다. 증상 발현기간이 짧았고 신속한 **원인 제거 및 항생제 치료**가 시행되어 감각이 정상적으로 쉽게 회복된 경우이다. 이런 환자들에게 사전에 감각이상과 같은 신경 관련 증상이 치아 감염으로 인해 발생된 것이라는 것을 설명하지 않았다면, 환자는 발치 등 치료 이후에 지속되는 감각이상이 치과진료로 인해 발생한 것으로 생각할 것이며 의료분쟁은 불가피할 것이다. 소송이 진행될 경우 사전 설명을 하지 않았다면 100% 치과의사가 패소한다. 패소의 주 사유는 "**설명의무 위반**"이다.

Case 10 >> 64세 남자 환자에서 #48 매복치 주변의 감염이 하악관으로 파급되면서 감각이상이 발생한 증례

2016년 1월 7일 64세 남자 환자가 하악 우측 턱 감각이상을 주소로 내원하였다. 1개월 전부터 우측 턱이 마비된 느낌을 인지하기 시작하였고, 방사선 사진에서 #16 우식증, #26, 37 유동성 및 통증, #48

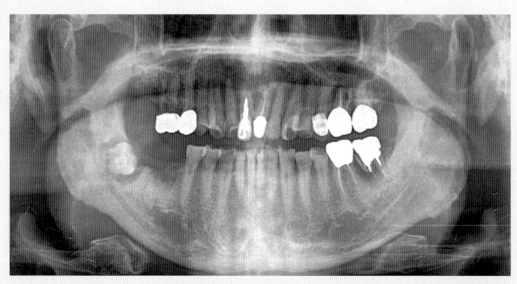

Fig 10-1 초진 시 파노라마 방사선 사진. #48 매복치 주변의 방사선 투과성 병소가 하악관과 연결되어 있는 것을 볼 수 있다.

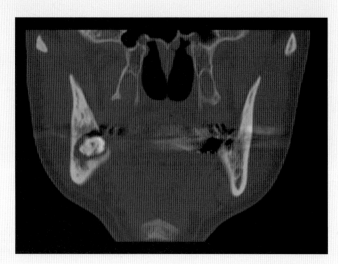

Fig 10-2 술전 CT 방사선 사진. 매복치 주변의 방사선 투과성 병소가 하악관과 연결되어 있는 것이 확인된다.

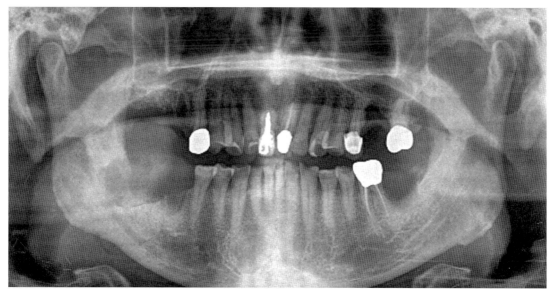

Fig 10-3 술후 파노라마 방사선 사진. #48 매복치를 발치하면서 배상형성술(saucerization)을 시행하였고 #16, 26, 37은 발치되었다.

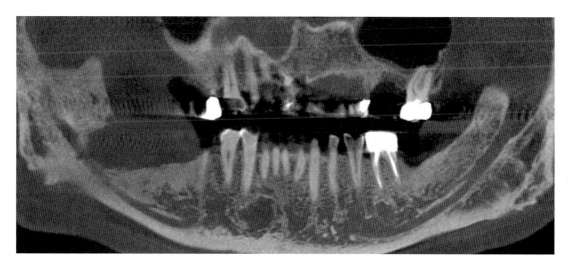

Fig 10-4 수술 2개월 후 CBCT 방사선 사진.

매복 및 주변의 방사선 투과성 병소가 하악관과 연결된 소견이 관찰되었다**(Fig 10-1, 2)**. #48 매복치 주위의 감염으로 인해 만성 골수염이 발생한 것으로 진단하고 Mesexin (Methylol cephalexin lysinate 500 mg bid), Naxen-F Tab. (Naproxen 500 mg bid)를 처방하고 수술을 계획하였다. **2016년 2월 17일** #16, 26, 37, 48을 발치하고 #48 주변 악골 골수염 수술(배상형성술; saucerization)을 시행하였다**(Fig 10-3)**. 채취한 시편을 조직검사한 결과 Actinomycosis가 동반된 골수염으로 진단되었다. 약물은 Augmentin Tab. 625 mg (Amoxicillin/Clavulante 625 mg tid), Carol-F Tab. (Ibuprofen 200 mg/Arginine 185 mg tid)를 처방하였다. 술후 창상소독, 레이저 치료 및 항생제 치료를 계속하였으며, **2016년 3월 11일** 구강 내 스텐트를 제작하여 장착해 주었고 환자가 집에서 생리식염수로 식사 후 창상세척을 하도록 설명하였

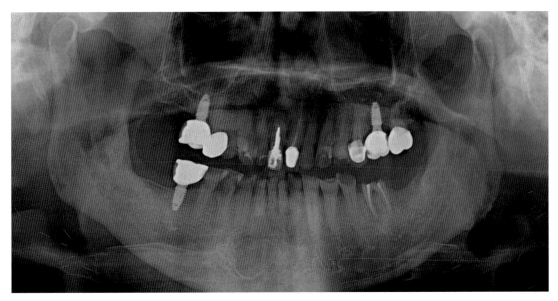

Fig 10-5 #46 임플란트 보철기능 2년 후(골수염 수술 후 3년 4개월) 파노라마 방사선 사진. #46 부위 결손부에 골이식을 시행한 후 충분한 치유기간을 부여한 후 임플란트를 식립하였다. 감각이상은 완전히 소멸된 상태이다.

다. 2016년 4월 25일 CBCT 사진에서 수술 부위 결손부가 하악관과 연결되어 있지만 재발소견 없이 정상적인 치유가 이루어지는 것이 관찰되었고, 우측 턱의 감각둔화는 계속 남아 있었다(Fig 10-4). 2016년 7월 21일 하악 우측 구치부 결손부에 골이식술(AutoBT+ExFuse)이 시행되었으며 2016년 11월 10일 #26 임플란트 식립, 2016년 11월 24일 #16, 46 임플란트 식립술이 시행되었다. 2017년 6월 28일 임플란트 상부 보철물들이 모두 완성되어 장착되었고, 정기적인 유지관리가 시행되고 있다. 정확한 시기는 모르지만 하악 우측 턱의 감각이상 증상은 완전히 소멸되었다고 하였다(Fig 10-5).

⊗ Problem lists

1 매복치
2 골수염
3 하치조신경 손상: Neurapraxia

치료 및 경과

1 매복치 발치
2 배상형성술
3 약물치료: Mcooxin, Augmentin, Naxen-F Carol-F
4 예후 양호

🔊 Comment

● **매복치 주변 감염과 골수염**이 하악관으로 확산되면서 감각이상이 발생하였던 증례이다. 감염의 원인인 매복치를 발치하고 골수염 수술을 시행하고 항생제 치료를 시행하였다. 술후 스테로이드, 비타민 등과 같은 약물들은 사용되지 않았으며 시간이 경과하면서 어느 순간 감각이상이 완전히 소멸되었다. 감염 등과 같은 분명한 원인이 존재할 경우 원인을 해결하면 감각이상은 확실히 회복될 수 있다는 것을 보여주는 증례이다. 그러나 치료를 시작하기 전에 감각이상이 감염으로 인해 발생하였고, 치료 이후에도 감각이상은 남아 있을 수 있다는 점을 분명하게 **설명하고 의무기록지에 근거를 남겨야 한다**. 감염으로 인해 감각이상이 발생한 Case 9, 10을 살펴볼 때 국소마취, 감염 등과 같은 간접적 손상과 **생리적신경차단성 손상 (neurapraxic injury)**은 거의 정상으로 회복될 가능성이 높다는 점을 의미한다. 그러나 환자에게 설명이 부족하고 적절한 치료가 이루어지지 않는다면 환자들의 주관적 감각이상은 영원히 존재하면서 치과의사들을 괴롭힐 수도 있다.

Case 11 >> 48세 여자 환자에서 상악 좌측 임플란트 식립 후 상순 감각이상이 발생한 증례

2006년 4월 19일 48세 여자 환자에서 #22, 24, 25를 발치하고 치조골증대술이 시행되었다(**Fig 11-1, 2**). 2006년 8월 14일 #22, 24, 25 부위에 임플란트가 식립되었으며, 주변 골열개 부위에 골이식이 시

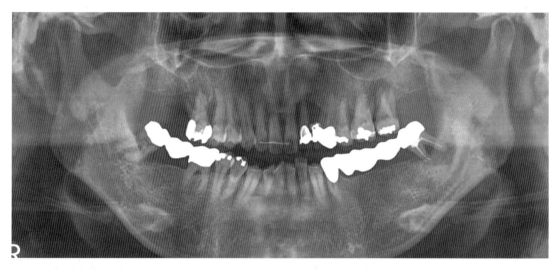

Fig 11-1 초진 시 파노라마 방사선 사진. #22, 24, 25를 발치하고 골이식을 시행한 후 임플란트 지연 식립을 계획하였다.

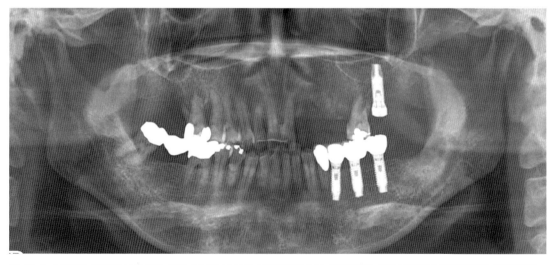

Fig 11-2 술후 파노라마 방사선 사진. #22, 24, 25 발치 및 치조골증대술이 시행되었고 #27 부위에도 임플란트가 식립되었다.

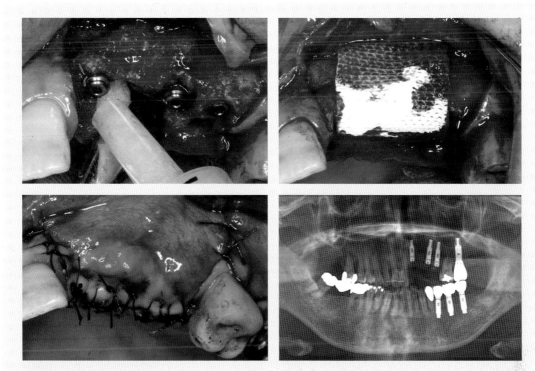

Fig 11-3 골이식 4개월 후 #22, 24, 25 부위에 임플란트를 식립하고 주변 골열개 부위에 골이식을 시행하였다. 협점막 피판 기저부에서 충분한 undermining을 시행한 후 견고하게 봉합하였다.

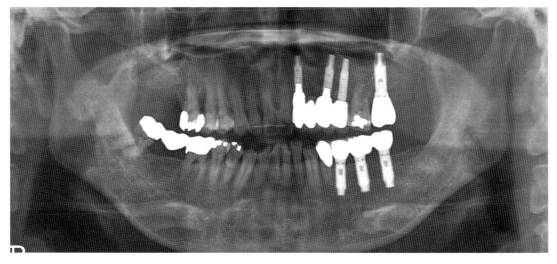

Fig 11-4 상부 보철물 장착 1개월 후 파노라마 방사선 사진. 환자는 뒤늦게 좌측 코와 상순 주변의 감각둔화 증상을 호소하기 시작하였다(일차 골이식술 11개월 후, 임플란트 식립 수술 7개월 후).

행되었다(Fig 11-3). 수술 3일 후 좌측 눈 주위와 비순구 반상출혈 및 종창이 심하였으며 **2006년 8월 24일** 봉합사를 제거하였다. **2006년 12월 5일** 2차 수술을 시행하고, **2007년 1월 16일** 상부 보철물이 장착되었다. **2007년 3월 19일** 내원 시 좌측 코 측방과 상순 주변의 마취가 안 풀린 듯한 느낌을 호

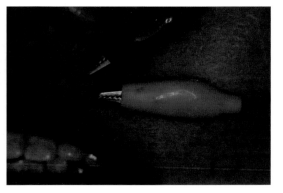

Fig 11-5 환자가 감각둔화를 호소하는 부위를 마킹펜으로 표시하였고, 즉시 EAST (acupunctures) & laser 치료와 약물치료를 시작하였다.

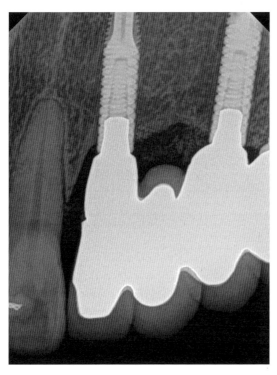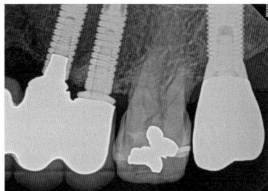

Fig 11-6 임플란트 보철물 장착 11년 후 치근단 방사선 사진. 감각이상은 없으며, 임플란트도 안정적인 상태를 유지하고 있다.

소하였다. 수술 이후부터 느낌이 좋지 않았어도 시간이 가면 없어질 것으로 생각하고 지냈으나 마비 감각이 지속되어 많이 걱정을 하는 상태였다(**Fig 11-4**). 환자가 호소하는 감각이상 부위를 마킹펜으로 표시하여 사진을 촬영하고 EAST (2 acupunctures) & laser 치료를 시행하면서 좌측 상순 주변 피부에 도포하도록 Dipental 크림(Capsaicin 0.025% 20 g)을 처방하였다(**Fig 11-5**). 물리치료를 1주 1회씩 시행하면서 환자를 안심시키고 마비 부위 온찜질 및 자가 마사지를 열심히 하면서 경과를 관찰하자고 설명하였다. **2007년 5월 7일** 감각이상 증상은 상당히 완화되었으나 환자의 거주지 변농으로 인해 성과 관찰이 장기간 중단되었다. **2017년 9월 28일** 임플란트 점검 목적으로 내원하였을 때 감각이상은 완전히 소멸된 상태였고 **2018년 12월 21일** 최종 관찰 시점까지 특별한 문제 없이 유지관리가 잘 이루어지고 있다(**Fig 11-6**).

⊗ Problem lists

1 임플란트 식립 및 골유도재생술
2 반상출혈 및 종창
3 하안와신경 손상: Neurapraxiaa

🗐 치료 및 경과

1 약물치료: Dipental cream
2 물리치료
3 예후 양호

🔊 Comment

● Capsaicin은 따끔거리는 것과 같은 신경병성 통증이 존재하는 부위에 국소적으로 사용하는 약물이다. 당시에는 통증은 없었고 감각이상만 존재하였음에도 불구하고 Capsaicin을 처방한 것은 큰 의미가 없었다고 생각되지만 아무것도 안 하고 방치하는 것보다는 낫다. 감각이상의 원인은 임플란트 식립 후 골유도재생술을 시행하고 일차 봉합을 위해 **협측 피판 기저부 골막이완절개를 시행할 때 안와하신경 가지가 손상**을 받았거나 술후 발생한 심한 **출혈과 혈종으로 인해 안와하신경에 압박**이 가해져서 발생한 것으로 추정된다. 수술과 연관된 손상을 최소화하기 위해선 수술 중 지혈 처치를 확실히 하고 술후 종창을 최소화하도록 압박드레싱, 냉찜질 및 적절한 약물(스테로이드 등)이 처방되어야 한다. 본 증례와 같이 수술 직후 존재하던 감각이상을 시간이 지나면 나아질 것으로 생각하고 그냥 지내는 환자들이 예상 외로 많다. 이들은 참다가 이상 증상이 계속 남아 있으면 치과의사에게 증상을 얘기할 것이다. 이때 환자가 꾀병을 부린다거나 정신적으로 문제가 있는 것으로 간주하고 부적절하게 대처한다면 결국 의료분쟁이 발생하게 될 것이다. 환자가 이상 증상을 호소하는 즉시 상태를 잘 살피고, 의무기록지를 잘 작성한 후 약물 혹은 물리치료를 시행해야 한다. EAST & laser와 같은 **물리치료는 환자를 안심시키며 회복을 위해 최선을 다하고 있다는 것을 보여주는 것 자체가 환자의 심리적 측면에서 좋은 효과**를 보이기 때문에 아무것도 하지 않고 그냥 기다리는 것 보다는 할 수 있는 모든 치료를 수행하는 것이 바람직하다고 사료된다. 앞 증례들에서도 제시되었지만 **생리적신경차단성 손상(neurapraxic injury)**은 대부분 시간이 경과하면서 자연 치유되는 양상을 보인다.

Case 12 >> 34세 여자 환자가 #45 근관치료 후 우측 하순과 턱의 감각이상이 발생한 증례

2008년 8월 28일 34세 여자 환자가 우측 얼굴 주위에 감각이 없고 찌릿한 통증이 자주 발생하는 것을 주소로 내원하였다. 3개월 전 치과의원에서 #45 근관치료를 받았는데 치료 이후 한달 동안 극심한 통증이 있었으며, 이후부터 감각둔화 및 전기가 오는 듯한 통증이 지속되고 있었다. 통각과 촉각은 인지하는 상태였으며, 손가락으로 건드리면 화끈거리는 증상이 심해지고, 찬 바람이 닿으면 우측 하순이 무거워지는 느낌이라고 하였다**(Fig 12-1)**. 방사선 사진에서

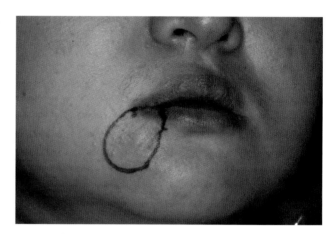

Fig 12-1 초진 시 안모 사진. 우측 하순, 구각부와 턱의 일부에 감각둔화 증상이 존재하고 있다.

는 #45 근첨부까지 근관충전이 잘 되어 있는 소견이 관찰되었고, CT 촬영은 시행되지 않았다**(Fig 12-2)**. 근관치료 약물과 관련된 화학적 손상으로 추정하고 EAST (Acupunctures) & Laser 치료를 시행하면서 Methycobal (Mecobalamin 0.5 mg tid)을 4주 처방하고 입술과 턱의 감각이상 부위에 Dipental 크림 (Capsaicin 0.025% 20 g)을 하루 4회 적정량 도포하도록 하였다. **2008년 9월 25일** 감각이상 부위의 범위가 감소되었고 주관적 증상도 많이 호전되었으나 찌릿한 이상 통증이 가끔 발생한다고 하였다. 이후 환자는 내원하지 않았다.

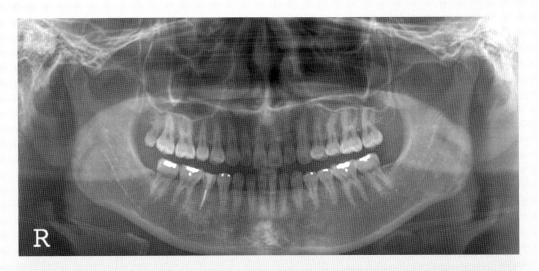

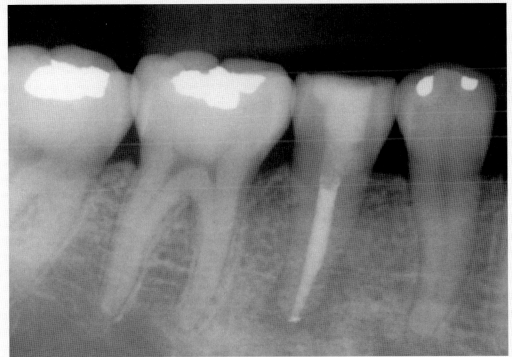

Fig 12-2 초진 시 방사선 사진. #45 근관치료가 잘 되어 있지만 근단측에 방사선 투과상이 관찰되고 있다.

📋 치료 및 경과

1 약물치료: Vitamin, Dipental cream

2 물리치료

3 예후 중등도, 신경병성 통증 잔존

🔊 Comment

● <u>근관치료와 관련된 신경 손상</u>은 매우 드물지만 간혹 근관치료 기구가 근첨부를 과도하게 넘어가거나 근관치료용 약제 혹은 충전물로 인한 화학적 손상이 발생하기도 한다. 특히 이공과 하악관이 근접해 있는 하악 소구치와 대구치 치료 시 발생할 수 있으므로 주의해서 치료에 임해야 한다. 만약 근관치료 중 혹은 이후에 감각이상과 같은 증상을 호소하면, 치료 오류 유무를 따지기 전에 신속히 약물 및 물리치료를 시행해야 한다. 본 증례는 증상 발현 후 특별한 치료나 설명도 없이 약 3개월 동안 방치되다가 내원하였다. 이 환자의 경과는 비교적 양호하였으며 완전히 회복되었을 것으로 예상하고 있지만, 환자의 경과관찰이 중단되어 감각이상의 완전 회복 유무는 알 수 없다. <u>**환자와 치과의사 간의 신뢰관계 및 상호 유대관계**</u>가 깨진 상태라면 분명히 치료했던 치과에 문제를 제기했을 것으로 추정된다.

Case 13 >> 25세 여자 환자에서 #48 매복지치 발치 후 혀 감각이상이 발생한 증례

　　2005년 7월 28일 25세 여자 환자가 우측 혀 감각마비를 주소로 내원하였다. 3일 전 치과의원에서 매복치를 발치한 이후부터 우측 혀의 감각마비와 개구장애 증상이 발생하여 의뢰되었다. 진료의뢰서에는 골삭제 및 치아분할술이 시행되면서 수술 시간이 1시간 정도 소요되었고, 봉합 시 심한 통증을 호소했다고 기록되어 있었다. 개구량은 10–15 mm였으며, 우측 혀 감각마비와 맛을 못 느끼고 밤에 찌릿한 통증이 발생한다고 하였다. 파노라마 방사선 사진에서는 발치창이 하악관과 거의 근접해 있는 소견이 관찰되었다**(Fig 13-1)**. 체열검사에서는 뺨 주변 부위의 좌우 온도 차이가 큰 양상을 보였다**(Fig 13-2)**. 설신경 손상 및 저작근 장애(masticatory muscle disorder)로 잠정 진단하고, 혀 측면에 침을 2개 삽입(통증 인지하지 못함), 우측 교근 부위에는 pad를 2개 부착한 후 EAST & laser 치료를 시행하면서 Neurontin (Gabapentin 100 mg tid), Beecom (Vitamin B, C) qd, Dexamethasone gargle 0.05% 100 ml을 처방하였다**(Fig 13-3)**. **2005년 8월 8일** 개구량은 30 mm로 회복되었고 우측 혀, 설측 치은 감각은 전혀 없으며 가끔 찌릿한 통증이 발생한다고 하였다. **2005년 8월 11일**부터 Neurontin을 증량(300 mg tid)하였으며, **2005년 8월 16일**부터 침을 깊게 삽입할 때 통증을 인지하기 시작하였고 개구량은 40 mm를 회복하였다. 개구량 회복 후부터는 혀 감각마비 회복을 위해 침을 4개 삽입하고 전기자극을 최대로 올리면서 치료를 진행하였다**(Fig 13-4)**. 당일 마취통증의학과에 의뢰하여 성상신경절차단술(stellate ganglion block, SGB)이 시행되었고 이후 2회 추가로 시행하면서 치과에서는 물리치료가 병행되었다. **2005년 9월 5일** 혀 우측 후방부는 감각이 거의 회복되었으나, 전방부 무감각 상태는 남아있었

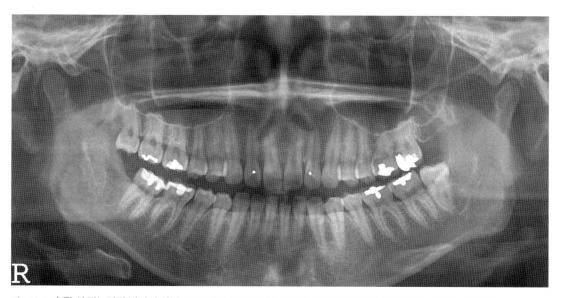

Fig 13-1 초진 시 파노라마 방사선 사진. #48 매복치가 발치된 부위가 하악관과 매우 근접해 있는 소견이 관찰된다.

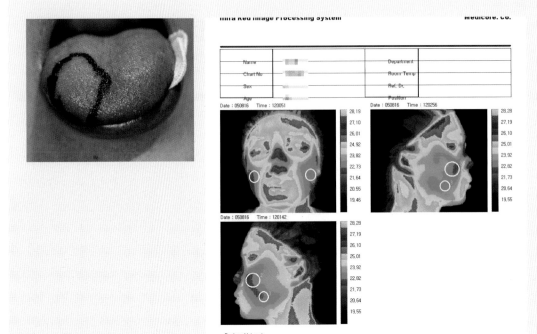

Infra Red Image Processing System   Medicore. Co.

Name		Department	
Chart No		Room Temp	
Sex		Ref, Dr,	
Age		Position	

Date : 050816   Time : 120051   Date : 050816   Time : 120256

Date : 050816   Time : 120142

Region of Interests

No	Rt	Lt	Difference		No	Rt	Lt	Difference
1	23.45	23.43	0.02					
2	23.48	23.41	0.07					
3	23.69	23.40	0.29					

Medicore Hospital
Tel:02-2056-2600 Fax:02-2056-2626

Fig 13-2 우측 혀 감각마비 부위를 마킹펜으로 표시한 모습. 체열검사에서 3번 부위의 좌우 온도 차이가 크게 나타났다.

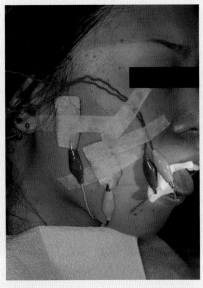

Fig 13-3 혀에는 2개의 침을 삽입하고, 우측 안면 부위에는 2개의 pads를 부착한 후 EAST 전극을 연결한 모습.

Fig 13-4 마비된 혀에 침을 4개 삽입하고 환자가 통증을 인지할 수 있을 때까지 최대로 전기자극을 가하였다.

다. Neurontin을 100 mg tid로 다시 감량하면서 물리치료를 계속하였으나, 환자가 설신경 손상이 발생한 이후부터 외출을 전혀 하지 않고 심리적으로 매우 위축된 양상을 보인다고 하여 정신건강의학과 협진을 의뢰하였다. **2005년 9월 23일** 혀가 당기면서 매운 느낌이고, 칫솔질할 때 혀에 닿으면 아프고 발음이 잘 안된다고 하였으나 통증과 촉각 등 감각은 거의 회복된 상태였다. 그러나 혀 문제로 인해 우울증, 식사장애가 생겼고 정신적으로 매우 힘들어졌다. 또한 구토, 불안감, 불면증 등이 지속되어 정신건강의학과 치료를 받았다. **2011년 11월 25일** 이후부터는 내원이 중지되었다.

⊗ Problem lists

1. 매복치 발치
2. 설신경 손상: Neurapraxia
3. 신경병성 통증
4. 턱관절장애
5. 정신건강의학과 진료

치료 및 경과

1. 약물치료: Neurontin, Vitamin, Steroid
2. 물리치료
3. 성상신경절차단술
4. 예후 불량

◀)) Comment

● **설신경 손상**은 하치조신경 손상에 비해 회복이 잘 안되고 치료하더라도 **불량한 예후**를 보이는 경우가 많다. 특히 미각, 발음 등이 관여되는 부위이기 때문에 환자가 매우 민감한 반응을 보이지만 객관적으로 정확하게 검사할 수 있는 방법들이 거의 없다. 본 증례는 체열검사에서 뺨 주변에 해당하는 부위(혀 측면 포함)의 체열이 좌우 온도차가 컸으며, 혀에 침을 삽입할 때 전혀 통증을 인지하지 못하는 것으로 보아 설신경 손상을 확진하였다. **초기부터 적극적인 약물치료와 물리치료 및 SGB가 시행**되면서 신경병성 통증과 감각둔화는 거의 회복되었다. 그러나 감각이상은 계속 남아 있었고, 충격적인 가정사를 겪음으로 인해 정신적 문제가 심화되어 **정신건강의학과 치료**를 받았다. 설신경 손상 치료 시 혀에 침을 삽입하여 치료하는 방법의 효과는 입증되지 않았고, 과학적 근거도 미약하다. 그러나 아무것도 해주지 않는 것보다는 나으며, 침 삽입 시 환자가 느끼는 감각을 통해 진단 및 치료경과를 파악하는 데 많은 도움이 된다. 신경손상 증상이 만성화되면서 환자가 잘 적응하지 못하는 경우엔 환자를 잘 설득하여 초기부터 정신건강의학과 진료를 받도록 하는 것을 적극 고려해야 한다.

Case 14 >> 61세 남자 환자에서 #26, 27 임플란트 치료 후 좌측 상순의 감각 이상이 발생한 증례

2016년 3월 7일 61세 남자 환자가 좌측 상순 감각이상을 주소로 내원하였다. 1년 10개월 전 타 치과의원에서 #26, 27 부위 상악동골이식을 동반한 임플란트 수술 이후부터 증상이 시작되었다고 하였다(**Fig 14-1**). 임상 검사 시 좌측 상순 측방의 감각이상. 뻣뻣하고 차가운 느낌이 항상 있으며, 말할 때 입술 부분에 침이 생기고 특정 발음이 잘 안된다고 표현하였다. 아침에 일어날 때 불쾌한 통증이 있고 입술 주변에 음식물이 묻어도 잘 못 느낀다고 표현하였다. 감각이상 지수는 VAS 5, 통증 지수 VAS 5였으며, 전기생리학적 검사를 참고하여 좌측 안와하신경 손상 및 신경병성 통증으로 진단하였다(**Fig 14-2, 3**). 신경손상 발병일 이후 시간이 너무 많이 경과하여서 약물 치료 등은 거의 의미가 없을 것으로 생각하고, 후유장애진단서 발급 전까지 침 자극을 이용한 물리치료를 시행하기로 결정하였다. 좌측 상순 부위에 2개의 침을 삽입(통각 인지)하고 EAST & laser 치료를 시작하였으며, 총 8회 치료를 시행하면서 온찜질과 자가 마사지를 열심히 하도록 하였다. 신경손상과 무관하게 #15–17 부위 임플란트 치료가 진행되었으며, **2016년 7월 4일** 임상 및 전기생리학적 검사를 다시 시행한 후 후유장애진단서를 발급하였다.

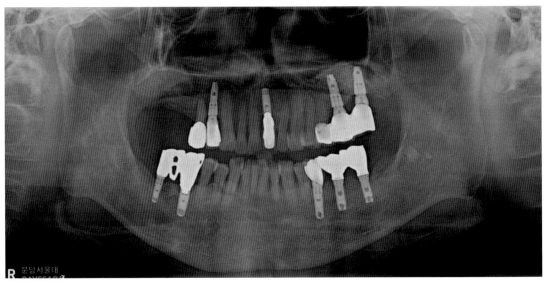

Fig 14-1 초진 시 파노라마 방사선 사진. 좌측 상순의 감각이상을 주소로 내원하였으며 #26-27 부위에 상악동골이식을 동반한 임플란트 식립술이 시행되었던 환자이다.

Sensory NCS

Nerve / Sites	Rec. Site	Latency ms	Pk Amp μV	Amp Pk-Pk μV	Duration ms	Resp.	Lat Diff ms
R TRIGEMINAL - infraorbital							
1. Branch 1	G1	1.75	13.1	16.2	1.30		1.75
2. Branch 2	G1	1.70	17.7	19.4	1.35		-0.05
3. Branch 3	G1	1.65	20.5	24.7	1.55		-0.05
4. Branch 4	G1	1.70	17.9	15.5	1.45		0.05
5. Branch 5	G1	1.70	17.6	24.4	1.45		0.00
L TRIGEMINAL - Compare Branches							
1. Branch 1	G1					No	
2. Branch 4	G1					No	
3. Branch 5	G1					No	

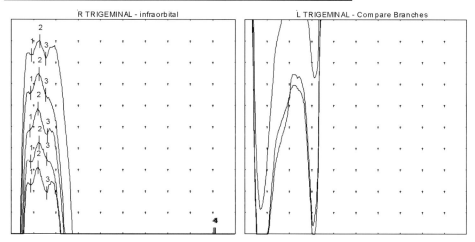

Fig 14-2 EMG Sensory NCS 검사에서 좌측의 감각반응이 거의 없는 것을 볼 수 있다.

DATE: 2016-03-07   VER: 2.9.1.194

- -

CPT Measures and Analysis Summary

		2K Hz	250 Hz	5 Hz	Grade
		(40 /244/118)	(4 /52 /19)	(1 /38 /10)	
TRIGEMINAL-jaw	:L	61	38	37	4.35
	:R	–	–	–	N/A

- -

CPT Summary Report Observations

CPT Measures were taken from 1 site. Measurements were obtained from the trigeminal n. - mandibular division (jaw). The grade of the left side measures was 4.35 which indicates a mild sensory dysfunction.

This report was printed with an unregistered copy of Neuval i2100

Fig 14-3 Neurometer 검사에서 좌측 안와하신경 지배 부위의 경미한 감각이상 소견이 관찰되었다.

좌측 상순 주변의 감각이상을 주소로 내원하였고 전기생리학적 검사 등 정밀검사를 시행한 결과 좌측 삼차신경 상악분지(안와하신경) 손상으로 추정되는 증상이 존재하였음. 약물 및 물리치료를 시행한 후 경과를 관찰하였으며 2017년 1월 26일 정밀검사를 다시 시행한 결과 동일 병변과 연관된 증상이 잔존하는 것으로 확인되었음.

1. 맥브라이드

1) 두부, 뇌, 척수 제5뇌신경 완전 장애: 18% → 좌측 삼차신경(3개분지)의 손상: 9% → 상악신경(3개분지)손상 1/3 준용: 3% → 전상치조신경과 안와하신경 손상 2/3 준용: 2%

2) 최종 장애율: 2%

2. AMA (2000) 장애평가기준

1) 편측 상악신경 손상에 의한 감각이상 장애는 삼차신경 전체 장애율의 절반이면서 상악 신경에 국한하여 적용함.

2) Class I (0–14%)의 1/2는 0–7%

3) 상악신경 1/3을 적용하면 0–2.3%: 감각둔화 및 기능적 장애가 함께 존재하는 것을 고려하여 2%의 신체장애율을 산정함.

4) 최종 장애율: 2%

⊗ Problem lists

1 상악동골이식
2 안와하신경 손상: Neurapraxia
3 신경병성 통증
4 후유장애 진단서

치료 및 경과

1 물리치료
2 예후 중등도

🔊 Comment

● 신경손상의 치료는 초기부터 적극적으로 시행되어야 한다. 본 증례의 경우 수상일 이후 1년 10개월이 경과하여 본원을 방문하였으며 "초기 치료가 시행되었는지? 어떤 치료가 시행되었는지?"는 알 수 없었다. 이와 같이 **신경손상이 발생한 후 오랜 시간이 경과**한 후 내원하여 진찰을 받는 환자들은 대부분 의료분쟁이 진행 중이거나 보험회사의 최종 보상과 관련되어 있는 경우가 많다. 따라서 초진 시 환자의 임상 증상과 소견들을 의무기록지에 상세히 기록하고 가능한 객관적 검사들(전기생리학적 검사, 체열검사, CT 등)을 시행하여 근거를 남긴 후 **후유장애진단서**와 같은 의료문서를 작성해야 할 것이다. 감각이상 부위는 적극적으로 회복시킬 치료법이 없기 때문에 **환자가 현 상태에 잘 적응하면서 지내도록 하고 그 동안 보류되었던 다른 부위의 치과치료를 빨리 시행하는 것**이 최선의 방법이다. 본 증례에서 물리치료를 시행한 이유는 처음 진단한 치과의사로서 아무런 조치도 취하지 않고 후유장애진단을 내린다는 것은 문제가 있다고 생각하였기 때문이었다. 증상을 회복시키려는 최소한의 노력을 기울인 후 더 이상 호전되지 않을 경우 후유장애진단서를 작성하는 것이 원칙이다.

본 증례에서 최종 판정한 **장애율 계산법**을 주목해야 한다. 특히 대학병원급에서 기존에 선배들 시대부터 해오던 대로 아무런 생각없이 장애율을 판정하여 진단서를 발급할 경우 원인을 제공한 치과의사에게 치명적인 결과를 초래할 수 있으며, 개념없이 진단할 경우 치과의사 측에서 근거를 가지고 소송을 제기할 때 거의 패소할 것이다. 과거에 좌측 하치조신경손상으로 인해 발급된 후유장애진단서에서 장애율이 20%로 판정된 경우가 있었다. 손가락이 절단된 경우 장애율이 6-22%임을 고려할 때 과연 타당한 진단이었는지 독자들 나름대로 판단하길 바란다. 진단서 발급은 치과의사라면 누구나 할 수 있으며, 그들의 진단에 간섭할 수 없다. 그러나 **진단서 발급과 관련된 모든 법적 책임은 발급한 치과의사에게 있음**을 명심해야 할 것이다. 개념과 근거를 가지고 진단서를 발급해야 한다.

Case 15 >> 69세 여자 환자에서 #44-46 부위 임플란트 식립 후 감각이상이 장기간 지속된 증례

2009년 12월 31일 69세 여자 환자가 하악 우측 구치부 임플란트 치료를 목적으로 내원하였다 **(Fig 15-1).** 전신질환은 당뇨, 고혈압, 심혈관질환(심근경색으로 심장 스텐트 삽입 수술을 받고 아스피린 복

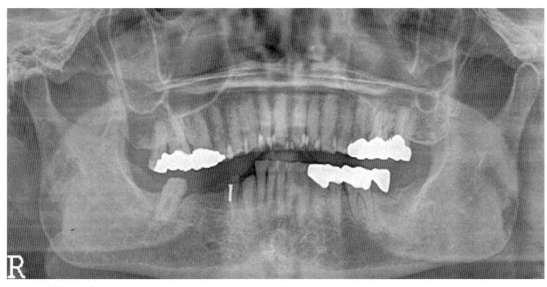

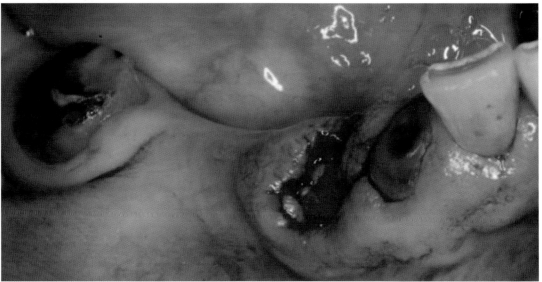

Fig 15-1 초진 시 파노라마 방사선 및 구강 사진. #44-46 부위 임플란트 식립을 계획하였다.

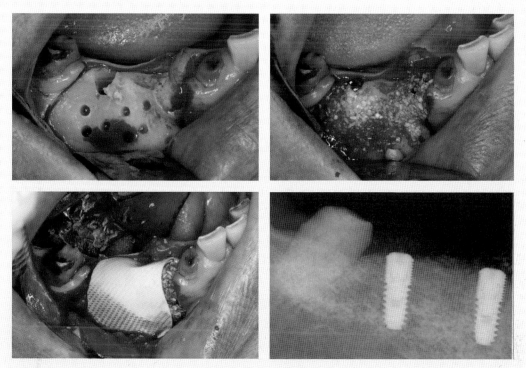

Fig 15-2 임플란트를 식립하고 골유도재생술을 시행하였다. 수술 5일 후부터 우측 하순과 턱의 감각이상을 호소하였다.

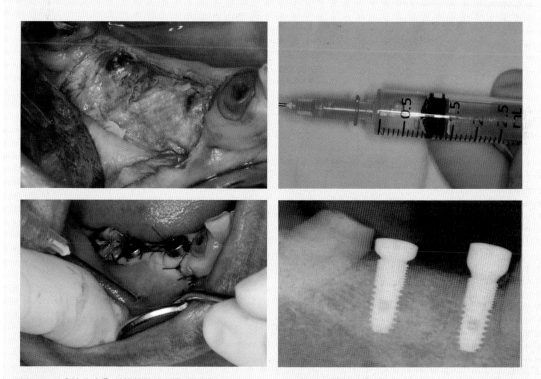

Fig 15-3 2차 수술을 시행하면서 이공 주변에 Dexamethasone 5 mg을 주사하였다.

용 중), 뇌신경질환을 보유하고 있었다. **2010년 8월 4일** #44를 발치하고 #44, 46 부위에 임플란트 (Osstem GS Ⅲ 4 D/10 L, Osstell ISQ #44:72, #46:76)를 식립하였다. 주변 골열개 부위에 AutoBT를 이식하고 Ossix plus 차폐막을 피개한 후 봉합하였다**(Fig 15-2)**. **2010년 8월 9일** 우측 하순과 턱의 통각 및 촉각을 전혀 인지하지 못하였으나 식립된 임플란트는 이공과 하악관에서 충분한 안전거리를 유지하고 있었다. 즉시 EAST (4 acupunctures) & laser 치료를 시작하였다. 술후 혈종에 의한 간접적인 신경압박으로 인한 증상으로 생각하고 온찜질을 열심히 하도록 하였다. 이후 물리치료를 적극적으로 시행하였으며, **2010년 10월 25일** 2차 수술(Osstell ISQ. #44:70, #46:77)을 시행하면서 이공 주위에 Dexamethasone 5 mg/ml을 주사하였다**(Fig 15-3)**. **2011년 2월 1일** 상부 보철물이 장착되었고, 이후 유지관리가 시행되는 중에도 감각이상에 대해 매우 고통스러워하며 지속적인 문제를 제기하였다. 최대한 친절하게 응대하면서 물리치료와 유지관리를 시행하여 환자와의 유대관계를 잘 유지하면서 최근까지 관찰하고 있다**(Fig 15-4)**. 환자가 호소하는 증상, 치료 및 경과를 **Tip 1-2**와 같이 정리하였다.

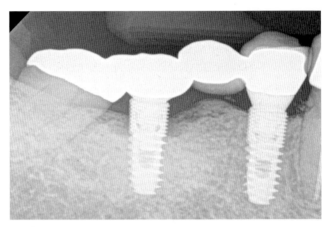

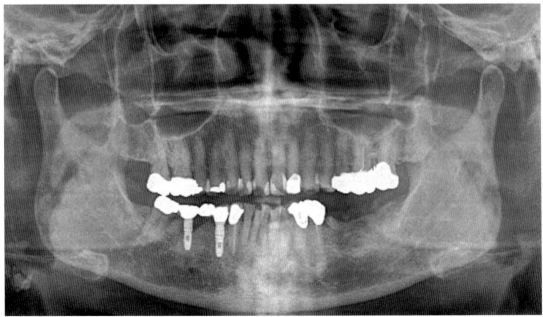

Fig 15-4 임플란트 보철 기능 7년 후 방사선 사진.

Tip 1-2 　감각이상의 치료 및 경과

1. **2010. 8. 9** 술후 감각이상을 처음으로 인지함. 촉각과 통각 인지하지 못함. 온찜질, EAST & laser
2. **2010. 8. 13** 우측 하순과 직하방 피부의 감각이 없고 딱딱한 느낌 호소. EAST & laser, Methycobal (Mecobalamin 0.5 mg tid) 처방.
3. **2010. 8. 16** 감각마비 증상은 동일하며 가려운 증상 발생. EAST & laser
4. **2010. 8. 20** 미세한 떨림 증상 발생. EAST & laser
5. **2010. 8. 23** EAST & laser
6. **2010. 8. 26** 감각마비는 동일하며 딱딱한 느낌은 많이 없어짐. EAST & laser
7. **2010. 8. 30** EAST & laser-전기 자극 강도 최대한 증가.
8. **2010. 9. 6** EAST & laser
9. **2010. 9. 13** 증상이 호전되지 않으면서 심리적으로 매우 괴로워함. EAST & laser
10. **2010. 9. 20** EAST & laser
11. **2010. 9. 27** 하순 직하방 부위 통증 감각 인지하기 시작, 우측 입술과 피부가 간지러운 증상 시작함. EAST & laser
12. **2010. 10. 4** EAST & laser
13. **2010. 10. 11** EAST & laser. 감각이 약간 회복된 느낌이라고 표현함.
14. **2010. 10. 19** EAST & laser
15. **2010. 10. 25** 임플란트 2차 수술. 우측 이공 주변에 dexamethasone 5 mg inj.
16. **2010. 11. 16** 턱 부위 피부 통증 감각 인지함. 찬 바람이 닿으면 감각이상이 더 악화된다고 표현함. EAST & laser
17. **2010. 12. 6** 감각은 많이 회복되었으나 말할 때 기분 나쁜 이상한 증상은 남아있음. EAST & laser
18. **2011. 1. 10** #44-46 협측 잇몸을 누르면 찌릿하고 기분 나쁜 증상이 발생함. 협측 잇몸이 풍융한 것이 신경 쓰인다고 함. EAST & laser. Dipental 크림(Capsaicin)을 우측 하순과 턱 피부에 3-4회 마사지하듯이 도포하도록 함.
19. **2011. 8. 25** 전악 plaque control instruction (PCI), Neurometer check. 결과 경미한 감각둔화 소견 보임. 감각이상은 남아있으나 통각, 촉각, 온냉각 모두 인지함. #44-46 사이 잇몸에 실줄기 같은 것이 느껴지고 뜨거운 것이 닿으면 찌릿하면서 깜짝 놀란다고 표현함.
20. **2011. 9. 19** EAST & laser, hand laser를 대여하여 집에서 수시로 하도록 함.
21. **2011. 12. 26** Scaling, EAST & laser, Neurometer check 결과 거의 정상으로 회복됨.
22. **2012. 4. 16** 감각이상은 남아있고 가끔 입술과 턱 피부가 가렵다고 함.
23. **2012. 6. 25** 협측 치은이 뻣뻣하고 찌릿한 느낌 칫솔이 닿으면 찌릿한 통증이 심해진다고 함. Omnicvac stent를 제작하여 내면에 Capsaicin을 도포하고 하루 3회 3분간 착용하도록 함.
24. **2012. 6. 27** EAST & laser
25. **2012. 11. 29** PCI, EAST & laser. 감각둔화는 거의 없어졌다고 표현함.
26. **2013. 7. 15** #44-46 임플란트 주위 소파술 "감각이상이 신경 쓰이고 눈에 보이지는 않지만 입술 점막 부근에 실타래 같은 것이 있다. 임플란트 후 심한 스트레스를 받아 당뇨가 잘 조절되지 않는다"고 표현함.
27. **2013. 7. 22** EAST & laser. 뜨거운 음식에 찌릿한 통증, 칫솔질할 때 간헐적 통증이 있으며 대여한 레이저를 잘 사용하고 있다고 함.
28. **2013. 8. 23** 임플란트 주위 소파술

29. **2015. 3. 9** 　임플란트 주위 소파술 우측 하순 점막 부위가 우둘투둘하게 자주 부음. 가끔 톡 쏘는 통증이 발생함. 이전에 사용하던 Capsaicin 크림 처방을 요청함.
30. **2015. 5. 11** 　#46 임플란트 주위 증식된 치은절제술
31. **2015. 11. 26** 　임플란트 주위 소파술
32. **2016. 5. 26** 　임플란트 주위 소파술 임플란트 주위 변연골 소실은 정체 상태임.
33. **2017. 11. 23-2019. 11. 28** 　임플란트 유지관리를 진행하고 있으며 신경 관련 이상증상은 없는 상태임.

⊗ Problem lists

1 임플란트 식립과 골유도재생술
2 전신질환
3 이신경 손상: Neurapraxia
4 신경병성 통증

치료 및 경과

1 약물치료: Steroid, Vitamin, Capsaicin
2 물리치료
3 예후 중등도

◀》 Comment

● 매우 다양하고 표현하기 힘든 이상증상들을 호소하고 있어 내원할 때마다 임플란트 유지관리를 시행하였다. 환자의 증상을 완화시키기 위한 약물 및 물리치료를 시행하였고, 환자가 질문하는 것에 대해 최대한 친절하게 설명하면서 응대하였다. 즉 의료분쟁 발생 가능성이 매우 높은 환자였음에도 불구하고 **의료진과 환자 간 상호 유대관계**를 잘 유지함으로써 별다른 문제가 발생하지 않은 경우이다. 신경손상의 원인은 분명하지 않지만, 임플란트 식립과 **GBR을 시행한 후 봉합하는 과정에서 이신경가지가 손상을 받았거나 술후 심한 종창으로 인한 압박성 손상**으로 추정될 수 있다. 증상 발현 즉시 약물 및 물리치료가 적극적으로 시행되었으며, 시간이 경과하면서 감각이 거의 회복되는 과정을 볼 수 있다. 그러나 애매모호하고 이상한 증상들은 환자의 심리적 문제와 연관이 있을 수 있으며, 정신건강의학과 협진이 이루어졌더라면 더욱 좋은 결과를 보였을 것으로 생각된다.

또한 이 환자에게 주목했어야 할 것들은 다양한 전신질환이다. 당뇨, 심혈관, 뇌혈관 질환 등의 **만성질환**으로 인해 환자는 다양한 약을 장기간 복용하고 있으며, 이것이 심리적으로도 나쁜 영향을 미치고 있을 것으로 보인다. 만성질환 및 만성 통증 환자들을 관리할 때 **정신건강의학과 협진**이 매우 유용하다는 의견들이 있으니 참고하길 바란다.

Case 16 >> 53세 여자 환자에서 #44-46 부위 치조능분할술과 동시 임플란트 식립 후 발생한 감각이상

2005년 5월 31일 53세 여자 환자에서 #44-46 부위에 치조능분할술을 시행하여 골 폭을 넓히면서 임플란트를 식립하였다(3i Osseotite #44:4 D/11.5 L, #45, 46:4 D/10 L). 주변 결손부에 자가골과 Regenaform을 이식하고 Ossix plus 차폐막을 피개한 후 봉합하였다**(Fig 16-1~4)**. 수술 2일 후 우측 턱,

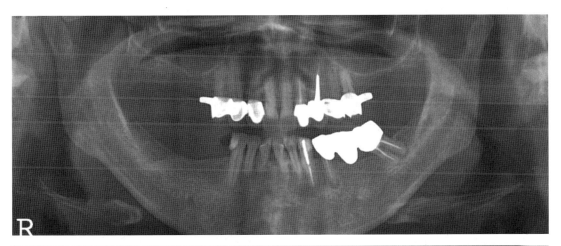

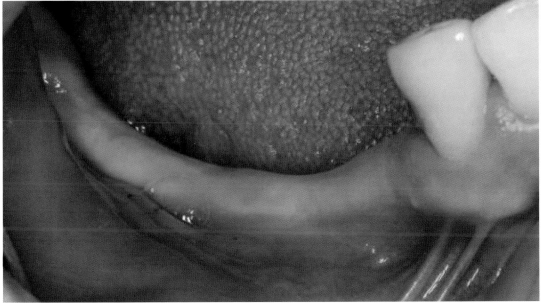

Fig 16-1 초진 시 파노라마 방사선 및 구강 사진. 하악 우측 구치부 임플란트 식립을 계획하였다.

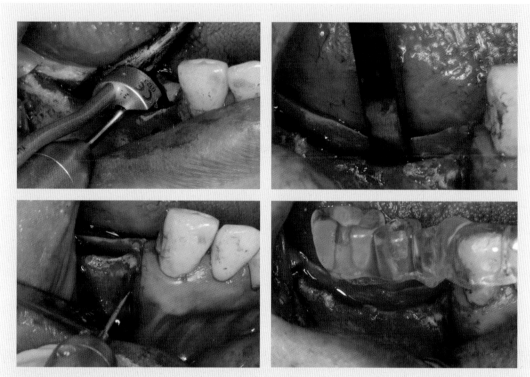

Fig 16-2 협설측 폭경을 확장하기 위해 치조능분할술을 시행하는 모습.

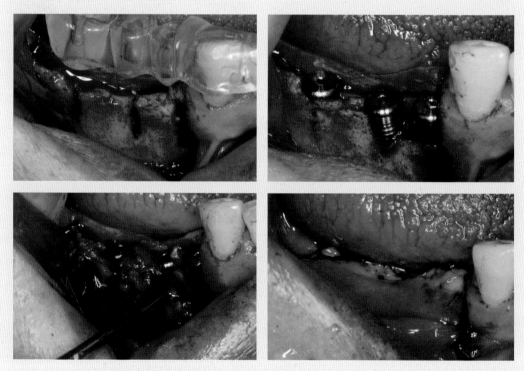

Fig 16-3 임플란트를 식립하고 주변에 골이식을 시행한 후 봉합하였다.

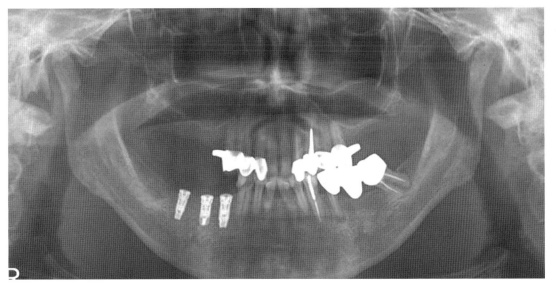

Fig 16-4 술후 방사선 사진. 식립된 임플란트는 하악관 및 이공과 충분한 안전거리가 확보되어 있는 것을 확인할 수 있다.

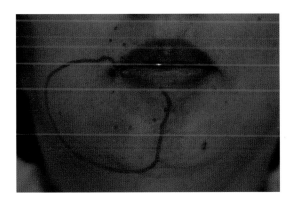

Fig 16-5 수술 2일 후부터 우측 하순, 턱과 뺨의 감각둔화 증상을 호소하여 스테로이드를 투여하면서 물리치료를 시행하였다.

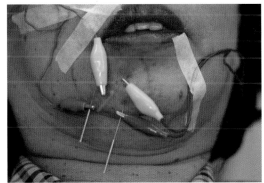

Fig 16-6 EAST & laser 치료를 시행하고 있는 모습. 수술 1개월 후 모습으로서 처음에 비해 감각이상 범위는 많이 감소되었다.

뺨, 하순의 감각둔화를 호소하여 Dexamethasone tapering 요법(0.5 mg tid for 3 days, 0.5 mg bid for 2 days, 0.5 mg qd for 1 day)을 처방하고 EAST (acupunctures) & laser 치료를 시작하였다**(Fig 16-5)**. 2005년 6월 9일 봉합사를 제거할 때 우측 하순과 턱이 시리고 멍멍하며 음식을 흘린다고 표현하였다. EAST & laser 치료를 하면서 Neurontin (Gabapentin 100 mg tid)을 처방하였다**(Fig 16-6)**. 1주 간격으로 증상이 완화될 때까지 계속 물리치료를 시행하고 **2005년 8월 26일** 감각이상은 거의 정상으로 회복되었다. **2005년 9월 2일** 2차 수술을 시행하고 상부 보철물이 장착되었으며, 최근까지 정기 유지관리가 잘 이루어지고 있다**(Fig 16-7, 8)**.

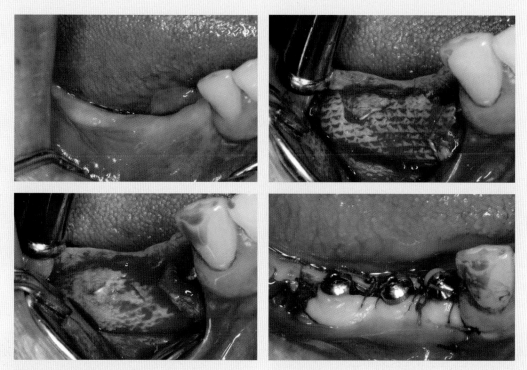

Fig 16-7 임플란트 2차 수술을 시행하는 모습.

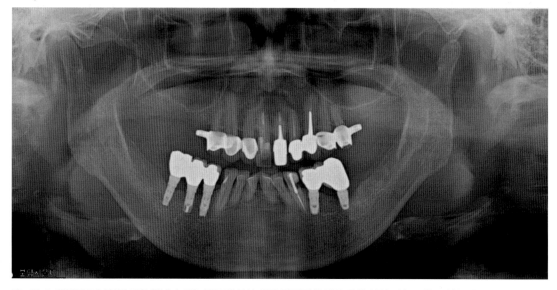

Fig 16-8 임플란트 보철물 장착 11년 후 파노라마 방사선 사진. 경과관찰 기간 중에 하악 좌측 구치부 임플란트는 타 치과의원에서 시행되었다.

⊗ Problem lists

1 치조능분할술과 임플란트 식립

2 이신경 손상: Neurapraxia

3 신경병성 통증

🔧 치료 및 경과

1 약물치료: Steroid, Neurontin

2 물리치료

3 예후 양호

🔊 Comment

● 술후 촬영한 방사선 사진에서 임플란트와 하악관 및 이공 사이의 거리는 충분한 것이 확인되었다. 그렇다면 신경손상의 원인은 무엇인가? 치조능분할술을 시행하는 과정에서 이신경에 **간접적인 신장력**이 가해졌거나 골이식 후 봉합하는 과정에서 이신경의 가지가 손상되었을 가능성을 추정해 볼 수 있다. 돌이켜 생각해 볼 때 본 증례에서 Neurontin을 사용한 것은 큰 의미가 없었다고 판단된다. 이 약은 신경병성 통증이 존재할 경우에 사용하는 약물이지만 당시엔 신경손상 환자들에게 Neurontin을 투여하면 회복에 좋다고 주장하는 학자들이 일부 있었다. 여하튼 **생리적신경차단성 손상(neurapraxic injury)**이며, 이런 유형의 손상은 앞에서 제시된 증례들과 마찬가지로 시간이 경과하면서 거의 정상으로 회복될 수 있다. 그러나 신경손상의 증상은 주관적이기 때문에 예민한 환자에서는 객관적 소견이 정상임에도 불구하고 주관적 감각이상이 계속될 수 있으며, 의료진과 분쟁으로 진행될 수도 있다. **감각이상 증상을 호소하는 당일부터 즉시 물리치료와 약물치료를 시행**하고 이런 일이 왜 생겼는지 **환자에게 상세히 설명**하는 것이 중요하다.

Case 17 >> 71세 여자 환자에서 하악 좌측 제2대구치 발치 후 감각이상이 발생한 증례

2016년 5월 12일 71세 여자 환자가 좌측 턱과 하순의 감각이상을 주소로 내원하였다. 4개월 전 치과의원에서 치근단 염증이 심한 하악 좌측 제2대구치 발치 후부터 증상이 시작되었다고 하였다 **(Fig 17-1)**. 이후 스테로이드와 Neurontin을 복용한 기록이 있으며, 신경과 진료 및 타 대학병원 진찰을 받았으나 확실한 진단 및 치료법에 대한 얘기를 듣지 못하여 본원을 방문하게 되었다. 좌측 하순을 건드리면 찌릿한 통증이 있으며, 말하거나 음식을 먹을 때 매우 불편하고 통증이 자주 발생한다고 하였다. 통각과 촉각은 인지하는 상태로, 하악 좌측 구치부에는 짧은 길이 임플란트가 식립되어 있는 상태였으며, 전기생리학적 검사와 체열검사를 시행한 결과 좌측 하치조신경 지배 부위의 경미한 감각과민증 소견이 관찰되었다**(Fig 17-2~3)**. 당일 EAST (pads) & laser 치료를 시작하면서 Trileptal (Oxcarbazepine 300 mg bid), Imotun Cap. (Avocado-soya unsaponifiables 300 mg qd)를 처방하였다. 약을 복용하면 통증은 다소 완화된다고 하였으며 물리치료를 총 8회 시행하면서 경과를 관찰하였다. **2016년 8월 11일**부터는 Neurontin (Gabapentin 100 mg tid)으로 약을 교체하였다.

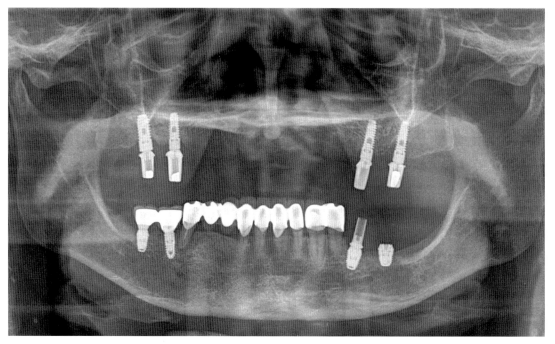

Fig 17-1 초진 시 파노라마 방사선 사진. 하악 좌측 제2대구치 발치 후부터 감각이상이 시작되었으며, 해당 부위에 짧은 길이 임플란트가 식립되어 있는 상태이다.

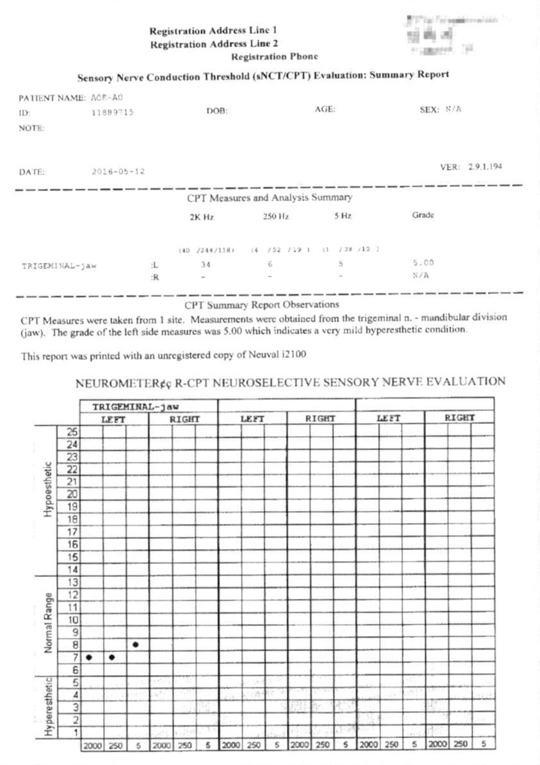

Registration Address Line 1
Registration Address Line 2
Registration Phone

Sensory Nerve Conduction Threshold (sNCT/CPT) Evaluation: Summary Report

PATIENT NAME: AOE-AO
ID: 11889715 DOB: AGE: SEX: N/A
NOTE:

DATE: 2016-05-12 VER: 2.9.1.194

CPT Measures and Analysis Summary

		2K Hz	250 Hz	5 Hz	Grade
		(40 /244/118)	(4 /52 /19)	(1 /38 /10)	
TRIGEMINAL-jaw	:L	34	6	5	5.00
	:R	-	-	-	N/A

CPT Summary Report Observations

CPT Measures were taken from 1 site. Measurements were obtained from the trigeminal n. - mandibular division (jaw). The grade of the left side measures was 5.00 which indicates a very mild hyperesthetic condition.

This report was printed with an unregistered copy of Neuval i2100

NEUROMETER¢ç R-CPT NEUROSELECTIVE SENSORY NERVE EVALUATION

Fig 17-2 Neurometer 검사에서 경미한 감각과민증 소견이 관찰되었다.

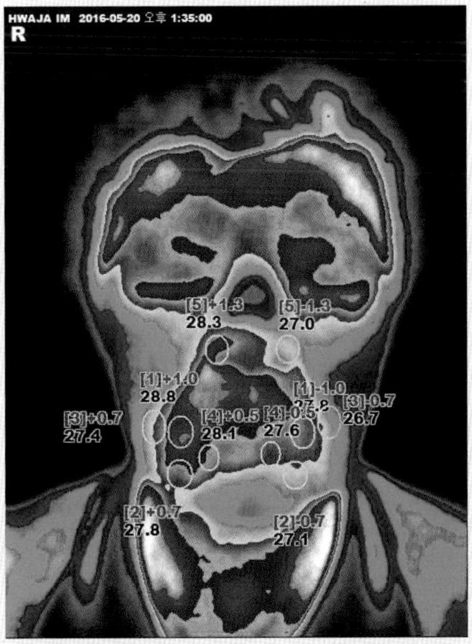

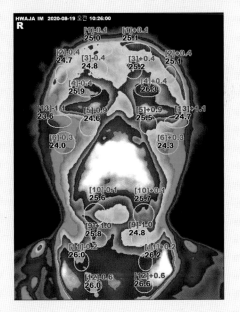

Fig 17-3 체열검사에서는 좌측 하순과 턱 부위가 우측에 비해 온도가 0.5-0.7℃ 저하되어 있는 소견이 관찰되었다.

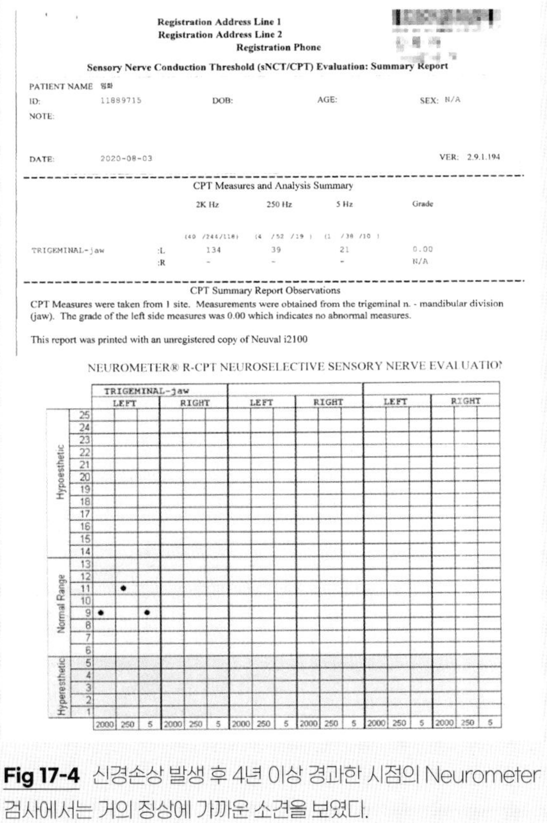

Registration Address Line 1
Registration Address Line 2
Registration Phone

Sensory Nerve Conduction Threshold (sNCT/CPT) Evaluation: Summary Report

PATIENT NAME 임화
ID: 11889715 DOB: AGE: SEX: N/A
NOTE:

DATE: 2020-08-03 VER: 2.9.1.194

CPT Measures and Analysis Summary

		2K Hz	250 Hz	5 Hz	Grade
		(40 /244/118)	(4 /52 /19)	(1 /38 /10)	
TRIGEMINAL-jaw	:L	134	39	21	0.00
	:R	-	-	-	N/A

CPT Summary Report Observations

CPT Measures were taken from 1 site. Measurements were obtained from the trigeminal n. - mandibular division (jaw). The grade of the left side measures was 0.00 which indicates no abnormal measures.

This report was printed with an unregistered copy of Neuval i2100

NEUROMETER® R-CPT NEUROSELECTIVE SENSORY NERVE EVALUATIO

Fig 17-4 신경손상 발생 후 4년 이상 경과한 시점의 Neurometer 검사에서는 거의 정상에 가까운 소견을 보였다.

Fig 17-5 최종 관찰 시점에 촬영한 체열검사에서 좌측 감각이상 부위의 온도가 1℃ 정도 낮은 소견을 보였다.

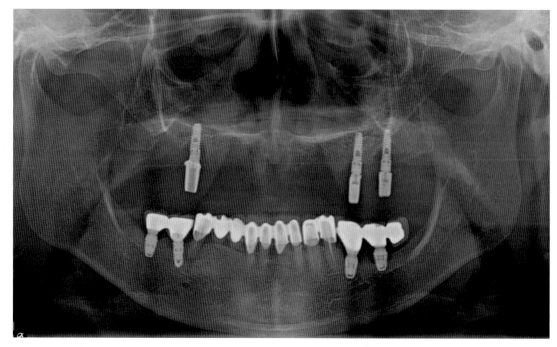

Fig 17-6 최종 경과관찰 시점에 촬영한 파노라마 방사선 사진. 하악 좌측 구치부 임플란트 보철물이 장착되어 있으며, 임플란트 주변 골소실이 많이 진행된 양상을 보이고 있다.

2016년 11월 24일 증상이 나아진 것은 전혀 없고, 날이 추워지면서 증상이 더 심해진다고 하였다. 감각이 둔하고 시린 증상이 매우 괴롭다고 하여 좌측 이신경 주변에 lidocaine과 Hirax inj. (Hyaluronidase 1,500 IU/ml)를 주사하였다. 이후 환자는 내원하지 않았으며, **2020년 8월 3일** 후유장애 진단서 발급을 목적으로 다시 내원하였다. 환자의 표현에 의하면 좌측 턱과 하순의 감각이상이 지속되고 있으며, 뜨거운 것과 찬 것을 잘 먹지 못하고 식사를 할 때 음식을 흘린다고 하였다. 간헐적으로 찌릿한 통증이 발생하며, 하악 좌측 구치부 임플란트 주변 골소실이 많이 진행된 상태였다. 대부분의 전기생리학적 검사는 초진 시점과 큰 차이가 없었으나 Neurometer에서는 정상에 가까운 소견을 보였다. 한편 체열검사에서는 좌측 감각이상 부위의 온도가 약 1℃ 정도 낮은 양상을 보였다**(Fig 17-4~6)**. 신경손상이 발생한 이후 시간이 많이 경과한 시점이어서 증상을 개선시킬 수 있는 치료법은 없으며, 현 상황에 잘 적응하면서 지내는 것이 최선의 방법으로 진단하고 후유장애진단서를 작성하였다.

1. 치료경과, 현증 및 기왕증, 주요 검사소견 등

2016년 5월 12일 초진 이후 좌측 하지조신경 지배 부위의 감각이상과 신경병성 통증 치료를 위해 물리치료, 약물 및 주사치료를 시행하고 경과를 관찰하였으나, 2020년 8월 27일 정밀검사 시 신경병성 통증이 잔존하고 있는 것이 확인되었음.

2. 맥브라이드식 장해평가

1) 두부, 뇌, 척수 제5뇌신경 완전장애: 18%, 좌측 삼차신경(3개 분지)의 손상: 9%, 하악신경(3개 분지)손상 1/3 준용: 3%, 하치조신경손상 1/3 준용: 1%

2) 신경병성 통증이 지속되고 있는 것을 감안하여 1% 추가 인정 → 최종 장애율 2%

3. 기타 평가

1) 국가배상법을 기준으로 할 때 "제 14급 10. 국부에 신경증상이 남은자" 항목을 준용할 수 있으며 5%의 노동력 상실률이 추정됨.

2) AMA (2000) 장애평가기준

    (1) 편측 하악신경 손상에 의한 감각이상 장애는 삼차신경 전체 장애율의 절반이면서 하악 신경에 국한하여 적용함.

    (2) Class I(0–14%)의 1/2는 0–7%

    (3) 하악신경 1/3을 적용하면 0–2.3%: 경미한 감각이상과 신경병성 통증이 잔존하는 것을 고려하여 2%의 신체장애율을 산정함.

⊗ Problem lists

1 발치 중 신경손상
2 하치조신경 손상: Axonotemesis
3 신경병성 통증
4 후유장애진단서

치료 및 경과

1 약물치료: Steroid, Neurontin, Trileptal, Imotun, Hirax
2 물리치료
3 예후 불량

● 건드리면 찌릿한 통증이 존재하고 있으면서 Neurometer 검사에서 감각과민증이 관찰된 것으로 보아 **신경병성 통증**이 존재하는 것으로 보고 Trileptal을 처방하였다. **Imotun**은 Avocado-soya unsaponifiables에서 추출된 약물로서 골관절염과 치주질환에 의한 통증을 완화시키기 위한 보조요법으로 사용된다(Porporatti AL, et al: 2019). 부작용이 거의 없으며, 진통제와 같은 다른 약물의 사용양을 줄일 수 있는 장점이 있기 때문에 본 증례에서 사용되었다. 그러나 이 약물이 신경손상으로 인한 감각회복과 신경병성 통증의 치료에 유용하다는 학술적 근거는 없다. **Hyaluronidase**가 신경병성 통증과 같은 만성 통증 및 난치성 통증의 치료에 이용될 수 있다는 논문들이 발표된 바 있다(Devulder JI 1998, Geurts JW, et al: 2002, Vigneri S, et al: 2020). 그러나 삼차신경 손상이나 신경병성 통증의 치료에 사용할 수 있다는 학술적 근거는 부족하다.

본 증례와 같이 **환자의 주관적 증상과 객관적 소견이 일치하지 않는 경우가 많다**. 환자는 심한 괴로움을 표현하고 있음에도 불구하고 객관적 검사에서 현저한 감각장애 소견이 관찰되지 않는 경우가 많다. 본 증례는 환자의 임상증상과 체열검사를 토대로 삼차신경병변증(trigeminal neuropathy)으로 최종 진단하고 치료를 종료하였다.

후유장애진단서는 수상일 기준 2년 후에 임상증상과 객관적인 정밀검사를 시행한 후 영구적으로 증상이 고착된 것을 확인하고 발급할 것을 적극 권유한다. 본 증례에서 최종 장애율이 맥브라이드식 평가와 AMA 평가에서 2%, 국가배상법을 기준 5%로 산정된 근거를 주목할 필요가 있다.

Case 18 >> 49세 남자 환자에서 하악 좌측 구치부 임플란트 식립 후 감각이상이 발생하였으며 2년 이상 지속되다가 자연 회복된 증례

2005년 10월 7일 49세 남자 환자가 하악 양측 구치부 임플란트 치료를 목적으로 내원하였다. 타 치과의원에서 상악 양측 구치부 임플란트 치료를 완료하였으며, 상하악 잔존치들의 유동성과 치조골 파괴가 심한 상태였다. 상악의 #11, 21, 22 치아들만 남겨두고 상하악 잔존치들을 모두 발치하고 임플란트를 식립한 후 고정성 보철물을 장착하기로 계획하였다(Fig 18-1). 2005년 10월 31일 #12, 13, 14, 23을 발치하고 #12, 14, 23 부위에 임플란트를 식립하였다. 주변 골결손부에 골이식을 시행한 후 창상을 봉합하였다. 2005년 11월 21일 하악 잔존치들을 모두 발치하고 8개의 임플란트가 식립되었다. #36, 37, 46, 47 부위에는 짧은 길이(Superline 4.3 D/8 L) 임플란트가 식립되었다(Fig 18-2, 3). 술후 창상 치유는 양호하였고, 파노라마 방사선 사진에서 하악에 식립된 임플란트들이 이공 및 하악관과 충분한 안전거리가 확보되어 있는 것이 확인되었다(Fig 18-4). 그러나 2005년 12월 5일 봉합사를 제거하는 날 좌측 입술 감각이상을 호소하였고, 통각과 촉각은 인지하는 상태였다. 생리적신경차단성 손상(neurapraxic injury)으로 생각되었으며, 환자가 큰 불편감을 호소하지 않아서 환자에게 감각이상이 발생한 추정 원인(골이식과 같은 침습적 수술 후 심한 부종성 종창 및 출혈로 인한 신경의 간접적 손상)을 상세히 설명하고 특별한 치료를 하지 않고 관찰하기로 하였다. 2006년 2월 7일 하악 임플란트 2차 수술을 시

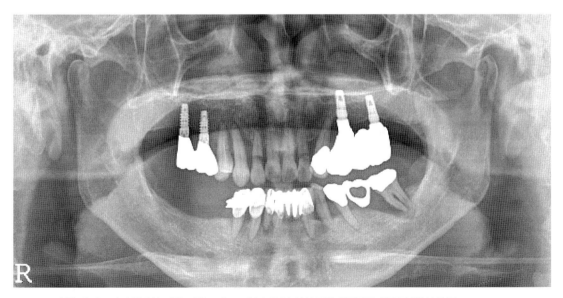

Fig 18-1 초진 시 파노라마 방사선 사진. 상악 #12-14, 23 부위와 하악 전악 임플란트 치료를 계획하였다.

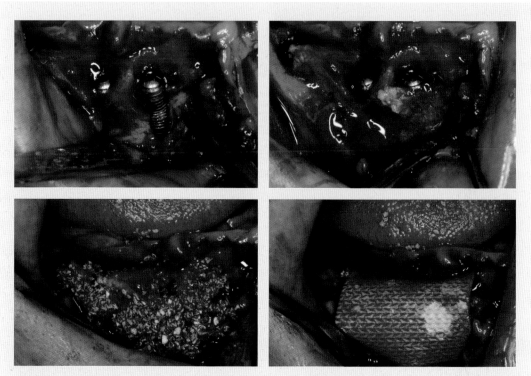

Fig 18-2 하악 우측 구치부에 임플란트를 식립한 모습. 임플란트 주변 골열개 부위에 골이식이 시행되었다.

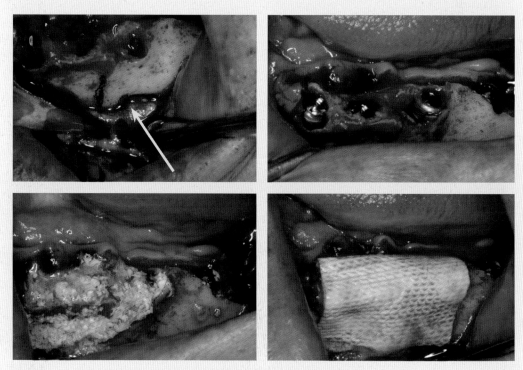

Fig 18-3 하악 좌측 구치부에 임플란트를 식립한 모습. 이신경 손상을 피하기 위해 이공(화살표)을 노출시킨 후 마킹펜으로 표시하고 임플란트를 식립하였으며, 임플란트 주변 골열개 부위에 골이식이 시행되었다.

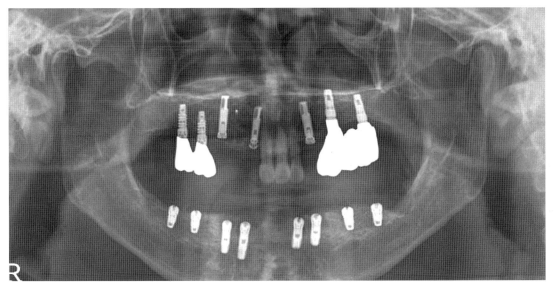

Fig 18-4 상하악 임플란트 식립 후 촬영한 파노라마 방사선 사진. 하악에 식립된 임플란트가 하악관과 이공을 침범하지 않은 것이 확인된다.

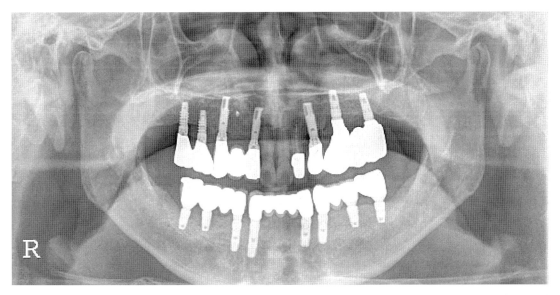

Fig 18-5 상하악 임플란트 보철 완료 6년 후 파노라마 방사선 사진. 감각이상은 완전히 소멸된 상태이며, 임플란트 정기 유지관리가 잘 이루어지고 있다.

행한 후 **2006년 3월 16일** 하악 고정성 보철물이 장착되었다. **2006년 5월 2일** 환자에게 감각이상의 상태를 문진한 결과, 처음에 비해서 많이 나아지긴 했지만 아직 감각이상이 남아 있으며, 신경병성 통증은 없는 상태였다. **2006년 5월 2일** 상악 임플란트 2차 수술이 시행되었고, **2006년 7월 15일** 상부 보철물이 장착되었다. 정기 유지관리를 시행하면서 경과를 관찰하였으며, **2007년 5월 21일** 좌측 하순의 감각이상은 여전히 남아 있으나 통각, 촉각, 온냉 감각은 모두 인지하는 상태이고 간지러운 느낌이 있다고 하였다. 입술 마사지와 온찜질을 수시로 하도록 안내하고 Dipental 크림(Capsaicin

0.025% 20 g)을 하루 3회 적정량을 감각이상 부위에 도포하도록 하였다. **2007년 8월 27일** 감각이상이 계속 남아 있으며, 환자가 걱정을 많이 해서 EAST (acupunctures) & laser 치료를 하고 Dipental 크림을 다시 처방하였다. **2008년 1월 14일** 감각이상이 매우 불편하다고 하여 1주 1회 편한 시간에 내원하여 EAST & laser 치료를 시행하였으며, 총 5회 시행된 후 **2008년 3월 7일** 감각이 많이 회복되어 환자 본인도 치료 중단을 희망하였다. 이후 정기유지관리 프로그램에 따라 임플란트 및 잔존치들의 치주관리가 이루어지고 있으며, 감각이상은 어느 순간 완전히 소멸되었다고 하였다**(Fig 18-5)**.

ⓧ Problem lists

1 임플란트 식립 및 골유도재생술
2 짧은 길이 임플란트 식립
3 이신경 손상: Neurapraxia

치료 및 경과

1 약물치료: Capsaicin
2 물리치료
3 예후 양호

🔊 Comment

● 수술 후 발생한 감각이상은 **침습적 수술**로 인한 **neurapraxic injury**로 생각된다. 신경손상을 피하기 위해 의도적으로 이공을 노출시킨 후 임플란트를 식립하고 주변 골결손부에 GBR이 시행되었다. 창상의 일차 봉합을 위해 undermining을 시행하는 과정에서 **이신경 하순분지가 절단되었거나 술후 혈종 및 종창으로 인한 압박에 의해 발생하였을 것으로 추정**되며, 이점에 대해 환자에게 상세히 설명하였다. 돌이켜 생각해보면 **초기에 환자가 감각이상을 호소할 때 설명만 하고 별다른 조치를 취하지 않았던 것은 필자의 잘못**이었다고 생각된다. 다행히 환자와 유대관계가 좋았기 때문에 별다른 문제점이 발생하지 않았던 경우이다. 일정 기간 경과 후에도 감각이상이 지속되니까 환자가 불편감을 호소하기 시작하였고, 뒤늦게 약물 및 물리치료가 적극적으로 시행되었다. 증상이 많이 호전된 후 임플란트 유지관리에만 전념하면서 별다른 신경을 쓰지 않았는데, 어느 순간 감각은 완전히 정상으로 회복되었다. 환자 본인도 언제 회복되었는는 기억하지 못하였다.

본 증례에서 사용된 **Dipental 크림은 신경병성 통증에 적용하는 국소 약물**이다. 즉 건드릴 때 찌릿한 통증이 매우 심할 경우 하루 수회 도포하면 통증을 경감시킬 수 있다. 본 증례에서는 통증은 없었고 감각이상만 존재하였기 때문에 본 약물의 사용은 큰 의미가 없었다고 생각된다.

Case 19 >> 50세 여자 환자에서 우측 하치조신경 외과적 재건술이 시행된 증례: Goretex tubing

2007년 4월 19일 50세 여자 환자가 우측 하순과 턱 감각마비를 주소로 내원하였다. 2일 전 치과 의원에서 #47 발치 후 소파술을 시행하던 도중에 신경손상(진료의뢰서에 의하면 신경이 끊어진 것으로 추정)이 발생하였다. #41–44 치아들과 협측 잇몸. 우측 턱과 하순의 감각이 마비(VAS 10)된 상태이고, 약간 가려운 증상이 있으나 신경병성 통증은 없었다. EPT에서 #41–44 모두 음성 반응을 보였다. 파노라마 및 CT 방사선 사진에서 #47 발치창 하연이 하악관과 매우 근접하여 있던 것으로 추정되며, 하

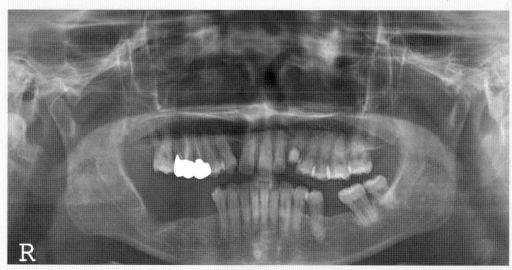

Fig 19-1 초진 시 파노라마 및 안모 사진. 마킹 펜으로 표시한 부분의 감각이 마비된 상태이며 #47 발치창 하연이 하악관과 연결되어 있는 소견이 관찰된다.

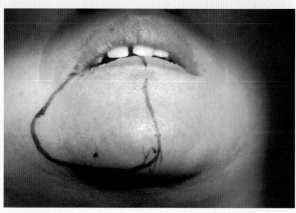

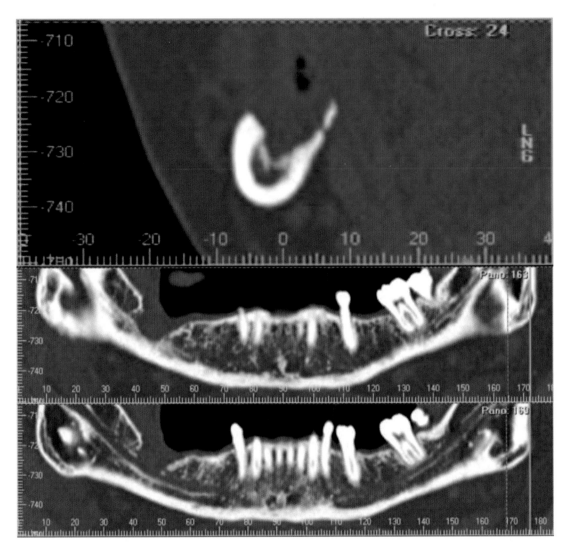

Fig 19-2 초진 시 CBCT 방사선 사진. 발치창이 하악관과 연결되어 있고, 하악관의 연속성이 상실된 것이 관찰된다.

악관 상벽의 경계가 명확하지 않아서 #47 부위에서 하치조신경이 손상(신경절단: neurotmesis)된 것으로 잠정 진단하고 외과적 재건술을 계획하였다(Fig 19-1, 2). Dexamethasone tapering 8일, Methycobal (Mecobalamin 0.5 mg bid), Dipental 크림(Capsaicin)을 처방하고 EAST (acupunctures) & laser 물리치료를 시행하였다. EMG, QST 검사에서 우측 하치조신경 절단에 부합되는 소견이 관찰되었다(Fig 19-3). 2007년 5월 9일 전신마취 하에서 우측 하악골 협측 골창을 제거하여 하치조신경 절단 부위(1 cm 정도)를 노출시켰다. 끊어진 양단을 다듬은 후 Goretex membrane으로 tube를 형성하여 양측 절단부 신경 재생을 도모하였다. 협측 골결손부에 골이식을 시행하고 흡수성 차폐막을 덮고 봉합하였다 (Fig 19-4, 5). 2007년 5월 14일부터 우측 하순과 턱의 감각마비 부위에 6개의 침을 삽입한 후 EAST & laser 치료를 시작하였다. 입원 기간 중에는 매일 시행하였으며 퇴원 후에는 1주 간격으로 시행하였다. 2007년 5월 22일 우측 하순의 화끈거리는 통증이 시작되어 Dexamethasone 0.5 mg bid 1주, Trileptal (Oxcarbazepine 300 mg bid), Methycobal Tab. (Mecobalamin 0.5 mg bid)을 4주 처방하였다. **2007**

Fig 19-3 EMG, QST
검사에서 우측 하치조신
경 절단에 부합되는 소견
이 관찰되었다.

2007-04-24

SEOUL NATIONAL UNIVERSITY BUNDANG HOSPITAL
Electrodiagnostic Laboratory

Name: ○○○   **M.D:** ○○○
Patient ID: ○○○○○○   **Sex:** Female

Motor NCS

Nerve / Sites	Latency ms	Amp.2-4 mV	Dur. ms	Area mVms	Distance cm	Lat Diff ms
R FACIAL - Nas,Ocu,Oris						
1. Ear-Nasalis	3.75	1.7	5.85	4.3	0	3.75
2. Ear-Orb Oculi	3.35	2.4	6.35	5.8		3.35
3. Ear-Orb Oris	2.40	2.2	4.40	2.4		2.40
4. Ear-Orb Frontalis	3.80	0.6	13.60	4.4		1.40
L FACIAL - Nas,Ocu,Oris						
1. Ear-Nasalis	3.75	1.2	7.45	3.7		3.75
2. Ear-Orb Oculi	3.25	1.9	7.00	6.1		3.25
3. Ear-Orb Oris	2.55	1.7	4.65	3.3		2.55
4. Ear-Orb Frontalis	3.60	0.8	13.70	4.8		1.05

Sensory NCS

Nerve / Sites	Rec. Site	Latency ms	Pk Amp μV	Amp Pk-Pk μV	Duration ms	Lat Diff ms
L IAN - Compare Branches						
1.	G1	1.40	5.8	8.7	1.00	1.40
2.	G1	1.10	4.5	5.8	0.95	1.10
R IAN - Compare Branches						
1.	G1	1.50	2.5	4.2	1.00	1.50
2.		1.45	2.4	3.7	1.00	-0.05
3.		1.60	2.3	5.2	1.00	0.15

Needle EMG

EMG Summary Table	Spontaneous					MUAP			Recruitment	
	IA	Fib	PSW	CRD	Fasc	Amp	Dur.	PPP	Pattern	Effort
R. FLEX CARPI RAD	N	None	None	None	None	N	N	N	Full	Full
R. MASSETER	N	None	None	None	None	N	N	N	Full	Full
R. ORB ORIS	N	None	None	None	None	N	N	N	Full	Full
R. TRIANGULARIS	N	None	None	None	None	N	N	N	Full	Full
R. NASALIS	N	None	None	None	None	N	N	N	Full	Full

2007-04-24

SEP-arm

Protocol / Run	N20 ms	P25 ms	A N20 μV
R TRIGEMINAL			
1 Trigeminal	18.05	25.60	2.5
2 Trigeminal	18.15	25.55	2.7
L TRIGEMINAL			
1 Trigeminal	17.15	25.55	7.0
2 Trigeminal	17.30	25.55	7.1

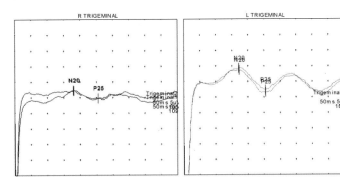

CHAPTER 1

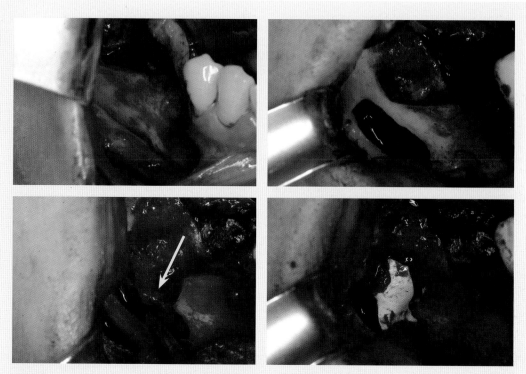

Fig 19-4 Goretex tubing을 이용한 신경재건술을 시행하는 모습. 절단된 신경 주변에 흉터조직이 형성되어 있는 것이 관찰된다(화살표).

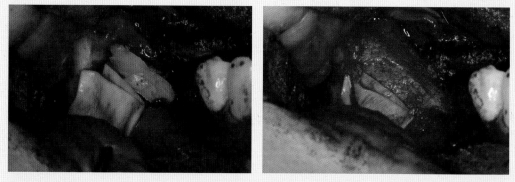

Fig 19-5 Goretex tubing을 시행한 부위로 연조직이 침투해 들어가지 않도록 흡수성 차폐막을 덮었다. 협측 골결손부에 골이식을 시행하고 제거했던 골창을 원위치시킨 후 봉합하였다.

년 6월 25일 감각이 일부 회복되는 징후를 보였으나 화끈거리는 통증은 약간 더 심해졌고, 하순과 턱의 일부를 손가락으로 건드리면 찌릿한 통증이 매우 심하다고 하였다**(Fig 19-6)**. 물리치료를 1주 3회 시행하면서 Neurontin (Gabapentin 100 mg tid)으로 약물을 변경하였다. 초진 시 처방했던 Capsaicin 크림을 통증 부위 피부에 수시로 도포하도록 하였다. **2007년 7월 9일**부터 **2008년 9월 29일**까지 상악 전치부 치축과 정출치 개선 목적으로 국소교정치료가 시행되었으며 **2008년 4월 7일** #36 임플란트 2차 수술, **2008년 4월 29일** 상부 보철물이 장착되었다. **2008년 5월 27일** #45-47 부위에 3개의 임플란트(Osstem GS II 4 D/7 L)가 식립되었고, **2008년 9월 29일** #12, 23 부위에 임플란트가 식립되었

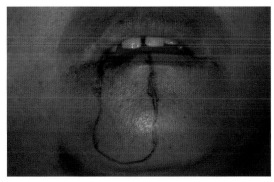
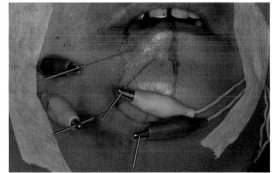

Fig 19-6 수술 후 적극적인 물리치료가 시행되었다.

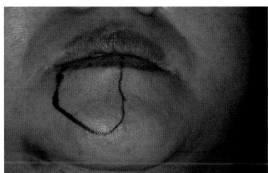

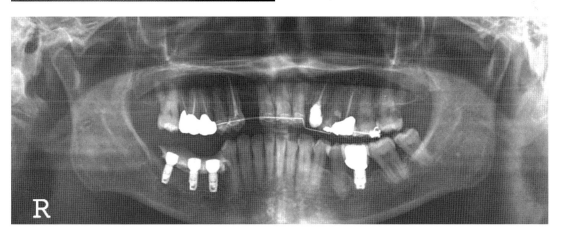

Fig 19-7 #45-47 부위 임플란트 식립 후 촬영한 파노라마 방사선 사진.

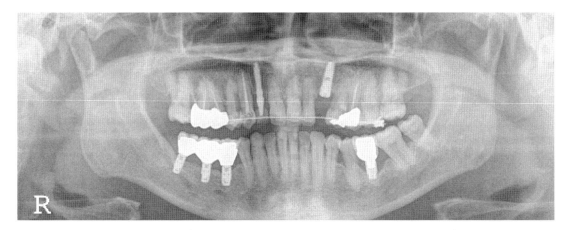

Fig 19-8 상부 보철물 장착 2년 4개월 후 파노라마 방사선 사진. 감각이상은 잔존하고 있지만, 통각과 촉각, 온냉각 감각은 인지하면서 적응한 상대로 잘 지내고 있다.

다. **2008년 12월 29일** #45-47 임플란트 상부 보철물이 장착되었고, **2010년 5월 6일** #12, 23 임플란트 보철물이 장착되었다**(Fig 19-7, 8)**. 치료기간 중에 수시로 물리치료가 병행되었으며, 최종 관찰 시점에 우측 하순의 찌릿한 통증이 간헐적으로 발생하지만 심하진 않았으며, 감각도 많이 회복되었고 환자는 적응한 상태로 잘 지내고 있다.

⊗ Problem lists

1 발치 후 소파술
2 하치조신경 절단: Neurotemesis
3 신경병성 통증

🗐 치료 및 경과

1 약물치료: Steroid, Capsaicin, Trileptal, Neurontin, Vitamin
2 물리치료
3 신경재건술
4 예후 중등도

🔊 Comment

● 1 cm 정도 결손이 존재할 경우엔 신경이식술의 적응증인데 Goretex tubing 수술을 시행한 이유는 무엇인가? 술전 신경절단의 범위를 확실하게 알 수 없었으며, 소규모 절단이 발생한 것으로 추정하고 **손상된 신경 주변의 흉터 제거 및 감압술**을 계획하였다. 그러나 수술 중에 신경절단부를 노출시킨 후 1 cm 정도 결손을 확인할 수 있었고 사전에 신경이식술 관련 설명이 전혀 이루어지지 않았기 때문에 **감압술과 Goretex tubing 수술**을 시행하였다. 수술 후에도 적극적인 약물 및 물리치료가 시행되었으며, 시간이 경과하면서 감각마비는 상당히 개선되는 경향을 보였으나, 감각이상과 **신경병성 통증**은 지속되는 상태였다. 신경손상을 회복시키기 위한 **재건수술 후에도 완벽한 회복을 기대해선 안 된다**. 감각이상과 불쾌감은 지속될 수 있기 때문에 환자가 잘 적응하면서 지낼 수 있도록 필요한 모든 조치를 취하는 것이 중요하다 (Harvey AR, et al; 1995, Pereira LV, et al; 2019, Techawattanawisal W, et al; 2007, Walsh S & Midha R; 2009). 즉 환자의 저작 기능이 회복될 수 있도록 보철 혹은 임플란트 치료를 마무리하고 증상에 따라 약물 및 물리치료를 해 주는 것이 좋다. 심리적으로 힘들어 한다면 정신건강의학과 치료가 큰 도움이 된다.

Case 20 >> 하치조신경전위술

　김영균(2007)은 2004년부터 2005년 사이에 하치조신경 및 이신경전위술과 동시에 임플란트가 식립된 4명의 환자들을 조사한 논문을 발표하였다. 모두 전신마취하에서 수술이 진행되었으며 전방접근법이 2명, 후방접근법이 2명에서 이용되었다. 신경전위술을 위해 형성했던 골결손부위에 자가골 단독 혹은 다른 골대체재료들이 혼합되어 사용되었으며, 신경이 골이식재와 직접 접촉되는 것을 방지하기 위해 흡수성 차폐막 Bio-Gide membrane이 사용되었다. 임플란트는 모두 동시에 식립되었으며 Osstem® US Ⅱ system이 사용되었다. 2차 수술까지의 치유기간은 2-3개월 소요되었고, 모두 성공적인 보철치료가 조기에 이루어졌다. 보철기능 후 경과관찰 기간은 8개월에서 17개월까지로, 신경손상과 관련된 합병증은 3명에서 지속적으로 존재하였다. 이들 중 1명은 입술과 잇몸이 화끈거리고 건드리면 통증이 발생하며 추울 때 증상이 심해진다고 하였고, 2명의 환자들에서는 감각이상이 잔존하고 있지만 통증과 촉각을 모두 인식할 수 있으며 생활에는 큰 지장이 없다고 하였다. 나머지 1명의 환자에서는 신경손상과 관련된 합병증이 완전히 해소된 상태였다. 수술 직후와 최종 경과관찰 시점에서 촬영한 방사선 사진에서 확대율을 보정하여 변연골 흡수를 측정한 결과 0-2.8 mm로, 평균 0.9 mm의 안정적인 결과를 보였다.
　본 증례들에서는 술중 심한 출혈이나 하악골 골절과 같은 합병증은 전혀 없었으나 3명의 환자에서 장기간 시간이 경과한 후에도 신경손상과 연관된 증상이 잔존하였으며, 1명의 환자는 신경병성 통증이 지속되면서 환자를 괴롭히고 있었다. 임플란트 보철기능이 이루어지면서 주변 변연골 흡수는 약 0.9 mm 정도로서 비교적 안정적인 결과를 보였고, 골유착에 실패한 임플란트들은 전혀 없었다. 필자가 경험한 4증례의 임상결과를 볼 때, 하악관까지의 잔존 치조골 높이가 절대적으로 부족한 경우에 신경전위술과 동시에 임플란트를 식립하는 것은 치료기간을 단축시키고 성공적인 보철치료를 완료할 수 있는 좋은 술식이지만, 신경손상과 관련된 임상 증상이 지속적으로 잔존할 가능성이 있기 때문에 사전에 환자에게 여러가지 치료방법들을 상세히 설명하고 본 술식에 대해 동의가 이루어진 경우에 한해 시술하는 것이 바람직하다고 사료된다(**Fig 20-1~11**).

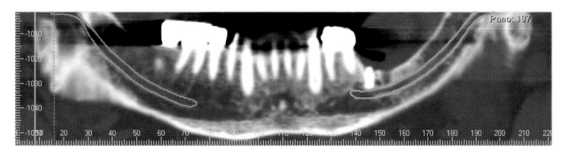

Fig 20-1 술 전 CT panoramic view. 좌측 구치부에서 하악관까지의 잔존 치조골 높이가 절대적으로 부족한 상태이다.

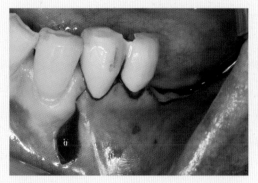

Fig 20-2 절개를 시행한 모습. 무치악 치조정 절개와 전방 2개의 치아까지 치은열구절개 및 수직이완절개를 시행하였다.

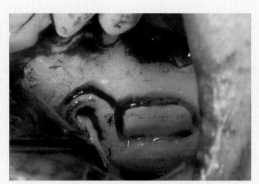

Fig 20-3 이공 주위의 원형창과 후방에 직사각형의 골창을 형성한 모습.

Fig 20-4 Elastic loop로 신경을 조심스럽게 견인하는 모습.

Fig 20-5 #36, 37 부위에 임플란트(Osstem US II, 5D/15L)를 식립한 모습. #36 부위에서는 신경을 측방으로 견인하면서 식립하였고, #37은 신경의 주행 방향을 육안으로 직접 확인하면서 신경의 협측에 식립하였다.

Fig 20-6 임플란트와 신경 사이에 흡수성 차폐막(BioGide)을 삽입한 모습. 주변 결손부에 제거하였던 협측골창을 분쇄하여 재이식하였다.

Fig 20-7 주변에 추가로 동종골이식재(Regenaform)를 이식하고 Biogide를 피개한 모습.

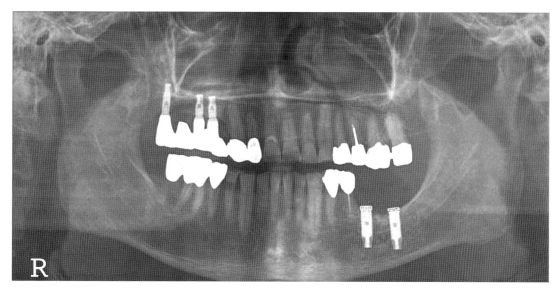

Fig 20-8 수술 직후 파노라마 방사선 사진.

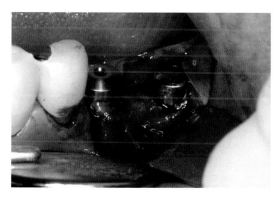

Fig 20-9 수술 2.5개월 후 임플란트를 노출시킨 후 지대주를 연결한 모습. 이차 안정도를 Osstell mentor로 측정한 결과, #36: 70, #37: 91의 ISQ값을 보였다.

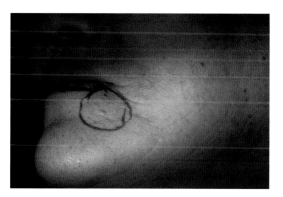

Fig 20-10 최종 보철물 장착 1년 후 안면 사진. 마킹펜으로 표시된 부위의 감각이상이 잔존하고 있으나 통각과 촉각은 모두 인지하고 있으며, 생활하는데 큰 지장은 없다고 언급하였다.

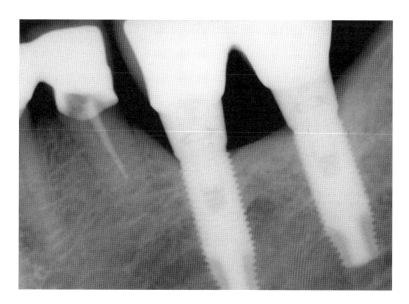

Fig 20-11 최종 보철물 장착 1년 후 치근단 방사선 사진. #36 임플란트 주변에서 약 0.5 mm, #37 주변에서 약 0.3 mm의 변연골 흡수를 보였으며 상부 보철물은 안정적인 기능을 유지하고 있다.

1 하악관까지 잔존골량이 절대적으로 부족

2 골이식술이 불가능하거나 환자가 거부하는 경우

3 짧은 길이 임플란트 식립이 불가능한 경우

🔏 치료 및 경과

1 전신마취 수술

2 신경전위술과 임플란트 동시 식립

3 수술 후 감각이상과 신경병성 통증이 지속되는 경우가 많다.

◀)) Comment

● 하악골 후방부에서 치아들이 상실되고 오랜 시간이 경과하면 이공과 하악관까지의 잔존골 높이가 현저하게 부족하게 되면서 짧은 길이 임플란트 조차도 식립할 수 없는 상황에 직면하는 경우가 많다. 이런 경우에는 임플란트 식립을 포기하고 통상적인 국소의치 치료를 시행하는 것과 침습적인 임플란트 관련 수술의 장단점을 고려하여 선택해야 한다. 임플란트 치료가 결정되었다 하더라도 치조골의 높이를 확보하기 위한 치조골 수직증대술, 삽입성골이식술(interpositional bone graft), 치조골신장술(alveolar distraction osteogenesis) 혹은 하치조신경전위술의 장단점, 합병증을 환자에게 충분히 설명한 후 결정하여야 한다 (김영균 등: 2003, 김영균 등: 2007).

하치조신경을 견인하여 충분한 길이의 임플란트를 식립하는 방법은 침습적인 골이식술 없이도 임플란트의 초기 고정성을 확보할 수 있을 뿐 아니라, 치유기간이 짧으며 골이식술 관련 합병증이 없다는 장점을 갖는다. 하지만 **신경손상 등과 같은 합병증이 발생이 불가피하기 때문에 술 전에 환자에게 영구적인 감각이상 가능성을 충분히 설명하고 환자가 동의하였을 때 수술을 진행**해야 하며, 수술 중 신경에 신장성 손상이 가해지지 않도록 매우 세심한 주의와 노력이 필요하다(김명진: 1995, 최의환 등: 2001).

하치조신경전위술의 적응증

1. 치조정과 하악관 사이에 잔존골량이 절대적으로 부족하여 짧은 길이 임플란트도 식립하기 어려운 경우

2. 치조골 수직증대술을 시행하기에는 악간 거리(intermaxillary space)가 부족한 경우

3. 하치조신경이 악골 상부에 위치한 경우

하치조신경전위술의 금기증

1. 술후 신경손상 가능성을 설명한 후 환자가 동의하지 않는 경우

2. 하악관 상방의 골 높이가 3 mm 이하인 경우

3. 치조골 흡수가 극심하여 하악골 기저부만 남아있는 경우로서 하악골이 유약하여 골절의 위험이 따르며, 임플란트를 식립하였다 할지라도 보철물 상부구조가 너무 길어져 이상적인 보철수복이 될 수 없는 경우
4. 협측 피질골이 두껍고 골내병변이 있는 경우: 수술적 접근이 어렵고 골제거량이 증가함으로 인해 골치유에 막대한 장애를 초래할 수 있다.

하치조신경전위술의 장점

1. 충분히 긴 임플란트를 식립하면서 양피질성 일차고정(bicortical primary stabilization)을 얻을 수도 있다.
2. 상방의 잔존 치조정골에서 임플란트 초기 고정을 얻을 수 있기 때문에 치유기간이 단축된다.
3. 골이식을 위한 공여부의 손상을 피할 수 있으며, 이식골의 흡수, 감염 등에 의한 실패요인을 줄일 수 있다.

하치조신경전위술의 단점

1. 일부 증례들에서 감각이상이 영구적으로 지속될 수 있다.
2. 예민한 환자들은 감각이상으로 인해 일상생활에 큰 지장을 초래할 수 있다.
3. 신경병성 통증이 지속되기도 한다.
4. 치조골의 수직적 소실이 심한 경우엔 치관-임플란트 비율이 불량해진다.
5. 숙련된 구강악안면외과의사 외에는 수술하기 어렵고 수술 시간이 많이 소요된다.

성공적인 수술을 위해서 이공(mental foramen) 주변의 해부학적 다양성에 대한 이해가 중요하다. 골창을 형성하는 방법은 이공 후방에서 직사각형의 피질골창을 형성하여 후방에서 접근하는 방법과 이신경 주위의 피질골을 원형으로 작게 제거하여 신경다발을 노출시킨 후 신경 주행경로를 따라 후방으로 피질골과 해면골을 제거하면서 하치조신경을 전위시키는 전방 접근법이 있다. 전방 접근법에서 약 77.8%의 높은 신경손상율이 보고되어 임상에서는 후방 접근법이 많이 사용되고 있다. 신경을 견인할 때 신장에 의한 손상이 불가피한데 신경의 총 길이의 7% 이상이 신장되면 비가역적인 손상이 발생할 가능성이 있다. 따라서 신경의 과도한 신장을 방지하기 위해서는 최소한 20 mm 길이의 골창 형성이 필요하다고 한다(Friberg B, et al; 1992, Hirsch JM & Branemark PI; 1995, Jemt T, et al; 1989). 골창을 형성할 경우에 이신경 부위에서 골을 제거하는 것이 어렵고 신경손상이 발생하기 쉬우므로 이공을 그대로 남겨두고 이공의 바로 후방에서부터 골창(bony window)을 형성하여 시작해 나가는 것이 수월할 수 있다. 수술 시 떼어낸 골창은 임플란트를 식립하고 난 후 다시 재위치시킨다. 측방으로 전위시켰던 하치조신경을 골창 외부에 위치시키는데, 그 이유는 신경이 임플란트 고정체와 직접 접촉될 경우, 임플란트의 골유착을 방해하거나 신경전도 기전에 이상을 일으

킬 수 있기 때문이다. 떼어냈던 골창 및 골조각을 잘게 부숴 노출된 임플란트 표면에 채우거나 때로는 골대체물질을 채워 줌으로써 하치조신경과 임플란트를 분리시켜 노출된 임플란트 표면에 발생할 수 있는 섬유성 반흔조직의 형성을 방지할 수 있다. 만약 수술 중에 신경 손상이 발생하면 신경을 재생막(Goretex tube) 등으로 감아주는 것도 좋은 방법이다(Friberg B, et al: 1992, Kan JYK, et al: 1997).

술후 합병증은 이신경 및 하치조신경의 생리적신경차단성 손상(neurapraxic injury)으로 인해 동측의 하순, 뺨, 턱과 구각 마비, 치아 및 주위 연조직의 감각이상, 감각기능 저하로 인한 저작장애, 입술의 작열감(burning sensation), 침 흘림(saliva drooling), 하악 전치의 감각이상 혹은 치수괴사가 발생할 수 있으므로 신경이 과도하게 신장되지 않도록 주의해야 한다. 시간이 경과하면서 대부분의 감각이상은 정상으로 회복되며 남아있더라도 환자들이 잘 적응하는 경향을 보인다. 하치조신경전위술이 시행된 증례들의 약 30% 정도에서 감각이상과 관련된 합병증이 발생한다고 보고되었다. 따라서 신중한 증례 선택과 전문적 수술이 요구된다(Bailey P&Bays R: 1984). Rosenquist (1994)는 100명의 환자에서 하치조신경전위술과 동시에 250개의 임플란트를 식립한 후 발생한 감각이상에 대하여 6개월 경과 후 두 점식별능을 검사한 결과, 6개월 경과 시 77%가 감각이 개선(14 mm 이하를 정상으로 간주)되었으며, 18개월에서는 94%의 감각이 개선되었음을 보고하였다. 김명진(1995)은 하치조신경전위술 후 감각기능 저하를 관찰하여 아무리 세심한 수술을 시행한다 할지라도 부분적인 신경 손상이 초래된다는 것을 보고하였다. 대부분 감각이 회복되었지만 36.4%에서 수술을 받지 않은 반대측 또는 상순과 비교할 때 감각의 차이를 보이면서 완벽한 회복을 보이지 않았다고 언급하였다. Davis 등(1992)은 하치조신경전위술을 시행한 22명의 임상의들을 대상으로 조사한 결과, 수술을 받은 190명의 환자들 중에서 9명의 환자가 타는 듯한 이상 감각을 호소하였음을 보고하였다. Friberg 등(1992)은 10명의 환자들을 7개월간 평가한 보고에서 30%의 환자들이 지각감퇴와 마비 증상을 호소하였다고 보고하였다. Kan 등(1997)은 수술 41.3개월 후에도 52.4%의 감각장애가 존재함을 관찰하였다. 다른 합병증으로 수술 중 하치조혈관의 손상으로 심한 출혈이 발생할 수 있다. 출혈이 발생하면 국소지혈제(Surgicel, Gelfoam, Bone wax 등)로 지혈 처치를 시행해야 하며, electrocautery는 신경의 비가역적 손상을 유발할 수 있기 때문에 절대 사용해서는 안 된다(Krough PHJ, et al: 1994). 하악관 상방에 4 mm보다 적은 골이 존재하는 경우엔 임플란트 식립 1-2년 후에 과도한 변연골 흡수를 보일 수 있으며, Rosenquist (1991)는 수술 12개월 후 평균 0.3 mm(0.1-6 mm)의 변연골 소실을 보였고, 하치조신경전위술과 동시에 긴 임플란트를 식립하는 과정에서 하악골 골절이 발생할 수도 있다고 보고하였다. Ferrigno 등(2005)은 잔존 하악골 높이가 13 mm인 경우 이 술식을 적용한 후 골절이 발생한 증례를 경험하였으며, 신경을 노출시키기 위해 측방골을 많이 제거해야 하기 때문에 하악골 골절 위험성이 있다고 언급하였다.

Case 21 >> 29세 여자 환자에서 양악수술 후 안면신경 협분지(buccal branch) 마비 소견을 보인 증례

2005년 8월 17일 29세 여자 환자가 전신마취하에서 양악수술을 시행받았고 수술 9일 후부터 우측 상순과 코의 움직임이 둔화되었으며, 코 막힘 증상과 함께 턱과 하순의 감각이상이 존재하였다(**Fig 21-1~3**). 안면신경 협분지 손상으로 진단하고 마사지, EAST (acupunctures) & laser 치료를 시행하면서

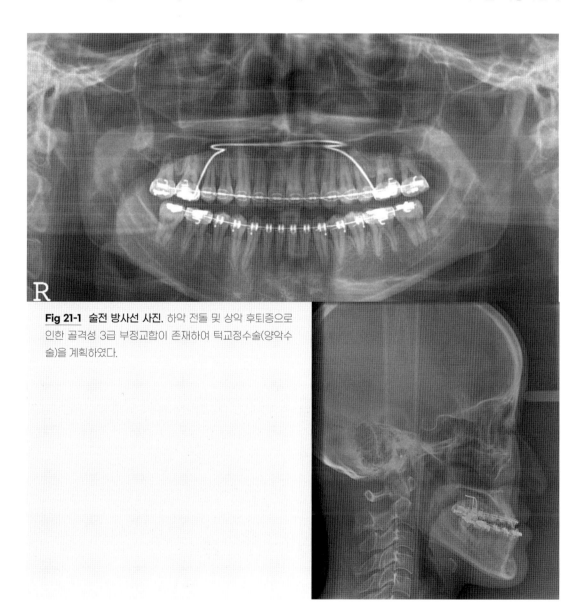

Fig 21-1 술전 방사선 사진. 하악 전돌 및 상악 후퇴증으로 인한 골격성 3급 부정교합이 존재하여 턱교정수술(양악수술)을 계획하였다.

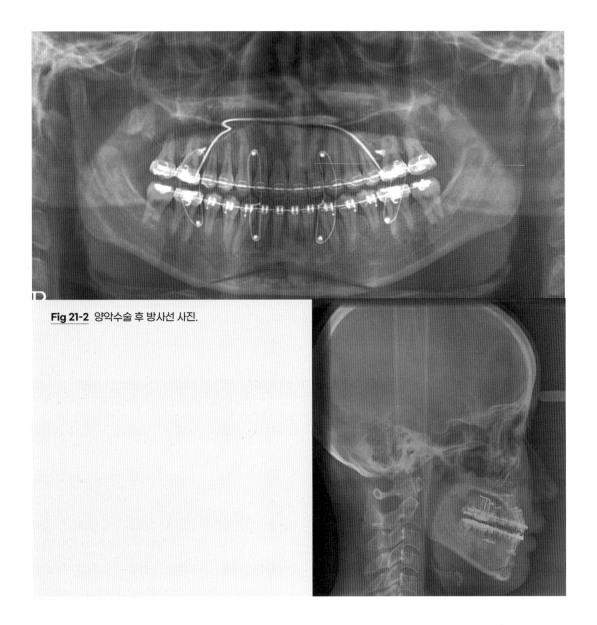

Fig 21-2 양악수술 후 방사선 사진.

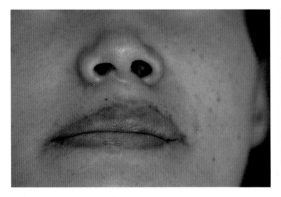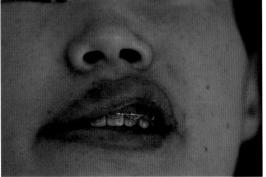

Fig 21-3 양악수술 후 우측 안면신경 협분지 마비가 발생하여 우측 상순이 움직이지 않는 것을 볼 수 있다.

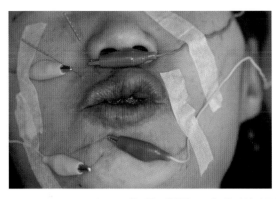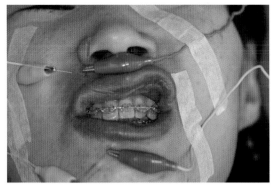

Fig 21-4 EAST & laser 치료를 시행하는 모습. 움직임이 둔한 우측 상순과 감각이상이 존재하는 우측 턱 부위에 침을 삽입한 후 전기자극 치료를 시행하였다.

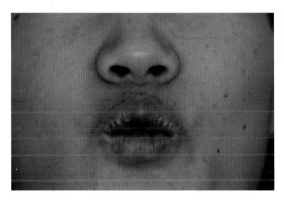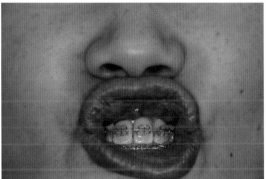

Fig 21-5 양악수술 3개월 후 안모 사진. 상순과 코의 움직임이 거의 정상으로 회복된 것을 볼 수 있다.

스테로이드(Dexamethasone 0.5 mg bid for 4 weeks)를 처방하였다**(Fig 21-4)**. 마취통증의학과에서 SGB 치료를 5회 병행하면서 치과에서는 물리치료를 계속하였다. **2005년 9월 26일** 우측 코와 상순의 움직임이 약간 증가하기 시작하였고, 양악 수술 3개월 후(2005년 11월 14일) 정상으로 회복되었다**(Fig 21-5)**.

⊗ Problem lists

1 양악수술
2 안면신경 협분지 손상: Neurapraxia

치료 및 경과

1 약물치료: Steroid
2 물리치료
3 SGB
4 예후 양호

● 하악 골절단술 및 골편 이동과 관련하여 발생한 안면신경 손상 증례들이 보고된 바 있으며, 경유돌공 (stylomastoid foramen)에서 나오는 안면신경 분지에 자극을 가함으로써 안면신경 5개 분지 모두와 관련된 증상들이 발생하는 경향을 보였다. 그러나 본 증례는 협분지 손상에 국한된 증상만을 보였기 때문에 **상악골절단술 및 골편 이동과 관련된 손상**으로 추정된다. 필자는 수술 도중 시야 확보를 위해 상악 협점막골막피판을 견인기로 당기는 과정에서 **안면신경 협분지에 압박성 손상**이 가해진 것으로 추정하고 있다. 수술 지후 안면신경 마비 증상이 나타날 경우 직접적인 신경손상인 경우가 많지만, 일정 기간 경과 후 마비 증상이 나타나는 경우는 간접적 손상(조직견인, 혈종, 종창에 의한 압박)인 경우가 많으며 적극적인 **스테로이드 투여, 물리치료, SGB** 등을 시행하면 좋은 회복을 보이는 것으로 알려져 있다.

안면신경 마비의 치료도 삼차신경 손상의 치료와 거의 동일하다. 즉 증상이 발생한 후 초기부터 물리치료와 약물치료가 적극적으로 시행되어야 하며, SGB와 같은 치료를 병행하면 빠른 회복을 기대할 수 있다(Luo G. et al: 2015). 스테로이드 테이퍼링 요법이 권장되지만, 본 증례에서는 일정한 용량으로 4주간 장기 투여하였다.

Case 22 >> 22세 남자 환자에서 턱 교정 수술 후 안면신경 측두(temporal), 눈(ophthalmic), 협측(buccal) 및 변연하악(marginal mandibular) 분지의 마비가 발생한 증례

2008년 1월 30일 22세 남자 환자에서 턱교정 수술(하악골 우측 8 mm, 좌측 13 mm 후방이동)이 시행되었다**(Fig 22-1, 2)**. 수술 1주일 후 좌측 눈이 안 감기고 이마 주름이 잡히지 않으면서 코, 입술, 좌측 안

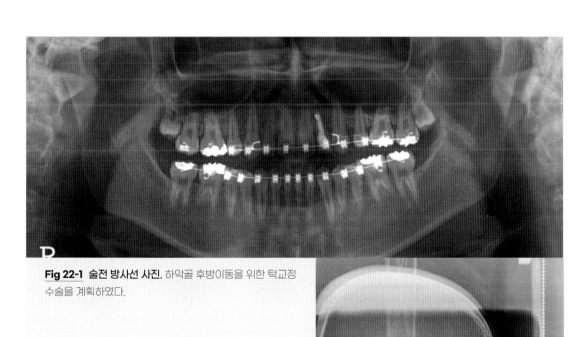

Fig 22-1 술전 방사선 사진. 하악골 후방이동을 위한 턱교정 수술을 계획하였다.

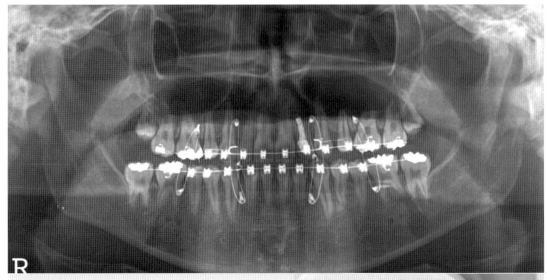

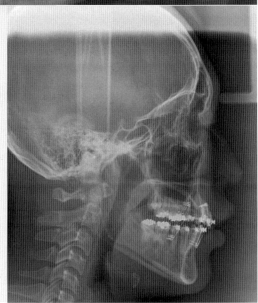

Fig 22-2 술후 방사선 사진. 하악골은 우측에서 8 mm, 좌측에서 13 mm 후방으로 이동되었다.

면 전체의 움직임 둔화 증상이 발생하였다**(Fig 22-3)**. 즉시 물리치료(EAST & laser)를 시작하면서 좌측 눈 보호를 위해 Terramycin 안연고(Tetracycline 5 mg/g 3.5 g)를 좌측 눈에 적용하고 안대를 착용하도록 하였다. **2008년 2월 11일** Nisolone (Prednisolone 5 mg tid)을 5일 처방하고 물리치료를 계속하였다. 증상이 전혀 호전되지 않아서 **2008년 2월 18일** Methylon (Methylprednisolone 4 mg tid)을 10일 처방하였고, 마취통증의학과 협진을 의뢰하여 SGB가 9회 시행되었으며, 치과에서는 물리치료를 병행하였다. **2008년 3월 21일**부터 상하순 움직임 회복 징후가 나타나기 시작하였으며, **2008년 5월 19일** 전체 마비 부위가 거의 정상으로 회복되었다**(Fig 22-4)**.

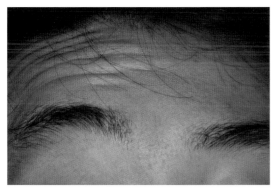
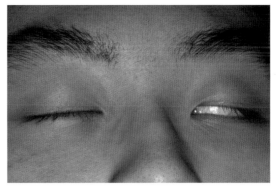

Fig 22-3 좌측 이마 주름이 안 잡히고 눈이 안 감기면서 코, 상순과 하순의 움직임이 둔화된 양상을 보이고 있다.

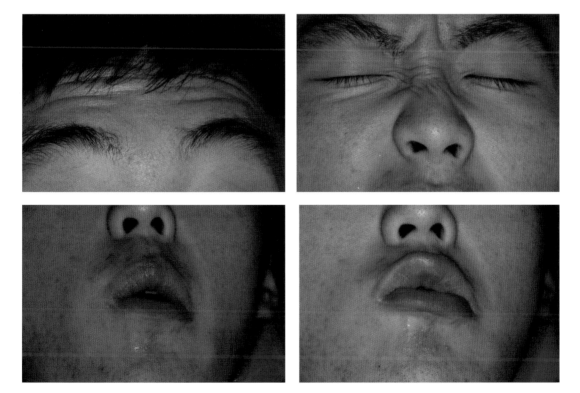

Fig 22-4 수술 3.5개월 후 안모 사진. 아직 입술의 움직임은 부자연스런 모습을 보이고 있지만 안면신경 마비는 대부분 정상으로 회복되었다.

⊗ Problem lists

1 하악 턱교정 수술

2 안면신경 마비: Neurapraxia

치료 및 경과

1 약물치료: Steroid, 안연고

2 물리치료

3 SGB

4 예후 양호

🔊 Comment

● 스테로이드는 신경관련 이상 증상이 발생하자마자 초기에 tapering 요법으로 투여하는 것이 추천된다. Case 21과 본 증례에서는 일정 기간 동일한 용량으로 투여하였는데, 이런 방법이 비효과적인지는 분명하지 않으며 Prednisolone을 Methyl prednisolone으로 변경한 이유는 잘 이해할 수 없다. 본 증례의 안면신경 마비는 하악골 절단술 시 osteotome에 의한 자극 혹은 하악 골편이 후방으로 많이 이동되면서 **안면신경 분지를 압박**한 것이 원인으로 관여했을 것으로 추정된다(김영균 등: 1993, 홍성철 등: 2006, Acebal-Bianco F, et al: 2000, De Vreis K, et al: 1993, Jones JK & van Sickels JE: 1991). 적극적인 **약물, 물리치료, SGB**를 통해 수술 3.5개월 후 정상으로 회복되었다. 턱교정 수술 중 하악골의 후방 이동량이 많은 증례에서 안면신경 마비가 발생한 경우에 적극적인 치료에도 불구하고 회복 징후가 전혀 보이지 않는다면, 후방으로 돌출된 하악골 후면을 삭제하는 것과 같은 감압수술을 고려해 볼 수도 있다.

TOUGH CASES

Case 23 >> 51세 여자 환자에서 바이러스 감염으로 추정되는 안면신경 마비가 발생한 증례

2008년 3월 27일 51세 여자 환자가 상악 우측 제1대구치의 극심한 통증을 주소로 내원하였다(Fig 23-1). 2주 전부터 통증이 시작되었고, 잇몸이 많이 부어서 ○○ 병원에서 1주간 입원치료를 받았다. 1주 전부터 우측 안면신경 5개 분지 전체의 마비 증상이 발생하였으며, 한의원에서 2회 정도 치료를 받았다고 하였다. #16 통증은 지속되고 있었으며, 상악 우측 구치부 협측 치은의 궤양 및 괴사소견이 관찰되었다. 우측 턱관절 측방 촉진 시 압통과 우측 안면부 전체의 통증을 호소하였다(Fig 23-2, 3). 특이 전신질환은 없었으며 현재까지 항바이러스제, 스테로이드, 소염진통제, cephalosporin 계열의 항생제를 복용하면서 chlorhexidine gargling을 시행하고 있었다. 우측 안면신경 마비, 턱관절장애, #16 급성 치수질환, 급성괴사성치은염으로 잠정 진단하고 Fullgram inj. (Clindamycin 300 mg IM), Ketoprofen inj. (100 mg IM), Oramedy ointment (Triamcinolone 10 g), Dexamethasone 5 mg/ml IM, Ultracet Tab. (Tramadol 37.5 mg/Acetaminophen 325 mg tid)을 처방하였다. 2008년 3월 28일 통증은 많이 감소되었으나 Ultracet 복용 후 구토와 설사 증상을 호소하였다. 진통제 복용을 중단하고 EAST & laser 치료, 안면마비 부위 자가마사지 및 온찜질을 열심히 시행하도록 하였다. 2008년 3월 31일 전악 스케일링 및 #14-17 부위 치근활택술을 시행하고 우측 안면 통증 부위에는 Rheumagel (Ketoprofen 30 mg/g)을 도포하고 온찜질을 열심히 하도록 지시하였다. 그리고 Methylon (Methylprednisolone 4 mg bid)을 5일 처방하였다. 2008년 4월 1일 통증조절 목적으로 #16 치수절단술이 시행되었으며, 2008년 4월 3일 안면신경 마비 부위가 서서히 회복되는 양상을 보였다. 2008년 4월 7일 #16 근관치료가 불가능하다고 판정되어 발치하였으며, 2008년 4월 10일 내원 시 통증과 안면신경 마비는 거의 회복되었다.

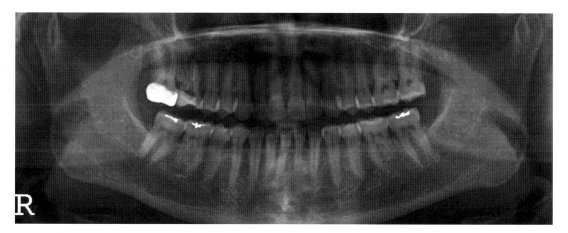

Fig 23-1 초진 시 파노라마 방사선 사진.

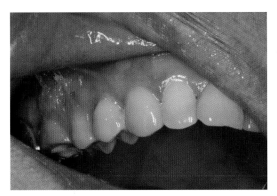

Fig 23-2 초진 시 구강 사진. #15-17 협측 잇몸의 궤양 및 괴사 소견이 관찰되었고, 환자는 증상 완화를 위해 구강연고를 사용하고 있었다.

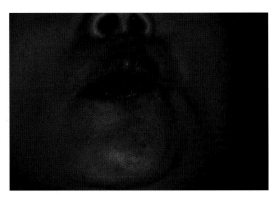

Fig 23-3 우측 입술, 코 및 주변 안면 조직의 움직임이 거의 없는 것을 볼 수 있다.

⊗ Problem lists

1 상악 우측 제1대구치 통증
2 안면신경마비: Neurapraxia

치료 및 경과

1 약물치료: Fullgram, Ketoprofen, Steroid, Ultracet, Vitamin
2 물리치료
3 예후 양호

◀)) Comment

● 초진 및 1차 치료는 타 병원에서 시행되었기 때문에 정확한 원인을 알 수 없었으나 의무기록지 사본과 임상증상을 살펴볼 때 안면신경 분지 전체가 마비되는 전형적인 **Bell's palsy** 증례였으며, 원인은 **바이러스 감염**으로 추정되었다. 본 증례는 안면신경 마비가 발생하면서 극심한 치통과 궤사성 치은염 및 턱관절 통증이 동반되었다. 물리치료, 항생제, 진통제, 스테로이드 투여가 시행되었고 치주치료, 발치 등 치과치료가 병행되면서 증상들이 소멸되었다. 대상포진과 같은 바이러스 감염의 경우 전구증상으로 치통이나 치아 주변 통증이 발생되는 경우가 많은데, 본 증례에서는 #16 치통이 시작되어 치과의원에서 근관치료가 시작되었고 그 후에 안면신경 마비 증상이 발생하였다. 이 경우는 **치통 및 치과질환으로 인한 극심한 스트레스로 인해 잠복해 있던 바이러스가 활성화되어 안면신경에 침입하면서 Bell's palsy가 시작**된 것으로 생각된다(Álvarez-Argüelles ME, et al: 2019, Evelien van Eeten E, et al: 2017, Hanalioglu D, et al: 2018, Sathirapanya P, et al: 2018, Tolstunov L&Belaga GA: 2010). 그러나 환자 입장에서는 잘못된 치과치료로 인해 발생한 것으로 생각할 수 있으며, 치과의사들이 이에 대한 지식이 없다면 결국 의료분쟁에서 패하게 될 것이다.

Case 24 >> 51세 여자 환자에서 상악동골이식과 구치부 임플란트 식립 후 우측 상순 감각이상이 발생한 증례

본 증례는 임플란트 치료 후 우측 안와하신경 분지 손상으로 추정되는 감각이상이 발생하였으며 약물 및 물리치료, 후속 임플란트 치료를 충실하게 수행하였음에도 불구하고 환자가 지속적으로 치료에 대한 불만감 및 치료비 환불 등 보상을 요구하였다. 또한 병원 측과 원만한 합의가 이루어지지 않는 것에 불만을 품고 보건소 민원 제기, 소비자보호원 구제 신청, 손해배상 민사소송을 제기하였던 경우이다. 환자 본인뿐만 아니라 의료진도 심적으로 많은 고통을 겪었다. 아래 기술된 내용들을 숙독하면 여러가지 문제점들과 환자에 대한 대처방법들 및 법적인 최종 판결이 임상진료에 큰 도움이 될 것이다. 실제 사례이기 때문에 환자의 개인정보 노출을 피하기 위해 일부 내용들을 삭제하였고, 각색한 부분들도 많이 있음을 이해하기 바란다.

병원 민원 접수 및 답변

1. "치료계획 및 수술 관련 설명을 듣지 못했고 동의한 바 없다"는 주장

- 보철과 교수 초진 상담 시 의치와 임플란트 장, 단점을 설명하였고 임플란트 치료에 동의하였음. 그러나 고가의 치료 비용에 대해 부담감을 표시하여 수복할 치아의 수를 줄이는 방향으로 절충하였음(즉, 최후방 대구치 임플란트 치료를 생략함).
- 구강악악안면외과 교수 상담 시 자가골을 채취할 부위를 설명하였고 골편 채취부위에서 일시적인 감각이상이 발생할 수 있다고 설명하였음. 환자는 자가골이식을 동반한 임플란트 식립 수술을 전신마취하에서 시행하는 것에 동의하였음.
- 수술은 본인이 동의하였으므로 진행할 수 있었으며 동의하지 않는 환자를 강제로 수술하는 경우는 절대 없음. 후유증 및 합병증에 대한 설명은 술 전에 반드시 시행하고 있으며 설명한 근거자료가 의무기록지에 보관되어 있음.

2. "진료 중간 중간에 적절한 설명이 없었다"는 주장

매번 진료 시마다 치유과정 및 경과에 대해 설명하고 있으며 진료기록부에 많은 내용들이 기록되어 있음. 환자가 설명했던 내용을 잘 기억하지 못하며 매번 내원할 때마다 반복적인 주장을 하거나 이전에 설명한 내용에 대해 반복적으로 재질문하는 경향이 있었음.

3. "진료비에 대한 설명이 부족하였다"는 주장

충분한 사전 설명이 있었고, 의무기록지에 설명한 내용이 기재되어 있음.

4. "수술 후 부작용이 발생하여 그로 인해 너무 힘들며, 치료가 잘못되었다"는 주장

모든 수술, 특히 침습적인 수술을 받은 경우 합병증 및 부작용은 불가피하며, 술전에 충분히 설명한 상태임. 그러나 현재 환자에게 나타나는 합병증은 매우 경미한 것으로, 감각이 이상하다는 주장은 전적으로 환자의 주관적인 주장임. 객관적 소견에서 모든 수술과 임플란트 보철은 성공적으로 완료되었으며, 일정 적응기간을 거치면 대부분 특별한 문제점 없이 기능할 수 있음. 환자는 100% 완벽한 결과를 주장하는 경향을 보이면서 매번 내원할 때마다 불평이 증가하였고, 진료비 완납 시점이 가까워지면서 더욱 심해지는 양상을 보였음.

5. "담당 전공의 선생이 입원 당시 대했던 태도를 절대로 용서할 수 없다"는 의견

환자의 심리상태 등이 수술 직후부터 매우 불안정하였으며, 특정 의료진을 지목하면서 태도가 불손하고 불친절하며, 반말을 한다는 등 전혀 없었던 사실들을 지속적으로 주장해 왔음. 전공의 면담 및 주변 간호사들을 상대로 조사한 바, 특별한 실수나 불손한 태도를 취한 적이 전혀 없었음을 확인하였음.

6. "환자 본인에게 너무 무리한 수술이었다. 2회나 3회로 나누어 수술하는 것이 더 좋았던 것 아닌가? 전신마취 하에 큰 수술을 진행하는 것이 무리였다"는 주장

여러 번 수술을 할 경우 시간 및 경제적 부담이 크고, 환자의 고통경감 목적과 더불어 수술 자체 난이도 또한 골이식 등이 필요한 방법이었기 때문에 전신마취 하에서 1회 수술을 계획하게 되었음. 당연히 사전 설명 후 환자가 동의하였기 때문에 수술을 진행하였음. 그러나 시간이 경과하면서 이 점에 대해 문제를 뒤늦게 제기하고 있음.

7. "상악 좌우의 잇몸 모양이 변했다. 잇몸이 없어질 것이라 설명했으면 임플란트 진료를 받지 않았을 것이다. 특히, 우측 뺨이 잇몸과 붙어서 모양이 이상하고, 저작기능에 불편감을 느낀다. 찌릿한 느낌이 아침부터 시작하여 하루 종일 지속되는 것이 가장 불편하다"라는 주장

- 잇몸 및 저작 기능 관련 불편감은 임플란트 치료 후 초기에 빈번하게 발생하는 현상이며, 시간이 경과하면서 적응하게 됨. 잇몸과 연관된 문제점이 지속될 경우, 치은이식술 등의 부가적인 처치를 통해 이차적으로 교정할 수 있음. 환자는 지나치게 완벽한 결과를 요구하고 있으며, 진료비 최종 수납 시점에서 강력히 문제를 제기함으로써 진료비 납부를 피하려는 의도가 농후하다고 판단됨.
- 찌릿한 느낌은 전적으로 환자의 주관적인 증상이며, 객관적 검사에서 신경손상으로 인한 감각마비 소견은 관찰되지 않았음. 그러나 술후 지속적으로 이 증상을 호소하여 신경병성 통증 (neruropathic pain: 정상적인 치료에도 불구하고 외과수술, 치아 발치, 근관치료 후에 드물게 발생하는 경우

가 있음)을 의심하고 투약과 물리치료 등의 처치를 시행하였으나 환자가 치료에 비협조적이고 부정적인 반응을 보였음. 처방했던 약물의 복용 유무는 확인할 수 없음.

8. 감각이상은 전혀 호전되지 않아 너무 걱정이 되어 질문하면 한결 같이 "괜찮아 질것이니 기다리라"는 답변만 제공하는 것에 대한 문제 제기

시간이 경과하면 점차 호전될 것이라고 얘기한 적은 있음. 그러나 증상이 호전되는지는 전적으로 환자의 주관적 판단에 달려있기 때문에 실제 감각이상이 존재하는지는 알 수 없으며, 본원에서 시행한 여러가지 객관적 검사에서는 이상소견이 관찰되지 않았음. 본원에서의 치료에 의구심이 있다면 제3의 의료기관에서 정밀검사 및 진단이 필요하다고 판단됨.

9. "술후 턱관절 불편감이 있어서 치료를 받았고, 설명해준 대로 집에서 자가 물리치료 및 운동요법을 열심히 시행하였다. 그러나 전혀 차도가 없다"는 주장

치과 수술 및 치료 후 턱관절장애가 합병증으로 나타날 수 있으며, 치료기간 중에 물리치료 등을 시행하였음. 또한 임플란트 보철치료가 완료된 후 교합안정장치 등을 이용해서 치료하면 거의 회복될 수 있음을 설명하였으나, 환자는 매번 내원 시 반복적으로 동일한 불만을 표시하고 있음. 추후 치료법에 대해 설명한 것을 전혀 기억하지 못하고 있음.

10. "매번 내원할 때마다 진료비(재진 및 방사선 검사료 등)가 발생하는 것에 대한 설명을 들은 바 없다"는 주장

충분한 사전 설명이 있었음. 환자가 기억하지 못하며, 기억하지 않으려는 의도가 농후함.

11. 시행된 치료에 대한 불만 및 설명 부족을 주장

- "2차 수술 시 찌릿한 것을 제거했다. 이제 찌릿하지 않을 것"이라고 담당 교수가 확실하게 얘기해 줬음에도 불구하고 전혀 괜찮아지지 않았다고 주장함.
- 보철물 장착하는 날 담당 교수가 보철물이 마음에 드는지 질문하였고, 여러 차례 "다른 불편한 부위는 그때 그때 얘기하라"고 해서 불편한 점을 얘기했더니, "보철치료에 관계되는 것만 얘기하라"고 하면서 "대체 무슨 불만이 있는데 몸을 부르르 떠느냐?"고 화를 냈다고 함. "구강악안면외과 교수와 상담하라"고 하면서 다시 예약을 잡아 준 것에 대해 화가 난다고 함.
- 불편한 점을 얘기하면 서로 떠 넘기는 느낌이라고 주장함.
- ➜ 위 내용들은 전혀 근거 없는 환자의 주장임.

12. 마지막으로, 환자가 가장 불편한 점들을 다음과 같이 정리하여 해결과 답변을 요구함.

- 아침에 눈 뜨면서부터 계속 찌릿한 느낌(스치기만 해도 불편함)과 감각이상이 있다.
- 잇몸이 없어졌다.
- 음식물이 너무 많이 낀다.
- 칫솔질을 할 때 최후방 어금니에 칫솔이 닿지 않으면서 볼에 부딪힌다(칫솔질 어려움).

- 왼쪽 잇몸 절개선과 오른쪽 잇몸 절개선이 틀리다. 또한 봉합했던 부위가 계속 아프다.
- 어금니가 너무 크고 마음에 안 든다.
- 치료 과정에 대한 설명이 너무 부족하고, 설명대로 이행되지 않는 것이 많다.
- 턱관절이 아프다. 아침에 입 벌리기 힘들고 좌측 턱관절 주변에서 뼈조각이 부서지는 듯한 소리가 난다. 좌우 턱이 안 맞고 입을 다물 때 좌우로 턱을 돌려야 한다.
- 의료진은 불편할 것으로 예상되는 점들을 미리 설명해 줘야 하는데, 환자가 물어보기 전까진 이야기해 주지 않는다.
→ 불편하다고 호소하는 내용들은 정도가 지나치고 애매모호하면서 환자의 주관적인 내용들이 대부분임. 100% 완벽한 치료 결과를 기대하고 있으며, 이와 관련된 다수의 불평을 토로함으로써 진료비 환불 등을 요청하려는 의도가 농후하다고 판단됨. 환자가 주장하는 불편감들은 시간이 경과하면서 없어지거나 적응될 수 있음.

담당 치과의사의 최종 의견

▶ 미수납한 보철 치료비 납부를 강력하게 독촉할 필요가 있음.
▶ 응급 환자, 중환이 아닌 상태에서 심미성형술, 치과 보철치료 등을 받고 진료비를 납부하지 않는 경우엔 진료를 거부할 수도 있다고 알고 있음. 법적인 내용을 확인한 후 대처가 필요함.
▶ 불시에 내원하여 의료진 면담을 요구할 때 절대 응해서는 안된다고 생각됨. 의료진을 만나면 1–6시간 정도 자신의 주장만을 얘기하면서 다른 환자들의 진료에 많은 지장을 초래함.
▶ 환자가 불평하는 내용들이 객관적으로 납득할 수 없으며, 진료비 전액 환불을 받으려는 나쁜 의도가 농후하다고 판단됨.
▶ 이미 의료분쟁이 시작되었기 때문에 환자가 본원에서 진료한 내용에 이의를 제기하고자 할 경우엔 민사소송 등을 제기하도록 안내할 필요가 있음.

진료 거부 관련 보건소 민원 접수

2006년 12월 28일, 2007년 10월 19일 치과과장에게 진료 예약 후 진료를 받지 못하였으며, 진료거부에 해당한다고 보건소에 민원을 제기함.

1. 2006년 12월 28일

당일 환자는 보철과 ○○○교수에게 진료가 예약되어 있었으며, 상부 보철물의 교합조정 치료를 받았습니다. 분명히 당일 내원하여 보철과 교수에게 적절한 진료를 받은 것을 의무기록지를 통해 확인할 수 있습니다. 이미 적절한 치료를 받은 환자를 전공이 다른 교수가 이중으로 진료할 필요는 없습니다.

2. 2007년 10월 19일

당시 본인은 분명히 환자를 진료하였습니다. 진찰 후 전공의 ○○○선생에게 물리치료 및 교합
안정장치 치료를 지시하였고, 우측 소구치 부위 교합이 잘 안 된다는 증상을 호소한 것을 기억하
며, 이를 의무기록지에 기록하였습니다. 대학병원에 내원하는 모든 치과환자들이 교수에게 예약
되어 있다고 해서 검사, 상담, 간단한 치료 등을 반드시 교수가 직접 시행해야 하는 것은 아니며,
그렇게 할 수도 없습니다. 그러나 환자의 상태를 잘 파악한 상태에서 전공의에게 간단한 치료를
지시하는 것도 교수가 진료하는 범위에 해당된다고 생각합니다. 치과 일반으로 전공의 선생들에
게 진료를 받는 중에도 진료상 특이한 문제점이 발생하거나 진료의 어려움이 있을 경우엔 담당
교수의 자문을 받으면서 진료하고 있습니다.

한국소비자원에 피해 구제 신청

임플란트 시술 시 신경을 손상시켜 우측 윗입술 및 코 옆 부분 감각이상이 존재하고 있으
며, 손이 쥐어지지 않고 통증이 심한 상태가 지속되는 등 광범위한 후유증이 발생된 바, 미
납 진료비 전액 감면과 이미 지급한 진료비 전액 환불을 요청한다는 취지로 한국소비자원
에 피해 구제를 신청하였음. 한국소비자원에서 아래와 같은 내용에 대한 답변을 요청하였음.

1. 내원당시 환자상태, 치료계획(의무기록지 참조)

장기간의 무치악 상태로 인해 치조골이 흡수되어 무치악 부위의 치조능 폭경이 협소하고 상하악
구치부 치조능 관계가 반대교합 양상을 보였음. 또한 상악 양측 구치부 치조골의 수직적 골량이
현저하게 부족한 상태였음. 구강검사, 진단모형 제작, 치과 CT 촬영 등을 통해 양측 상악동골이
식(자가골과 골대체재료 혼합이식), 협측 치조골 수평증대술 및 상하악 임플란트 식립을 계획하였음
(최소 10개 식립).

2. 임플란트 시술에 대해 설명한 내용(시술 부위 및 금액 등), 근거자료 제시

치료과정 및 치료 비용에 대해 세 차례 설명하였음. 2005년 12월 19일 의무기록지에 대략적 치
료비용을 설명하였다는 기록이 있음. 그러나 일반적으로 물건을 구입할 때와 같이 계약서를 작
성하지는 않음. 통상적으로 많은 병원들에서 치료비 계약서를 작성하는 경우는 드물며, 본 대학
병원에서도 별도의 치료비 내역서 및 계약서를 작성하고 있지는 않음. 상기 환자는 2005년 12
월 19일, 2005년 12월 20일, 2006년 1월 25일 세 차례에 걸쳐 치료과정에 대해 상담하였던 의무
기록이 있으며, 세 차례 상담과정을 통해 충분한 설명이 이루어졌고 환자 스스로 결정할 수 있는
기회가 충분하였다고 판단됨. 2006년 1월 25일 기록에는 CT 촬영비 약 40만원을 조정해 주겠다
는 내용이 의무기록지에 기록되어 있음. 본 대학병원의 임플란트 진료수가는 10개 이상 식립할
경우 개당 ○○○만원으로 소정의 할인율이 정해져 있으며 검사, 초재진료, 마취 및 입원료, 재
료비 등은 모두 별도 비용으로 산정하고 있음.

3. 1차 수술 내용(수술기록지 참조)

2006년 2월 22일 전신마취 하에서 수술 진행

1) 상악 좌우측 상악동골이식

잔존 골량이 절대적으로 부족하여 임플란트 지연식립을 계획하였음. 골이식은 자가골과 골대체재료를 혼합하여 사용하였음.

2) 양측 하악 구치부 임플란트 식립(#46, 47, 36, 37)

임플란트 주변 결손부에 골유도재생술 시행하였음(자가골, 골대체재료, 차폐막).

3) 수술 소견

양측 상악동 벽이 매우 얇았으며, 잔존골량이 매우 부족한 상태였음. 또한 하악 구치부에 임플란트를 식립한 후 협측 골열개가 존재하여 골이식이 필요한 상태였음.

4) 1차 수술 후 환자 상태

술후 감염과 같은 특이 합병증은 없었으나, 술후 개구장애 및 우측 상순 부위 감각이상을 호소하였음.

4. 2차 수술 내용

1) 2006년 7월 11일 국소마취 하에서 상악 우측에 임플란트 4개(#14, 15, 16, 17)를 식립하였고, 하악 우측 임플란트를 노출시키는 2차 수술을 진행하였음.

2) 2006년 7월 25일 국소마취하에서 상악 좌측 제2소구치를 발치하고 #25, 26, 27 부위에 3개의 임플란트를 식립하였음. 또한 하악 좌측 구치부에 식립된 임플란트를 노출시키기 위한 2차 수술을 시행하였음.

3) 2차 수술 후 환자 상태: 골이식 및 임플란트 시술은 모두 성공적인 결과를 보여 후속 보철치료가 진행되었음.

5. 환자가 호소하는 불편한 증상이 인지된 시점, 그에 대한 치료 내용

2006년 3월 6일 발사 시점에 환자가 입이 잘 안 벌어지고 우측 상순 부위의 감각이상을 호소였음. 치과 수술 후 턱관절장애가 발생하는 경우가 종종 있기 때문에 전기침자극요법을 이용한 물리치료 및 개구운동을 시행하였음.

6. 우측 윗입술과 코 옆 부분 감각이상이 발생된 원인, 타당한 근거자료 제시

1) 환자가 술후 지속적으로 주장하는 증상으로서, 신경손상 등의 평가를 시행하였으나 전혀 이상이 없었음. 상악 수술 후에는 신경손상이 발생하는 경우가 거의 없으나, 간혹 안와하신경의 분지가 손상되면서 감각이상이 발생하는 경우가 있음. 또한 구강내 수술, 발치, 근관치료, 잇몸

수술 등을 시행 받은 후에 신경병성 통증 및 이상증상이 발생하는 경우가 드물게 있으나 그 원인은 자세히 알 수 없음.

2) 본 병원에서는 환자의 주관적 증상이 지속되기 때문에 증상치료 목적으로 물리치료, 약물치료, 전기자극 및 레이저 치료 등을 초기부터 적극적으로 시행하였음. 이와 같은 치료를 시행한다고 해서 환자의 주관적 증상이 완전히 없어지는 것은 아니지만, 환자의 심리적 안정 등의 목적으로 지금까지 계속 치료해 왔음. 환자 자신의 적응 능력과 긍정적인 생각이 증상 해소에 중요한 요인이 될 것으로 생각됨.

7. 신청인 주장에 대한 귀원의 의견

1) 임플란트 주변에 음식물이 끼고 칫솔질을 할 때 아프다는 주장

임플란트 보철물 장착 후 빈발하는 증상으로서 자가 구강위생 관리 및 정기적인 유지관리를 통해 적응해 나가는 것이 최상의 방법임. 현재 임플란트 주변 치조골 및 잇몸 상태는 매우 건강한 상태이며 전혀 이상이 없음.

2) 외모의 변화 등

전혀 근거 없음. 임플란트 수술 후에 인모 등의 외모가 변한다는 학문적 근거 및 사례는 전혀 없음. 환자 자신은 수술 직후부터 주름이 생겼다는 등의 주장을 지속적으로 해오고 있으나 임플란트 치료와는 전혀 관련성이 없음.

3) 잇몸이식술 시행

환자가 음식물이 끼고 계속 불편하다고 하여 주변의 치주상태를 개선시킬 목적으로 환자에게 설명한 후 치주과에서 시술이 이루어졌음(무수가). 수술 결과는 매우 양호하지만 환자 자신은 전혀 좋아진 것이 없다고 주장하는 점에 대해서는 이해할 수 없음.

4) 진료비 등

의무기록지 등을 세밀히 검토하여 사전 설명과 실재 발생한 진료비에 차이가 있었던 부분은 시정 조치하기로 하였음(처음 설명과 달리 추가로 식립된 4개 임플란트 비용, CT 비용). 임플란트 시술 비용을 개당 ○○○만원에 해주기로 했다는 등의 환자 주장은 전혀 근거가 없음.

8. 향후 진료에 대하여

현 상태에서는 진료적인 측면(진단 및 치료계획, 수술과정, 술후 처치 등)에서 문제가 될 만할 것이 전혀 없고, 환자의 주관적 증상에 따라 좌우되는 치료를 더 이상 할 수 없음. 임플란트 치료 종료 환자들의 정기관리 프로그램에 준하여 관리할 예정임. 즉 상부 보철물 장착 1년까지는 3개월 간격, 1년 후부터는 6개월 간격으로 유지관리가 이루어질 예정임. 잔존하고 있는 턱관절 증상에 대해서도 교합안정장치 등을 이용한 정기관리가 계획되어 있음.

9. 원만한 합의를 위한 귀원의 구체적 해결방안

이미 원무팀 관계자와 환자 및 본인이 참석한 상태에서 의료진과 병원의 입장을 충분히 밝혔으며, 진료비 계산에서 오류가 있었던 부분은 감면 혹은 환불 조치하고 임플란트 유지관리 및 턱관절 불편감에 대해서는 정기적으로 본원에서 관리해 줄 것임을 확실히 언급한 바 있음. 신경 관련 증상에 대해 의료진의 과실이 있다는 환자의 의구심을 해소하기 위해선 타 병원에서 정밀 검사 및 진단을 받을 것을 추천함.

<소비자분쟁조정위원회 조정 결정>

1. 감각이상이 발생된 추정 원인 및 치료에 대한 전문가 견해

보통 해당 부위의 임플란트 수술로 직접적인 신경손상이나 자극이 되는 경우는 거의 없지만 광범위한 뼈이식이나 수술 부위의 상태에 따라 인접 부위가 영향을 받을 수 있다. 임상적으로 치과 근관치료 종료 후에도 가끔 비슷한 증상을 호소하는 환자들이 있으며, 본 건의 경우 직접적인 신경손상보다는 주변 조직에 영향을 주어 발생하였다고 사료된다. 통상적인 대증요법을 시행하면서 시간이 지나면 차츰 해소될 것으로 사료된다.

2. 조정

피신청인의 책임 범위와 관련하여, 이미 피신청인이 신청인의 미납진료비 ○○○원(=진료비 계산서상 미납진료비 ○○○원-피신청인이 계산착오라고 인정한 부분 ○○○원)에 대하여 감면 예정 의사를 표명하였는 바, 수술 상담 시 비용을 걱정하는 신청인에게 피신청인 병원 의료진이 상하악 양측 어금니(최후방 대구치 4개)에 대해서는 임플란트 시술을 생략해도 된다고 하였음에도 신청인의 동의 없이 임의로 시술하였다는 신청인의 주장이 사실로 인정된다 하더라도, 신청인의 손해가 감면 예정 부분을 초과하여서까지 존재한다고 보이지는 않는 바, 감면예정액을 손해배상액으로 보아 피신청인은 예정대로 위 진료비 채권 ○○○원을 감면하는 것이 상당하다.

법원 민사소송 제기

통상적으로 소송이 진행될 경우 영어로 기술된 내용이 많기 때문에 법원에서 의무기록지를 번역하여 제출할 것을 요청하는 경우가 많다.

<법원에 제출한 의무기록지 번역 내용>

아래 내용은 법원에 제출한 번역 내용을 그대로 정리한 것이기 때문에 문장과 단어가 이상한 것들이 다수 있음을 이해하기 바란다. 내용이 많지만 아주 사소해 보이는 내용들을 포함하여 의무기록지가 매우 충실하게 작성되었던 것이 의료분쟁에서 유리하게 작용하였기 때문에 독자들이 잘 읽어보면 유용한 정보를 많이 얻을 것으로 생각된다. 본 증례의 의무기록지 원본에는 진료일마다 진료한 치과의사의 서명이 포함되어 있으나, 법원에 제출한 번역본에는 생략되어 있다. 의무기록지 작성 시 반드시 진료한 치과의사의 자필서명(전자서명)이 포함되어야 한다.

1. 2005년 9월 8일: 소화기내과 초진 기록

1) 증상

- 명치 부분이 답답하고 오른쪽 가슴이 아픔, 소화불량, 속쓰림, 오심(nausea), 식사하면 식도 쪽이 아픔.
- 작년 가을에 정신적 스트레스(동생 사망)가 심했으며 그때부터 증상이 시작됨.
- 동네병원에서 내시경 검사 없이 투약만 1주간 했음.
- 투약 중에는 증상이 완화되었음.
- 월경 불규칙함.

2) 임상진단

소화불량, 역류성 식도염

3) 치료계획

투약 후 관찰, 위장관 내시경검사 권유→거부함

2. 2005년 9월 15일: 소화기내과 진료

1) 증상

- 눈꺼풀이 내려앉고 잠이 잘 안 옴.
- 음식을 삼킬 때 내려가는 것이 느껴지고, 목에 무엇인가 걸린 듯한 느낌이 난다고 호소함.
- 저녁 과식 후 증상이 심화됨.
- → 내시경 검사 후 식도내압검사 및 24시간 산도검사를 할 수 있음을 설명함.

2) 치료 및 경과

이전에 처방한 약을 먹지 않았다고 하여 다시 처방함.

3. 2005년 10월 11일: 소화기내과 진료

1) 증상

속 쓰림. 목에 걸린 듯한 증상은 완화됨.

2) 치료 및 경과

내시경 검사 후 투약 3주 처방함.

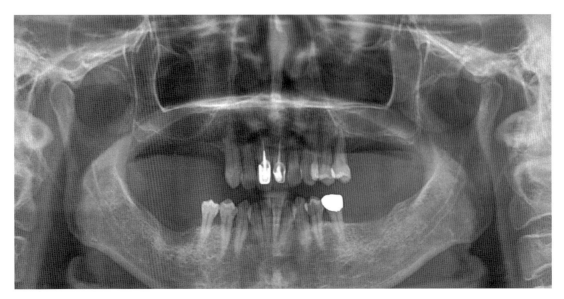

Fig 24-1 초진 시 파노라마 방사선 사진.

4. 2005월 12월 19일: 치과 초진(Fig 24-1)

1) 주소

상하악 무치악 부위에 대한 보철 혹은 임플란트 치료 문의함.

2) 현증

- #24(상악 좌측 제1소구치) 예후 불량, 상악 무치악 치조능 퇴축이 매우 심함
- 하악 무치악 치조능 폭경이 협소함, 상하악 무치악 부위 반대교합 관계

3) 진단 및 치료계획

- 상하악 부분 무치악 및 치조골 퇴축
- #24 발치 필요성 설명
- 국소의치 치료와 양측 상악동거상술/하악 협측 블록골 이식/임플란트 지연 식립
- 하악 짧은 길이 임플란트 설명
- 대략적 치료비용 설명

5. 2005월 12월 20일

1) 진단

- 방사선 스텐트를 위한 인상채득(하악 #36, 37, 46, 47)
- 치과 임플란트 CT 촬영
- 골밀도 테스트
- 류마티스내과 협진 의뢰

2) 치료계획

- CT 촬영 후 재상담 및 수술 예약(수술 예정일: 2006년 2월, 전신마취 2–3일 입원)
- 양측 상악동 골이식(하악지 + 바이오오스), 협측 블록골이식
- 하악 임플란트 식립
- 수평 골유도재생술
- 추후 2차 수술 시 하악 구개치은이식술 필요함.

6. 2006월 1월 25일

1) 치료 비용이 부담되어서 CT 촬영을 고민하심. CT 촬영의 필요성을 설명 드림.
2) 추후 임플란트 수술 비용에서 CT 촬영비를 감면해드리기로 함.

7. 2006월 2월 2일

1) 골밀도 검사 시행 → 골감소증 확인
2) 술전 검사 시행 및 수술 예약
3) 술전 외과용 스텐트(양측 하악 구치부) 확인
4) 수술 계획 재확인:

- 양측 상악동골이식: 오훼돌기 + 바이오오스 + 그린프라스트 조직접착제
- 상악 협측 블록골이식: 하악지 자가골
- 하악 양측 구치부 수평 베니어 이식과 임플란트 동시 식립

8. 2006년 2월 22일: 전신마취 수술(Fig 24-2)

1) 비기관삽관술과 튜브 고정

2) 구강안면부 소독 및 드레이핑

3) 침윤마취

4) #14-상악결절 치조정절개 및 피판박리

5) 상악동 전벽골 제거(1 mm 이하의 두께로 매우 얇은 상태였음)

6) 상악동점막 거상 및 서지셀 피개

7) #46-후삼각대 절개 및 피판박리

8) 오훼돌기 블록과 하악지에서 블록골 채취, 채취 부위 지혈 목적으로 서지셀 적용

9) #46, 47 드릴링 및 태핑

- Osstem GS II 식립: #46: 4 D/10 L, #47:5 D/8.5 L
- 협측 나사선 2-3 mm 노출
- Orthoblast II + Bio-Oss 이식
- Ossix 차폐막 피개
- 피판 기저부 절개 및 일차봉합

10) 우측 상악동골이식

- 상악결절 + 하악지에서 채취한 골칩 + 바이오오스 + 그린프라스트
- 협측에 오훼돌기 블록골 이식
- Ossix 차폐막 피개
- 피판 기저부 절개 및 일차봉합(4-0 vicryl)

11) #24-상악결절 치조정절개 및 피판 박리

- 얇은 상악동벽 제거 및 상악동 점막 거상
- 하악지에서 채취한 블록골을 갈아서 Osteon 골이식재 1 cc와 혼합이식(그린프라스트)
- Orthoblast II 추가 이식
- Ossix 차폐막 피개
- 피판 기저부 절개 및 일차봉합(4-0 vicryl)

12) #36-후삼각대 절개 및 피판박리

- #36, 37 드릴링 및 태핑
- Osstem GS II 식립: #36:4 D/10 L(협측 나사 3 mm 노출), #37:5 D/10 L(협측 나사 2 mm 노출)
- 자가골칩(하악지) 이식하고 상방에 Ossix 차폐막 피개
- 피판 기저부 절개 및 일차봉합

최초작성자 : 김영균   최종작성자 : 김영균 김영균

집도의 : 김영균 김영균

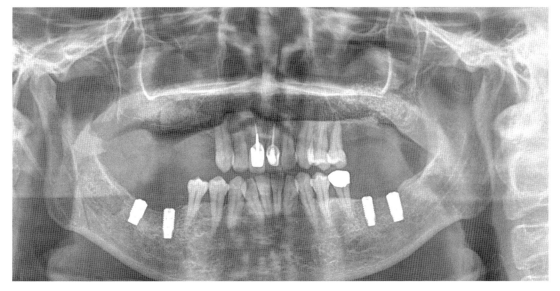

Fig 24-2 술후 파노라마 방사선 사진. 상악 양측 구치부는 골이식술만 시행되었고 하악 양측 구치부에는 골이식과 함께 임플란트가 식립되었다.

9. 2006년 3월 6일

- 발사, 전기침자극요법 10분
- 금일 입이 안 벌어져서 방사선 촬영하지 못했음
- **S, O)** 입이 잘 안 벌어짐: 개구량 약 15 mm, 우측 뺨 피하출혈
- **P)** 1주 2회 전기침자극요법: 4회 약속, 1개월 후 치근단 방사선 촬영

10. 2006년 3월 23일

- 전기침자극요법 10분: 우측 상순 두 지점에 침 삽입
- **S, O)** 우측 상순 감각이상, 우측 뺨이 뭉쳐 있다. 개구량 20–25 mm 회복
- **P)** 자가운동요법 교육

11. 2006년 4월 17일

- 파노라마 방사선 촬영: 수술 후 2개월 경과, 전기침자극요법 10분(침 삽입: 우측 교근, 턱관절 부위)
- **S, O)** 개구량: 20 mm, 우측 교근 및 귀 전방부 압통, 근육이 뭉쳐 있다고 호소, 턱을 잡고 입을 벌려야 함.
- **P)** 1주 2회 전기침자극요법 시행

12. 2006년 4월 20일

전기침자극요법 10분(침 삽입), Therabite를 이용한 개구 운동

13. 2006년 5월 4일

전기침자극요법 10분, 저항성 악골운동 교육, Therabite 개구 운동

14. 2006년 5월 11일

- 전기침자극요법 10분: 양측 교근, 턱관절, 우측 상순
- **S, O)** 개구량: 30 mm, 강제 개구 시 우측 턱관절 전방부 통증
  - 우측 상순 부위가 찌릿하고 전기 오는 듯한 통증이 가끔 있다.
  - 우측 뺨에 물집이 잘 생긴다.

15. 2006년 5월 18일

전기침자극요법 10분, 스텐트 확인: 상악

16. 2006년 6월 29일

- 수술용 스텐트 제작을 위한 인상채득
- **S, O)** 개구량은 약간 회복됨: 35 mm
  - 저작 시 좌측 턱관절에서 사각거리는 소리가 들린다.
  - 우측 상순이 찌릿하고 #13-14 흉터 밴드 부위가 당긴다.
- **P)** 임플란트 식립: 상악 좌우 동시 식립, 술전 투약 처방
  향후 식립 계획: 상악 #14, 15, 16, 17, #25 발치 후 즉시 식립, #26, 27 식립
  → 조기 하중(식립 1-2주내) 시도, 하중 어렵다고 판단되면 지연하중으로 전환
- 임플란트 치료 비용은 개당 ○○○만원
- 상악 6개, 하악 4개 총 10개 식립한 것으로 비용 청구
- 추후 보철치료 시 비용이 별도로 발생할 것임을 설명

17. 2006년 7월 11일(Fig 24-3)

- #14-17 치조정 절개 및 전방부 이완절개, 피판 박리
- #14, 15, 16, 17 트레핀 코아 조직검사(골이식 4.5개월 경과)
- 드릴링 및 Osstem SS III(collar 2.8 mm) 식립
- #14, 15: 4 D/13 L, #16,17:5 D/13 L, Osstell ISQ: #14:52, #15:46, #16:28
- 4-0 nylon으로 봉합
- #46-47 치조정절개 및 피판 박리, 치유 지대주 연결, #46-47 협측에서 조직검사, 4-0 nylon 으로 봉합
- 술후 파노라마 촬영

18. 2006년 7월 25일(Fig 24-4)

- #25 발치, #26-27 치조정절개 및 피판박리, 국소마취

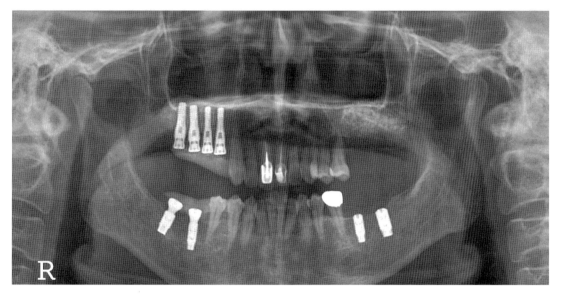

Fig 24-3 상악 우측 구치부 임플란트 식립, 하악 우측 구치부 임플란트 2차 수술 후 파노라마 방사선 사진.

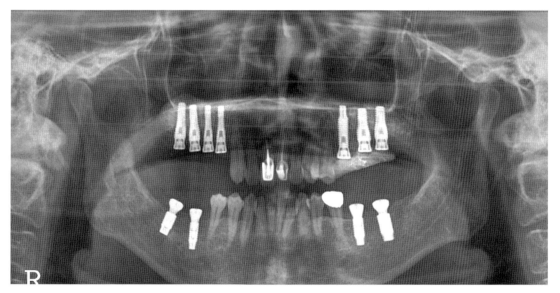

Fig 24-4 상악 좌측 구치부 임플란트 식립, 하악 좌측 구치부 2차 수술 후 파노라마 방사선 사진. 추후 환자와 의료분쟁이 진행될 때 최후방 구치부 임플란트(#17, 27, 37, 47)를 생략하면서 비용을 절감할 수 있다고 설명하였는데, 자신의 동의 없이 식립하였다고 문제를 제기하였고 이 부분에 대해서는 환불 조치를 취하였다.

- #25 즉시 임플란트 식립: Osstem SS II 4.1 D/15 L (collar 2.8 mm)
- #26, 27 드릴링 및 SS III 식립(5 D/11.5 L, collar 2.8 mm): 드릴링 전에 트레핀 코아 조직검사, 식립 토크: #25:12, #26: 9, #27:9 Ncm, Osstell ISQ: #25:64, #26:55, #27:56 ISQ, #25 발치창 주변과 구개측 결손부, 협측 함몰부에 Biocera 이식, 덮개나사 연결 및 4-0 vicryl로 봉합, 치주 팩
- #36-37 치조정절개 및 피판 박리, #36 협측에서 조직검사, 치유 지대주 연결 및 4-0 nylon으로 봉합

- 술후 파노라마 촬영
- **P)** 2일 후 드레싱, 10일 후 발사

19. 2006년 7월 27일

드레싱

20. 2006년 8월 7일

- 발사
- **S, O)** 우측 상순 마취가 안 풀린 느낌이고, 전기가 오는 것 같은 찌릿한 느낌이 지속됨
- **P)** 보철치료 완료 후 턱관절장애 치료, 감각이상 치료 계속 진행

21. 2006년 8월 24일

- #46: 6520, #47: 6520, #36: 6510 지대주 연결 및 snap-on 인상채득
- #37(협측 위치): fixture (GSII) 인상채득(PFG 크라운 제작)
- 색깔 선택
- 치근단 방사선 촬영
- 상악: 지연 하중 예정, 하악 보철 완료 후 감각이상 치료

22. 2006년 9월 6일

- #37 이중 지대주 연결
- #46,47,36,37 임플란트 PFG 크라운 임시 접착
- 칫솔질 교육
- 환자가 정신적으로 매우 침체된 상태로 보임
- 지금까지 병원에서 받았던 대우와 결과에 대한 불만을 토로함(위내시경 검사과정, 불편사항을 호소할 때 간호사의 불친절한 반응, 치과외래, 원무과, 외래 데스크 등에서 수차례 토로하였다고 함).
- 수술 후 붕대를 압박하는 과정에서 오른쪽 눈 아래 잔주름이 생겼다.
- 수술 후 폐경이 생겼다.
- 우측 잇몸 전정이 없어서 칫솔질이 안되고 불편하다.
- 술전에 받았던 검사들에 대한 결과 설명을 듣지 못하였다(골다공증 검사 포함).
- 우측의 감각이상
- CT비용이 치료비용에서 면제됐는지 의문이다.

23. 2006년 9월 6일

- 옴니박 스프린트를 위한 인상채득(상악)
- **P)** Capsaicin 연고 처방: 하루 2회 감각이상 부위에 도포

24. 2006년 10월 10일

- 스프린트 장착
- Capsaicin 연고: 하루 2회 적용(10분)
- **P)** 2주 후 체크

25. 2006년 11월 21일

- 전기 자극성 증상이 계속 있다.
- 심장센터 예약
- 타 병원에서 종합검진 후 심전도에서 ST-T segment 이상소견이 발견되었다고 함.
- 최근 아침에 일어나면 주먹을 쥐기 힘들고 힘이 든다.
- **P)** 보철치료 시작, 보철치료 중 주기적으로 상악 우측 감각이상 체크

26. 2006년 12월 5일

- #14,15,16,17,26,27 7 mm solid abutment
- #25 5.5 mm solid abutment 연결(30 N 토크, #17 제외)
- #17 임플란트 나사를 조일 때 느낌이 약간 이상했다.
- Snap-on 인상채득, 바이트 기록, 색깔 선택
- **P)** 프레임 워크 적합(비용 설명드릴 것 implant B x 7)

27. 2006년 12월 15일

- 프레임워크 적합 및 색깔 선택, 임시 레진 크라운 장착
- **P)** 장착

28. 2006년 12월 27일

- 상악 구치부 임플란트 PFG 적합
- 내원 시마다 불평 매우 심함.
  - 적합 후 보철물을 확인시켰을 때, 얼굴이 상기되고 숨을 가쁘게 쉬며 계속 불평함.
  - "왜 따로 따로 하지 않고, 묶었느냐?" ➜ **이전에도 두 차례 설명하였으며, 나사풀림 저항 및 치간 공극의 감소를 위하여 필요함을 설명함.**
  - "차후에 하나가 고장 나면 모두 뜯어야 되지 않느냐?" ➜ **차후에 고장을 막기 위해 스프린팅하는 것이 효율적임. 이후라도 제거 가능함.**
  - "어금니 잇몸이 다 쪼그라들어 입술을 쳐들고 보면 치아가 길어 보인다. 그에 대해서 사전에 설명해준 적 있느냐?" ➜ **구치부 치조제와 치은을 앞니 수준으로 증대시키는 것은 비효율적이며, 수차례의 수술을 요함.**
  - "잇몸 수술, 뼈 이식 수술하면서 잇몸이 다 쪼그라졌는데 한 번이라도 설명해 준 적이 있느냐? 왜 환자 말을 들을 생각하지 않느냐?" ➜ **보철물은 현재 상태에서 더 이상 잘 제작할**

수 없으며, 원하면 다른 데서 확인할 것을 설명함.

- "지금 보철이 문제가 아니다. 본인은 수술 시부터 고통스럽고 불만족스러운 것이 너무 많다. 지금도 치료과정의 고통을 생각하면 화가 나고, 감각이상, 양치질 곤란 등 얼마나 고통스러운 것이 많은 줄 아는가?" **→ 기타 불평하는 사항들은 보철과에서 해결할 수 없는 내용임을 수차례 설명하였으나 늘 반복적인 불평을 뭉뚱그려서 함(구강저가 낮고, 위 잇몸이 뺨과 붙어 양치질이 잘 안된다고 불평하는 것을 구강 내에서 직접 설명해 보임으로써, 칫솔질 등 구강위생관리가 어려운 것이 아님을 설명한 바 있음)**

- 보철물 장착: Cavitec 접착
- 다수 치아 보철상태이므로, 1-2차례 교합조정 요함 설명

29. 2006년 12월 28일

- 교합조정
- **P)** 다음주 월요일 교합조정(자연치 삭제 가능함에 대한 설명 요함. 미수납 내역 많음!)

30. 2007년 2월 8일

- 안정위교합장치를 위한 인상채득
- 파노라마 촬영
- 신경관련검사(EMG, QST, SEP)
- **S, O)** 상악 우측 가동성 점막에 대해 불평
  - 칫솔질이 잘 안 된다.
  - 아침에 일어나면 턱이 우측으로 쏠린다.
  - 손으로 눌러서 바로잡는다.
  - 우측 잇몸, 상순 부위 찌릿하다.
- **P)** 신경관련 검사(QST, EMG, SEP) 확인, 보철과 교합 체크, 턱관절장애 치료

31. 2007년 3월 15일

전기생리검사보고서

1) 신경전도 검사

양측 Nasalis, Orbicularis oculi, Orbicularis oris, Frontalis에서 시행한 facial motor NCS상 이상소견 관찰되지 않음.

2) Needle EMG

Right nasalis, Orbicularis oris, Masseter에서 시행한 needle EMG상 이상소견 관찰되지 않음.

3) SEP

양측 CN V2,3 dermatome에서 자극하여 시행한 SEP 검사상 이상소견 관찰되지 않음.

4) QST

양측 CN V2,3 dermatome에서 시행한 QST상 이상소견 관찰되지 않음.

5) 최종 평가

상기 근전도, 신경전도, 감각역치 검사상 환자의 우측 안면부 감각이상 증상을 설명할 수 있는 전기생리학적 이상소견은 관찰되지 않음.

32. 2007년 3월 15일

- 스프린트 장착, Capsaicin 연고 처방
- **P)** 2주 후 체크

33. 2007년 3월 30일

- 스프린트 체크
- **S, O)** 찌릿한 증상 지속된다. 좌측 턱관절 측방 및 후방 촉진 시 압통. 가끔 좌측 턱관절에서 소리가 난다. 상악 우측 어금니 부위 음식물이 많이 낀다.
- **P)** 1개월 후 체크

34. 2007년 5월 4일

- 스프린트 체크 및 전악 치태소절 교육
- 투약 4주(Imotun)
- **S, O)** 좌측 턱관절 잡음, 우측 턱관절 촉진 시 통증, 입을 크게 벌리면 아프다. 상악 우측 보철물 주변 잇몸이 화끈거린다.
- **P)** 2개월 후 체크: 장치는 야간에 계속 착용

35. 2007년 6월 8일

- 파노라마 촬영(무수가)
- 4주 투약(Imotun)
- 주기적으로 구강 내 잇몸 레이저 치료와 턱관절 부위 전기침자극 물리요법 시행하고 있음.
- **S, O)** 입을 크게 벌릴 때 좌측 턱관절 통증: 처음에 비해 약간 나아졌다.
  - 음식 씹을 때 상악 구치부 잇몸 부분이 아프다.
  - 오른쪽 뺨 부위 당기는 느낌이 오른쪽 눈 아래까지 퍼지는 느낌이었는데 요즘 눈, 광대뼈 부위 당기는 느낌이 많이 완화되었다. 오른쪽 뺨 부위의 예전부터 당기던 부위는 여전히 비슷하다.
  - 우측 상악 견치부 전정: 만지거나 음식 저작 시 통증이 있다. 가만히 있으면 괜찮다.
  - 우측 비익 부위 감각이 없는 것도 세수할 때 불편한 것 말고는 괜찮다.
  - #10 치아들 주위 구강점막이 전반적으로 찌릿한 느낌이다.
  - 1-2주 전부터 레이저 치료를 받고 집에 가면 물을 마시거나 말을 할 때 오른쪽 목구멍이 따끔거린다. 증상은 2일 정도 지속되며 아플 때 거울로 확인해보면 빨갛게 부어 있다.

36. 2007년 7월 6일

- 스프린트 체크, 전기침자극요법 10분
- **S, O)** 우측 턱관절 측방 촉진 시 압통, 좌측 턱관절에서 찌그덕 거리는 소리가 난다.
- **P)** 1개월 후 체크

37. 2007년 7월 9일

- 상악 좌측 보철물 탈락되어 내원 → 재접착시킴
- Imotun 1개월 추가 처방
- 상악 좌측 구치부 유동성점막 → 음식물이 끼고 칫솔질하기 어렵다.
- **P)** 구개치은 이식술 치주과 의뢰

38. 2007년 7월 13일

- 상악 우측 협측 잇몸 부위 이식 원함.
- **P)** 결체조직이식술

39. 2007년 7월 23일

- #14,15 결체조직 이식, 국소마취
- #14 부위부터 갑자기 스텝이 지면서 부착치은 소실
- #13 부위 뒤에 흉터 생기면서 잇몸 들면 당김, #14–17 부착치은 없음.
- 구강위생 양호
- 현재 이식했으나 유리치은이식의 큰 효과보다는 긴장 완화 효과가 있음.
- 이 상태에서 유리치은이식술을 시행하는 것이 훨씬 유리하지만, 지나친 걱정을 할 것 같아 환자분에게는 설명하지 않음.
- 투약

40. 2007년 8월 6일

- 발사 시행
- 치유 양호
- 전보다는 많이 편안해지셨을 것임.
- 수술 후 8일이 지나고 난 후에 눈이 뻑뻑하다고 치과에 전화로 문의한 바 있으나 현재는 불평 없음.

41. 2007년 8월 17일

- 스프린트 체크, 전기침자극요법 10분
- **S, O)** #47 뒷 부분이 혀를 대면 뭉쳤고 당긴다고 함.
- **P)** 1개월 후 체크

42. 2007년 8월 17일

- 방문 안 함.

43. 2007년 9월 3일(Fig 24-5)

- 2007-08-31 미비기록 작성
- 우측 협측 부위에 전기침자극요법 10분(1주 1회 4부위, 패치)
- 스프린트 조정
- **C.C)** 오른쪽 볼이 점점 퇴축되어 꺼져가고 있다(광대뼈 하방 부위).
  - 이러다가 얼굴이 기형이 될까 봐 겁이 난다.
  - 오른쪽 비익 기저부 부근은 부어 올랐다.
  - 오른쪽 협점막이 당기는 느낌이 더 심해졌다.
  - 입천장 수술한 부위에 감각이 돌아오지 않는다.
  - 치주수술 이후 오른쪽 눈 아래 부위를 촉진하면 오른쪽 윗 입술 부위로 찌릿한 느낌이 전달된다(예전에는 오른쪽 윗 입술을 눌렀을 때에만 찌릿한 느낌이 들었었다).
  - 밤에 자다가도 수술한 부위 걱정에 벌떡 벌떡 일어난다.

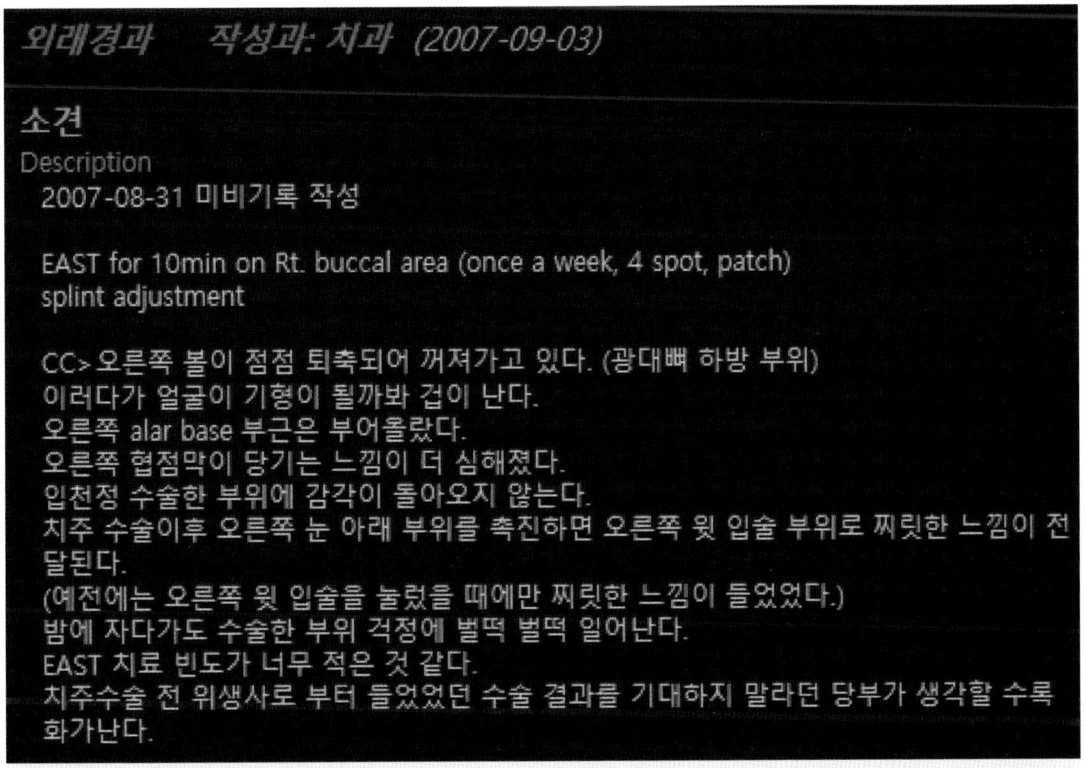

외래경과   작성과: 치과 (2007-09-03)

소견
Description
2007-08-31 미비기록 작성

EAST for 10min on Rt. buccal area (once a week, 4 spot, patch)
splint adjustment

CC> 오른쪽 볼이 점점 퇴축되어 꺼져가고 있다. (광대뼈 하방 부위)
이러다가 얼굴이 기형이 될까봐 겁이 난다.
오른쪽 alar base 부근은 부어올랐다.
오른쪽 협점막이 당기는 느낌이 더 심해졌다.
입천정 수술한 부위에 감각이 돌아오지 않는다.
치주 수술이후 오른쪽 눈 아래 부위를 촉진하면 오른쪽 윗 입술 부위로 찌릿한 느낌이 전달된다.
(예전에는 오른쪽 윗 입술을 눌렀을 때에만 찌릿한 느낌이 들었었다.)
밤에 자다가도 수술한 부위 걱정에 벌떡 벌떡 일어난다.
EAST 치료 빈도가 너무 적은 것 같다.
치주수술 전 위생사로 부터 들었었던 수술 결과를 기대하지 말라던 당부가 생각할 수록 화가난다.

Fig 24-5 의무기록 작성을 누락하거나 잘못 기재하는 경우가 자주 발생한다. 추후 발견하고 추가 기록하거나 수정이 필요한 경우에 절대로 과거 기록을 삭제하거나 지우고 다시 기록하면 안 된다. 이와 같은 행위는 의료분쟁이 진행될 경우 의료진이 자신의 잘못을 숨기기 위해 문서를 수정하거나 허위 기재한 것으로 오해 받을 수 있다. 반드시 오류를 발견한 날짜의 기록지에 사유와 함께 기록해야 한다.

- 전기침자극요법 치료 빈도가 너무 적은 것 같다.
- 치주수술 전 치과위생사로부터 들었던 "수술 결과를 기대하지 말라"던 당부가 생각할수록 화가 난다.

44. 2007년 9월 10일

- 재평가
- 현재로서는 #13,14 특이 소견은 없고, 입천장 감각이상은 걱정할 필요 없음.
- 지나친 걱정과 불만 표시를 마냥 듣고 있기가 어려워 돌려보냄.
- 수술 전 사진과 비교 원함 → 언제든지 드릴 수 있음을 말함.
- P) 전기침자극요법

45. 2007년 9월 14일

- 스프린트 체크, 전기침자극요법: 6침 삽입
- S, O) 우측 상순, 우측 코 옆 부분 찌릿한 자극이 지속된다.

46. 2007년 10월 19일

- 전기침자극요법
- 환자가 예약 없이 불시에 내원하더라도 전공의 선생이 전기침자극요법 등의 물리치료 시행하였음 → 차팅은 누락된 상태(무접수 상태에서 진료)
- 스프린트 체크
- S, O) 우측 소구치 부위 교합이 잘 안된다고 함.
- P) 2–3주 후 원무팀 의료분쟁 담당 과장과 함께 면담: 면담시간 10분
- 추후 턱관절장애, 임플란트 체크는 3개월 간격으로 시행
- 중간에 내원할 경우엔 일반으로 진료

47. 2007년 10월 19일

- 전기침자극요법 15분 및 스프린트 조정

48. 2007년 11월 9일

- #16i, 17i PFG 스프린트 크라운 임시 접착(TempBond)
- 스프린트 조정
- S, O) 최근 상악 우측 보철물이 빠졌다.
  - 입을 벌릴 때 좌측 턱관절에서 찌그덕 거리는 소리가 난다.
  - 양측 턱관절 촉진 시 압통
  - #24 부위가 먼저 닿고 나머지 치아는 전부 뜬다. 매우 불편하다. 스프린트도 마찬가지로 뜬다.
  - 임플란트 치료한 부위 잇몸에 종종 불편한 느낌이 있다.

- **A)** #24,14 조기 접촉; 구치부 저위교합
- **P)** 보철과 교합 체크 후 스프린트 체크, 2, 3개월 간격으로 유지관리
- 14i=15i, #16i=17i, #26=27i 교합면 골드 솔더링하여 교합조정, #24수준으로 구치부 교합되면 기타 자연치 교합조정

49. 2007년 11월 9일

- 상악 구치부 임플란트 보철물 제거하여 골드 솔더링을 하려고 하였으나, #16i=17i 상부 보철물 제거가 잘 안 됨 → 환자가 강력하게 이의 제기함(이전 진료 시 임시로 접착한 보철물이 탈락돼서 다시 붙여 달라는 것을 주소로 보철과로 전과 되었기에, 일단 임시 접착한 후 환자와 상담하면서 교합 뜨는 것이 불편하다는 것을 알고 금일 진료를 예정하였던 것임).
- 환자는 잠시 흥분하였다가 진정하고 임시 접착한 것이 잘 안 떨어질 수도 있다는 것을 받아들였으며, 보철물이 떠서 불편한 것은 충분히 참을 수 있다며 임시 접착한 것이 잘 떨어질 때까지 기다렸다가 떨어지면 보철물을 조정하기로 함.
- **P)** 1개월 후 재진 약속

50. 2007년 12월 14일

- 치태조절 교육
- 치근단 및 파노라마 방사선 촬영
- **S, O)** #45 통증, 찬 것, 뜨거운 것에 아프다. 타진 양성 반응
  - 방사선: 특이 소견 보이지 않음.
  - 임플란트 주변 골반응 안정적
  - 우측 뺨 점막 부위 뭉친 것이 있다고 호소하지만 특이 이상 소견 발견되지 않음.
- **P)** #45 보존과 진찰 약속: 근관치료 가능성 있음.
  - 보철과 약속 확인
  - → 보철진료 완료 후 상악 안정위 스프린트 다시 제작해 줄 것임을 설명하였음.

51. 2007년 12월 28일

- 구강검사
- 1주일 정도 아프다가 서서히 좋아짐.
- 지금은 많이 좋아진 상태
- #45 냉테스트(−), 온테스트(−), 교합테스트(−), 타진 (+/−)
- 치수생활력검사(+) #44와 같은 정도에서 반응
- X-ray상 정상
- 현재 #45 치아는 검사상 정상소견 보임.
- **P)** 차후 증상 재발 시 다시 검사하여 근관치료 필요성 결정

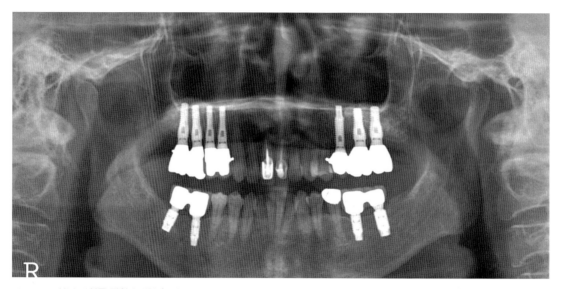

Fig 24-6 상부 보철물 장착 8개월 후 파노라마 방사선 사진.

52. 2008년 1월 11일

- 상하악 대구치 부위 좌측 약 100 micron, 우측 50 micron 얕은 상태
- 불편함이 있을 때(잘 떨어진다는 가정 하에) 상악보다는 하악 구치부 보철물을 제거한 후 도재 빌드업을 다시 하는 것이 수월할 것으로 판단되나 접착제 양으로도 어느 정도 보상 가능함. 소구치 부위의 제거는 필요 없을 것으로 판단됨.
- 환자에게 위 사항을 설명드리고 제거 시의 충격을 예상하여 증상에 따라 진행하겠다고 말씀드림. 일단 약간 낮은 것에 대해서는 참을 수 있다고 함. 임시 접착한 보철물이 떨어지면 내원하기로 함.

53. 2008년 3월 4일(Fig 24-6)

- 상부 보철물 탈락되어 내원
- #25i, 26i, 27i 바세린과 템본드로 임시 접착
- 당일 재탈락 → Tempbond로 재접착

<법원판결서>

청구취지

피고들은 연대하여 원고에게 59,059,672원과 이에 대하여 2006. 2. 22부터 이 사건 소장부본 송달일까지는 연 5%, 그 다음날부터 다 갚는 날까지는 연 20%의 각 비율로 계산한 돈을 지급하라.

판단

1. 설명의무 위반 여부

1) 입증책임의 소재

일반적으로 의사는 환자에게 수술 등 침습을 가하는 과정 및 그 후에 나쁜 결과 발생의 개연성이 있는 의료행위를 하는 경우, 또는 사망 등의 중대한 결과 발생이 예측되는 의료행위를 하는 경우에 있어서 응급환자의 경우나 그 밖에 특단의 사정이 없는 한, 진료계약상의 의무 내지 위 침습 등에 대한 승낙을 얻기 위한 전제로서 당해 환자나 그 법정대리인에게 질병의 증상, 치료방법의 내용 및 필요성, 발생이 예상되는 위험 등에 관하여 당시의 의료수준에 비추어 상당하다고 생각되는 사항을 설명하여 당해 환자가 그 필요성이나 위험성을 충분히 비교해 보고 그 의료행위를 받을 것인가의 여부를 선택할 수 있도록 할 의무가 있다. 설명의무는 침습적인 의료행위로 나아가는 과정에서 의사에게 필수적으로 요구되는 절차상의 조치로써, 그 의무의 중대성에 비추어 의사로서는 적어도 환자에게 설명한 내용을 문서화하여 이를 보존하는 직무수행상의 필요가 있다고 보여진다. 응급의료의 경우에도 의료행위의 필요성, 의료행위의 내용, 의료행위의 위험성을 설명하고, 이를 문서화한 서면에 동의를 받을 법적 의무가 의료종사자에게 부과되어 있다. 그렇기에 의사가 그러한 문서에 의해 설명의무의 이행을 입증하기는 매우 용이한 반면, 환자 측에서 설명의무가 이행되지 않았음을 입증하기는 성질상 극히 어려운 점에 비추어, 특별한 사정이 없는 한, 의사 측에 설명의무를 이행한 데 대한 입증책임이 있다고 해석하는 것이 손해의 공평 타당한 부담을 그 지도원리로 하는 손해배상제도의 이상 및 법체계의 통일적 해석에 부합된다고 할 것이다(대법원 2007.5.31. 선고 2005다5867 판결 참조).

2) 이 사건에 관하여 보건대, 진료기록부, 동의서의 각 기재 또는 영상 및 변론 전체의 취지에 의하면, 피고 병원의 의료진이 ① 2005. 12. 19 원고에 대한 초진 시 원고에 대한 현재 증상을 #24 치아가 예후불량하고, 상악 무치악 치조능 퇴축이 심하며, 하악 치조능폭경이 협소하고, 무치악 부위에서 반대교합 관계를 보인다고 판단하였고, 이에 대해 원고에게 #24번 치아를 발치하고 부분틀니를 하는 방법, 상악동 거상술과 골이식술, 임플란트 지연식립 및 하악 미니 임플란트, 골유도재생술을 설명하고, 대략적인 치료비용을 알려주었으며(2005. 12. 19 진료기록부의 내용 참조), ② 1차 수술 당시 ㉠ 원고는 마취통증의학과 담당 의사로부터 전신마취의 합병증, 후유증 및 전신마취가 아닌 다른 치료법의 선택에 대해 설명을 듣고 충분히 이해하였다는 취지의 동의서에 서명하였고, ㉡ 원고는 치과 담당 의사로부터 수술의 필요성, 내용, 예상되는 합병증, 후유증 및 수술이 아닌 다른 치료법의 선택에 대해 설명을 듣고, 충분히 이해하였으며, 본 수술로서 불가항력적으로 야기될 수 있는 합병증 또는 환자의 특이 체질로 우발적 사고가 일어날 수도 있다는 것을 사전 설명으로 충분히 이해하였고, 본 수술에 협력할 것을 서약하며, 본 수술의 시행에 동의한다는 내용의 동의서에 서명하였다. **특히 위 동의서 뒷장을 보면 담당 의사가 원고에게 위와 같이 임플란트 시술 및 그 부작용, 원고의 상태에 대하여 설명할 때 수기로 기재하고, 그림까지 그려서 설명한 사실을 인정**할 수 있는 바, 원고에 대한 수술을 시행함에 있어 피고 병원 의료진이 원고의 구강 상태, 임플란트 시술과 치료계획, 그 부작용 등에 대하여 설명한 사실을 인정할 수 있으므로, 피고가 그 설명의무를 위반하였다고 보기 어렵다**(Fig 24-7)**.

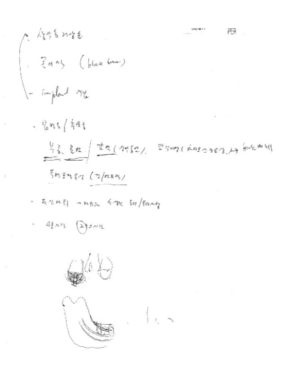

Fig 24-7 수술 동의서. (환자 인적사항과 자필 서명을 받은 부분은 환자의 개인정보 노출 문제로 인해 삭제하였음) 동의서 뒷면에 그림을 그려가면서 수기로 설명한 내용을 작성한 것 자체가 환자에게 설명의무를 충실하게 수행하였음을 인정받을 수 있다.

2. 진료상의 과실 여부

원고의 주장이 피고 병원 의료진이 행한 시술에 구체적으로 어떠한 과실이 있다는 것인지 명확하지도 않을 뿐만 아니라, 진료상 과실이 있다는 점에 관하여, 원고가 주장하는 내용들, 관련 영상, ○○대학병원의 신체감정촉탁결과만으로는 이를 인정하기에 부족하고, 달리 이를 인정할 만한 증거가 없다.

3. 소결

따라서 피고 병원의 의료진이 설명의무를 위반하였다거나 진료상의 과실이 있음을 전제로 한 원고의 주장은 더 나아가 살필 필요 없이 이유 없다.

주문

1. 원고의 피고들에 대한 청구를 모두 기각한다.
2. 소송비용은 원고가 부담한다.

⊗ Problem lists

1 상하악 다수 임플란트 식립
2 상악동골이식술
3 우측 안와하신경 손상: Neurapraxia
4 턱관절장애
5 신체화 증상
6 정신건강의학과적 문제

📋 치료 및 경과

1 약물치료: Steroid, Imotun, Capsaicin
2 물리치료
3 예후 불량
4 의료분쟁 발생
5 민사소송 승소

🔊 Comment

● 치과의사 생활을 하는 도중에 이와 같은 유형의 환자들을 반드시 만나게 된다. 이 환자는 대학병원에서 진료가 이루어졌기 때문에 담당 의료진이 문제를 해결할 때 주변의 많은 도움을 받을 수 있었으나, 개원가에서 치과원장이 단독으로 문제를 해결하려면 엄청난 고통이 따를 것으로 예상된다. 다음과 같이 여러가지 문제점들을 나름대로 정리하였으며 독자들은 증례 일지를 필독하면서 나름대로의 생각을 정리하고 교훈을 얻을 수 있길 바란다.

(1) 상순 감각이상 및 주변의 이상 통증

환자가 감각이 이상하고 아프다고 주장하면 일단 그대로 믿고 **의무기록지에 환자가 호소하는 증상들을 환자 표현 그대로 기술한다. 증상을 인지한 직후부터 치료를 빨리 시작하고 적극적으로 설명하면서 환자와 대화 하여야 한다.** 환자가 과도하게 불만감과 이상증상을 호소하더라도 정신이상이나 꾀병으로 몰아붙여서는 안 된다. 이 환자의 신경생리학적 검사 및 임상 소견들을 살펴볼 때 신경손상 징후는 보이지 않았다. 그러나 실제로 신경 손상이 있었다면 안와하신경의 상순분지가 손상 받았을 가능성을 추정해 볼 수 있다. 하지만 실제 손상되었더라도 시간이 경과하면서 잘 회복되는 경향을 보이지만 환자들의 개인 성향과 의료진에 대해 누적되어 있던 불만감이 폭 발한다면 결코 환자의 주관적 증상은 회복되지 않을 것이다.

(2) 치과치료 전에 의과적 병력에 대한 평가 미흡

법원에 번역하여 제출한 의무기록지를 살펴볼 때 치과치료 전 소화기내과에서 의료진, 검사실 및 원무과의 마찰이 있었고, 비협조적이면서 이상한 증상을 호소한 기록들이 있었다. **환자의 개인적 성향을 미리 파악**하는 것을 소홀 히 하였던 것은 본인의 실수였다. 치료과정에 대해 좀 더 상세히 설명하고 침습적인 수술을 피하면서 전통적인 국 소의치 치료를 우선 시행하는 것이 타당하였다고 생각된다.

치료기간 중에 환자가 지속적으로 이상한 증상들을 호소할 때 환자를 잘 설득하여 산부인과(폐경기증후군), 정신건 강의학과 협진을 할 수 없었던 점이 아쉽다.

(3) 수술 후 개구제한 등 턱관절장애 발생

하악지와 오훼돌기에서 자가골을 채취하는 과정에서 턱관절에 무리한 힘이 가해진 것이 원인이었다. **치과치료 자 체는 턱관절장애의 위험요소이다. 수술 전 턱관절장애 발생 가능성에 대해서는 미리 설명하지 못하였던 것 도 본인의 실수이다.** 그러나 치과치료 후 발생하는 턱관절장애는 병인론을 환자에게 잘 설명하고 보존적 치료를 적극적으로 시행하면 큰 문제없이 정상으로 회복된다.

(4) 환자가 제기하는 민원에 대한 대처

바쁘고 힘이 들더라도 **환자가 제기하는 각종 민원에 대해서는 근거에 입각하여 충실하게 서면으로 답변하고 자료를 보관해 둬야 한다.** 보건소, 한국소비자원, 의료분쟁조정중재원 등에서 질의 및 자료 요청이 올 경우에는 충실하게 응하고, 가능하면 객관성 있는 자료들을 근거로 답변해야 한다. 이런 기관들이 결코 민원인만을 위해 존 재하는 것이 아니다. 매우 공정하고 객관적인 판단을 내리며, 이들 기관들이 처리한 내용들이 추후 민형사 소송이 진행될 때에도 중요한 참고자료가 될 것이다.

(5) 의무기록지 작성의 중요성

법원에 제출한 의무기록지 번역본을 살펴보면 환자가 호소하는 증상들과 설명한 내용, 치료 내용들이 자세히 기록 되어 있다. 또한 신경손상의 객관적 평가를 위해 전기생리검사가 시행되었던 것은 매우 중요한 의미가 있다. 치료 도중 폐경기증후군, 정신과적 문제 등을 추정할 수 있는 증상들이 다수 발생하였으며, 수술 후 초기에 없었던 증상 들이 시간이 경과하면서 발생하였고, 이해하기 어려운 불편감을 지속적으로 호소하였다. 보철치료 과정 중에도 빠 짐없이 불만감을 표명하였고, 이전 진료 행위에 대한 문제점을 따지며 "왜 자세한 설명을 미리 하지 않았느냐? 이 런 문제들을 설명하였다면 치료를 받지 않았을 것이다"라는 불평을 지속적으로 호소하였다. 또한 유념해서 살펴볼 것은 **누락된 의무기록지의 작성법**이다. 2007년 8월 31일 진료 후 의무기록지 작성이 누락되었다. 추가 기록을 할 때 당일 날짜로 전산차트를 작성해선 안 된다. 본 증례에서는 2007년 9월 3일 누락된 기록을 인지하고 그날 차트에 누락된 내용들을 기재한 것을 주목할 필요가 있다.

법원 최종 판결문 내용을 살펴보더라도 **충실하게 작성된 의무기록지**(초진 치료계획과 비용을 설명했다는 등의 내용이 상세히 기록되어 있던 점, 수술동의서 뒷면에 수기로 작성한 내용, 그림을 그리면서 설명한 내용 등)가 판사의 판결에 근거자료로 사용되었음을 알 수 있다.

치료 과정 중에 병원 민원실, 보건소, 한국소비자원에 민원 및 피해 구제신청을 하였고 받아들여지지 않자 결국 민사소송을 제기하였다. 최종 민사소송에서 병원 측이 승소하는 데 큰 기여를 한 것은 충실한 의무기록이었다.

앞에서 언급된 증례들을 종합하여 살펴볼 수 있도록 Table 24-1로 요약하였다. 증례기술의 특성상 하치조신경전위술 4개 증례를 통합하여 보고한 Case 20을 제외하였다.

Table 24-1. 증례 요약

증례	나이	성별	부위	신경	정도	원인	통증	약물	물리치료	SGB	수술	예후	기간(월)
1	21	여	우측하순, 턱	IAN	Neura	#48 발치	Y	Trileptal, Neurontin, Vitamin, PGE	EAST Laser	N	N	G	4
2	65	여	우측하순, 턱	IAN	Neura	#47 임플란트	N	Steroid Vitamin	N	N	N	G	7.5
3	34	여	우측하순 턱	IAN	Axo	#46 임플란트	Y	Neurontin Capsaicin	EAST Laser	N	N	M	지속
4	70	남	좌측하순	Men	Neura	#33-37 임플란트 골이식	N	Steroid	EAST Laser	N	N	G	18
5	53	남	우측 혀	Lin	Neura	#46 임플란트	Y	Tegretol Vitamin	EAST Laser	N	N	G	9.5
6	67	여	좌측하순, 턱, 하악전치부	Men	Neura	#33, 35 임플란트 골이식	Y	Trileptal Sensival Steroid	EAST Laser	N	N	G	24
7	53	여	우측하순, 턱	Men	Neura	#44-47 임플란트 골이식	Y	Steroid Vitamin	EAST Laser	N	N	G	>48
8	55	여	하순과 턱 중앙부	Men	Neura	출혈 혈종	Y	Mesexin Meloxicam Transamin	N	N	Y 지혈	G	1
9	39	여	우측하순, 턱	IAN	Neura	#47 감염	Y	Suprax Meloxicam	Laser	N	Y 발치	G	1
10	64	남	우측 턱	IAN	Neura	#48 감염	N	Mesexin, Augmentin, Naxen-F, Carol-F	Laser	N	Y Sau	G	>3
11	48	여	좌측상순	ION	Neura	#22-25 임플란트 골이식	N	Capsaicin	EAST Laser	N	N	G	>13
12	34	여	우측하순, 턱	Men	Neura	#45 근관치료	Y	Vitamin Capsaicin	EAST Laser	N	N	M	>1

13	25	여	우측 혀	Lin	Neura	#48 매복치	Y	Neurontin Vitamin Steroid	EAST Laser	Y	N	P	지속
14	61	남	좌측상순	ION	Neura	골이식	Y	N	EAST Laser	N	N	M	지속
15	69	여	우측하순 턱	Men	Neura	#44-46 임플란트 골이식	Y	Steroid Capsaocom	EAST Laser	N	N	M	>55
16	53	여	우측하순, 턱, 뺨	Men	Neura	#44-46 치조능분할술	N	Neurontin Steroid	EAST Laser	N	N	G	5
17	71	여	좌측하순, 턱	IAN	Axo	#37 발치	Y	Steroid Neurontin Trileptal Imotun Hirax	EAST Laser	N	N	P	지속
18	49	남	좌측하순	Men	Neura	#36-37 임플란트 골이식	N	Capsaicin	EAST Laser	N	N	G	51
19	50	여	우측하순 턱	IAN	Neurot	#47 발치	Y	Steroid Capsaicin Trileptal Neurontin Vitamin	EAST Laser	N	Y 재건	M	지속
21	29	여	우측상순 코	Fac	Neura	턱교정 수술	N	Steroid	EAST Laser	Y	N	G	3
22	22	남	좌측안면	Fac	Neura	턱교정 수술	N	Steroid	EAST Laser	Y	N	G	3.5
23	21	여	우측안면	Fac	Neura	바이러스	Y	Fullgram Ketoprofen Steroid Ultracet Vitamin	EAST Laser	N	Y 발치	G	1
24	51	여	우측상순	ION	Neura	골이식	Y	Steroid Imotun Capsaicin	EAST Laser	N	N	P	지속

- **Case 20**은 제외
- 기간: 회복 기간은 수상일로부터 환자의 불편감이 거의 없어지고 일상생활에 지장이 없는 시점까지의 개월 수로 평가하였음.
- 정도: 신경손상의 분류, 통증: 신경병선 통증, SGB: stellate ganglion nerve block
- IAN: inferior alveolar nerve, Men: mental nerve, Lin: lingual nerve, ION: infraorbital nerve, Fac: facial nerve, Neura: neurapraxic injury, Axo: Axonotemesis, Neurot: Neurotemesis, Y: yes, N: no, G: good, M: moderate, P: poor, PGE: prostaglandin E2, Sau: saucerization
- 재건: 신경재건술

2

삼차신경 손상 고찰

TOUGH CASES

치과진료 후 발생하는 물치 아픈 증례들

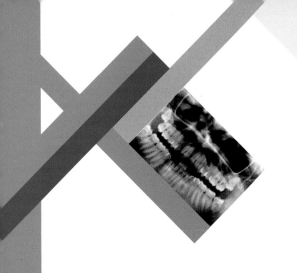

삼차신경 손상 고찰

  지금으로부터 약 200년 전, 영국의 외과의사 Bell은 그의 저서로부터 아랫 입술의 무감각을 보인 환자에 대한 첫 번째 보고를 하였다(Bell; 1830). 1896년 Vincent가 하악 손상 이후 발생한 이부(mental region)의 감각저하와 마비에 대해 발표하였고, 이러한 증상은 Vincent's syndrome으로 불리게 되었다. 이후 하순과 이부의 감각이상은 numb chin syndrome으로 명명되어 널리 사용되기 시작하였다 (Vincent; 1896, Calverley & Mohnacl; 1963, Assaf, et al; 2014). 의학과 치의학이 더욱 발전함에 따라 삼차신경 손상에 대한 병인론과 치료법에 대한 이해는 깊어지고 있지만, 치과에서 시행되는 다양한 치료들에 의해 삼차신경의 손상 또한 증가하고 있는 실정이다.

  임플란트, 하악 매복치 발치술 등의 술식은 환자의 해부학적 특성과 여러 가지 원인미상의 변수들에 의해 신경손상을 유발할 위험성이 크다. 치과치료 이후 직접적인 신경손상이 없었음에도 불구하고 하치조신경, 설신경, 안와하신경 지배 부위의 감각이상이 발생할 수 있으며, 이는 치과 의료분쟁 중 많은 부분을 차지하고 있다. 치과의사는 신경손상에 대해 잘 이해하고 있어야 할 뿐 아니라 신경손상이 발생하지 않도록 예방하는 것이 가장 중요하다는 점을 명심해야 한다. 손상된 신경은 절대 100% 회복될 수 없다. 객관적 검사 시 완전 회복되었다 하더라도 환자들의 주관적 증상은 회복되지 않는 경우가 많으며, 객관적 소견과 주관적 증상은 일치하지 않는다. 신경손상을 경험한 환자들은 치과의사에 대한 불신감을 갖게 되고 자신의 증상을 과장해서 표현하는 경향을 보인다. 알려져 있는 모든 치료법을 동원해도 환자의 주관적 증상이 완전히 해소될 수 있는지 예측할 수 없다. 또한 신경손상을 유발할 만한 어떠한 원인이 없는 상황에서 환자가 이상증상을 호소할 경우에는 의료진을 매우 난처하게 할 수도 있다. 최근 신경손상과 관련된 의료분쟁이 급증하고 있다. 치과치료 후 신경손상이 발생한 경우나 환자가 신경과 관련된 이상증상을 호소하는 경우에는 절대 방치하지 말고 적극적으로 치료하여 환자를 위해 무엇인가 해준다는 점을 보여주어야 하고, 이와 더불어 치료 근거를 남겨야 한다. 또한 조기에 전문병원으로 의뢰하여 객관적 검사를 시행하여 근거자료를 남겨두는 것이 중요하다. 환자와의 유대관계를 좋게 유지함으로써 의료분쟁을 방지하는 것 또한 매우 중요하다고 생각된다(김영균 등: 2008, 김영균 등: 2015, 김영균 & 황정원: 2004).

1 용어

신경손상이 발생한 이후 나타나는 증상들을 표현할 때 다양한 용어들이 사용된다. 치과의사들은 환자들이 호소하는 증상을 억지로 의학용어에 맞추려고 하지 말고, 환자들이 호소하는 표현 그대로 의무기록지에 작성하면 된다. 억지로 의학용어를 사용하는 과정에서 환자의 실제 증상에 맞지 않는 용어들이 선택될 수 있기 때문이다. 그러나 영어 논문들이나 원서를 읽을 때 이해를 쉽게 하기 위해서 신경손상에서 사용되는 다음의 영어 용어들은 잘 이해하고 있어야 한다**(Tip 2-1)**.

Tip 2-1 \ 신경손상 후 발생하는 증상들을 표현하는 의학용어

1. **감각이상(Paresthesia):** 자극이 있든 없든 간에 평소와 다르게 느끼는 비정상적인 감각을 의미함.
2. **무감각, 마비(Numbness, anesthesia):** 체성감각이 전혀 없는 경우로서, 이환된 부위에 자극을 가해도 전혀 느끼지 못함.
3. **불쾌감각(Dysesthesia, unpleasant abnormal sensation):** 감각이상이 불쾌하게 느껴지는 경우를 표현할 때 사용됨.
4. **감각과민(Hyperesthesia):** 일상적인 자극에 대해 과도한 반응을 보이는 상태
5. **감각저하(Hypoesthesia):** 자극에 대한 민감도가 떨어진 상태
6. **이질통(Allodynia):** 정상적인 자극에 통증을 느끼는 상태
7. **통각과민(Hyperalgesia, Hyperpathia):** 통증을 유발하는 자극에 대한 반응이 증가한 것으로, 이에 대한 반대 의미의 용어는 **통각감퇴(Hypoalgesia, Hypopathia)**임.
8. **무감각부위 통증(Anesthesia dolorosa):** 감각신경이 완전히 절단되었음에도 불구하고 감각이 없는 부위에서 통증을 느끼는 경우
9. **작열통(Causalgia):** 화끈거리는 통증으로 표현되며 신경이 부분적으로 손상된 후 이질통과 통각과민증이 동반됨.
10. **이신경병변증(Mental nerve neuropathy; numb chin syndrome):** 이신경 지배 부위에서 감각이상이나 무감각증이 나타나며, 드물게 통증이 동반되기도 함.
11. **"Red flap" symptom:** 치성 원인이 없는 감각이상 증상으로서 악성종양과 관련되어 나타나는 경우가 많음.
12. **Tingling (저림증):** 저리는 듯한 통증 혹은 얼얼한 느낌이라고 표현하는 경우가 많음.
13. **Itching (가려움, 소양증):** 가렵거나 벌레가 기어가는 듯한 느낌이라고 표현하는 경우가 많음.
14. **Burning sensation (작열감):** 화끈거리는 느낌이라고 표현하는 경우가 많음.
15. **Pricking (따끔거림):** 따끔따끔 쑤시는 느낌이라고 표현하는 경우가 많음.
16. **Tinel's sign:** 절단한 다리의 말단부를 타진하면 미통이 있고 개미가 기어가는 듯한 느낌이 있는데, 이것은 신경이 재생되어 가고 있는 것을 의미함.
17. **Altered sensation:** 변화된 감각. 신경손상 후 나타나는 모든 이상 감각들을 통틀어서 칭하는 용어

Numb chin syndrome (NCS)

삼차신경 하악분지의 말단가지의 지배를 받는 부위(입술과 턱의 피부 및 점막, 치은, 치아)의 감각이상이 존재하는 경우를 의미하는 것으로서 1963년경에 처음 언급되었다. 치성 농양, 매복치 발치, 골수염, 치과 국소마취, 하악골 수술, 턱교정 수술, 안면외상, 교정치료, 잘못 제작된 의치, 근관치료, 종양 등 치과적 원인이 관여되는 경우가 많지만 드물게 당뇨, 동맥류(aneurysms), 아밀로이드증(amyloidosis), 겸상적혈구 빈혈증(sickle cell anemia), HIV, 다발성경화증(multiple sclerosis), 라임병(Lyme disease), 혈관염(vasculitis), 사르코이드증(sarcoidosis), 매독(syphilis), 탈수초성 질환(demyelinating disorder), 대상포진과 같은 전신질환들에 의해 유발되기도 한다. 한편 다발성골수종(multiple myeloma), 악성림프종(malignant lymphoma), 유방암, 폐암, 두경부암, 소화기암, 뇌암, 전립선암과 같은 악성종양이 존재할 때 발생하기도 한다. Assafr 등(2014)은 의사와 치과의사들은 특별한 원인이 없이 턱의 감각이상 혹은 악골 일부의 감각소실이 존재할 경우 악성종양과의 연관성을 의심할 필요가 있다고 언급하였다.

2 신경 해부학

1) 하치조신경(Inferior alveolar nerve)

하악관(mandibular canal)의 위치는 매우 다양하며 해부학적 변이를 보이는 경우도 많다. 김희진 교수는 해부학적으로 3가지 유형으로 분류하였다(김희진; 2009, Kim ST, et al; 2009)**(Tip 2-2)(Fig 2-1)**.

> **Tip 2-2** **해부학적 위치에 따른 하악관의 유형**
>
> 1. **Type 1: 70%**
>   하악지(mandible ramus)와 하악체(mandible body)에서 설측 피질골판 근처에 위치한다.
> 2. **Type 2: 15%**
>   하악지에서 제2대구치까지는 가운데에 위치하고 제1, 2대구치를 지나서는 설측에 위치한다.
> 3. **Type 3: 15%**
>   하악지와 하악체의 가운데에 위치한다.

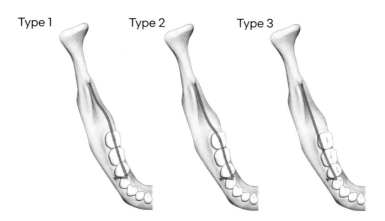

Fig 2-1 Three types of locations of the mandibular canal.

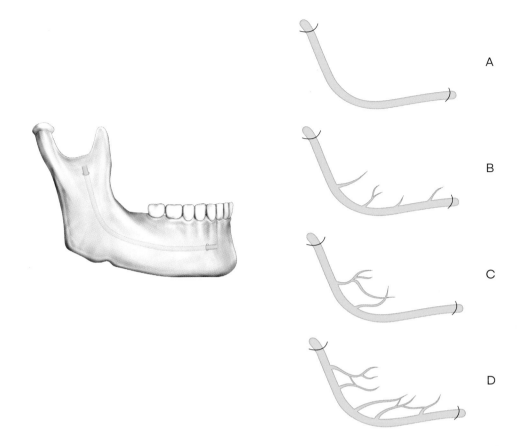

Fig 2-2 하치조신경은 하나의 굵은 줄기로 주행한다**(A)**. 그러나 **B, C, D**와 같이 작은 분지들이 갈라져 나와서 치아 쪽으로 주행하여 치근단 부위를 통해 치아들로 들어가거나 하치조신경의 굵은 줄기와 평행하게 주행하기도 한다. 발치하면 치근단에서 신경가지가 끊어지면서 퇴화되지만, 드물게는 가는 가지들이 계속 잔존하고 있을 수도 있다. 이런 경우 임플란트를 식립할 때 잔존하고 있는 신경가지가 손상을 받으면서 감각이상이 발생할 수 있다.

하악관 내에서는 80%가 하치조혈관이 신경보다 위에 위치했다. 즉 윗부분의 손상은 곧 혈관의 손상으로 이어질 수 있어 수술 후 일시적인 감각 마비는 직접적인 신경손상에 의한 것이라기보다는 혈종에 의한 간접적인 손상인 경우가 많고, 혈종이 사라지면서 감각마비가 해소될 가능성이 크다. 하악관은 소구치 부위보다 대구치 부위에서 치근단(root apex)에 더 가깝게 위치하는 경향을 보이고, 후방부에서는 설측으로 치우쳐서 주행하다가 전방의 소구치 부위로 오면서 협측으로 주행하는 양상을 보인다고 알려져 있다. 일반적으로 제1대구치 부위에서의 위치가 제2대구치보다 좀 더 내측으로 위치하는 'S'자 형태를 띠는 경향을 보인다(강진한 등; 2005).

하치조신경은 하나의 굵은 줄기로 주행하면서 작은 분지들이 갈라져 나온다. 이 분지들은 예각을 이루면서 치아 쪽으로 주행하기도 하고 혹은 주 줄기에 평행하게 주행하기도 한다. 이 분지들 중에는 드물지만 매우 굵은 것들도 있어서 약 1%에서 하악관이 2개로 관찰되기도 한다(이삼선; 2009, 이현우 등; 2009, Langlais RP, et al; 1985). 따라서 임플란트 식립술을 시행할 때 하치조신경의 분지가 손상받을 가능성은 누구에게나 있으며 일반 방사선 검사나 컴퓨터단층촬영 등에서 잘 관찰되지 않는 미세분지들이 존재할 경우 신경손상은 불가피함을 알 수 있다**(Fig 2-2~4)**.

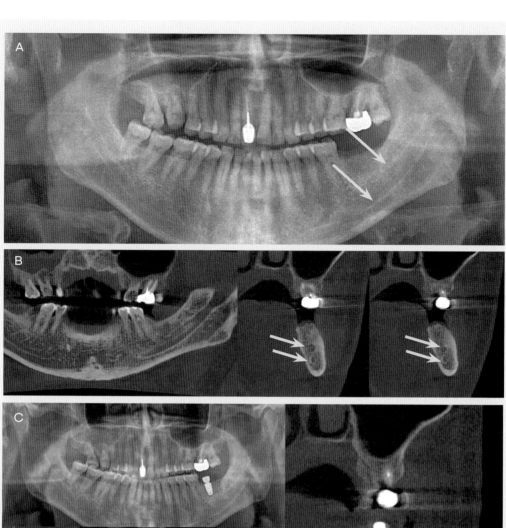

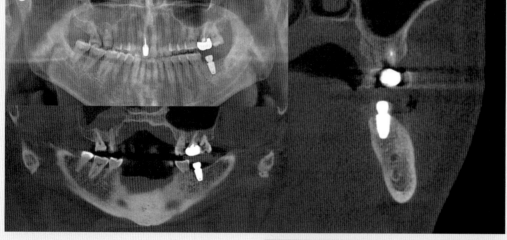

Fig 2-3 드물게 하악관이 2개로 갈라진 경우(bifid canal)가 있으며, 임플란트 식립 시 상방의 하악관에 손상을 유발할 위험성이 있다.

A: 파노라마 방사선 사진. #37 부위 임플란트 식립 예정인데, 자세히 살펴보면 하악관의 경계를 의미하는 방사선 불투과성을 띠는 선을 2개 관찰할 수 있다.
B: CBCT에서 2개의 하악관이 명확하게 관찰된다. 상방의 하악관의 직경이 매우 굵은 것을 볼 수 있다.
C: 임플란트 식립 후 파노라마 및 CBCT 방사선 사진. 상방의 하악관을 침범하지 않도록 짧은 길이 임플란트가 식립되었다.
D: 임플란트 상부 보철물 장착 1년 후 치근단 방사선 사진.

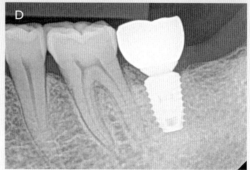

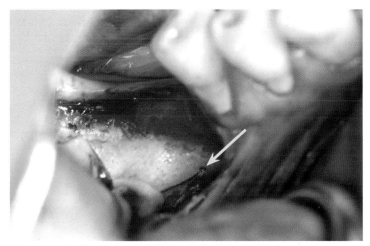
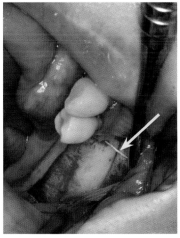

Fig 2-4 수술 중에 작은 직경의 부신경(accessory nerve)이 노출되는 경우가 종종 있으며 불가피하게 절단될 수 밖에 없다. 물론 영양관(nutrient canal)일 수도 있지만(영양관일 경우엔 절단해도 아무런 문제가 생기지 않음), 부신경일 경우엔 절단 후 일시적인 감각이상이 발생할 수 있다. 따라서 수술 도중에 이런 구조물을 관찰하게 되면 사진을 찍어서 보관해 두는 것이 추후 발생할지도 모르는 의료분쟁에 대비할 근거자료가 될 수 있다.

2) 이신경(Mental nerve)

이공(mental foramen)은 하악관 주행 위치보다 상방에 위치하며 하악관과 마찬가지로 다양한 해부학적 변이를 보인다. 이신경은 하치조신경의 마지막 가지로 이공을 빠져나와 아랫입술, 이부(mentum), 구각 부위에 분포하는 가지를 낸다(강진한 등: 2005). 분포 위치에 따라 구각가지(angular branch), 내측 하순가지(medial inferior labial branch), 외측 하순가지(lateral inferior labial branch), 이부가지(mental branch)로 분류된다(Kim IS, et al: 2006)**(Fig 2-5, 6)**. 이신경가지들은 순측 피질골판을 통해 다시 골내로 들어가서 하악 절치 부위에 분포하기도 한다. 또한 반대측 이신경가지들과 연조직 내에서 상호 간에 연결될 수도 있다. 이와 같은 해부학적 구조를 살펴볼 때 하악 전치부 마취 시에 순측과 설측의 침윤마취를 잘 할 필요성이 있다는 것을 알 수 있다(Pogrel MA, et al: 1997).

이공은 하악 제2소구치 하방에 가장 많이 분포하고, 제1,2소구치들 사이, 제1소구치 하방 순이라고

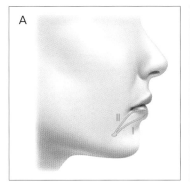
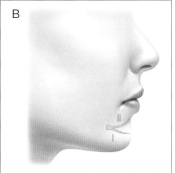
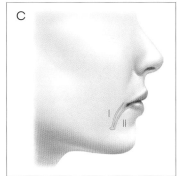

Fig 2-5 이신경은 하순(A), 이부(B) 및 구각(C) 가지로 나뉘어진다. 각각의 가지들은 다시 최소 2개 이상으로 분지를 형성하면서 각각의 연조직 감각을 지배하게 된다.

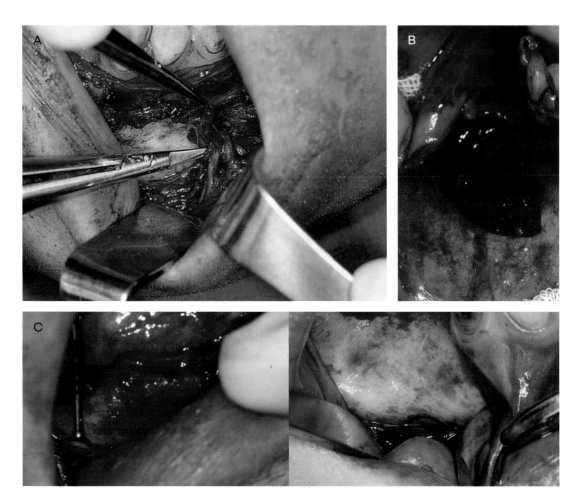

Fig 2-6 수술 도중 이공과 이신경을 노출시킨 모습.

A: 이공으로부터 가지들이 분리되어 나오는 것을 볼 수 있다.

B: 이공의 하순가지.

C: 임플란트 식립 시 이공까지 잔존골 양이 충분하지 않을 경우엔 이신경 손상을 피하기 위해 이공을 노출시키고 육안으로 확인하면서 수술하는 것을 추천한다. 이와 같은 방식으로 수술을 진행하면 이공 전방에 위치하는 전방고리 손상도 피할 수 있다.

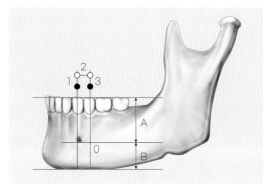

Position	Measurement	
	Direct Measure(%)	Radiographic Measure(%)
1	10 (8.9)	10 (8.9)
2	30 (26.8)	32 (28.6)
3	**72 (64.3)**	**70 (62.5)**
x^2	53.64	49.36
Degree of freedom	2	2
p	2.25×10^{-12} **	1.92×10^{-11} **

(spss for Windows 7.5.2, Frequency analysis, Chi-square, ** p<0.01)

Fig 2-7 이공은 임상적(direct measure) 및 방사선학적 평가 모두에서 하악 제2소구치 하방에 가장 많이 분포하였으며 제1,2소구치 사이, 제1소구치 하방 순이었다(Kim IS, et al; 2006).

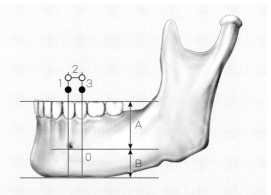

	Direct Measure	Radiographic Measure
A (mm)	23.42±3.67	25.69±3.76
B (mm)	14.33±2.57	16.52±2.39
A + B (mm)	37.75±5.11	42.21±5.10
A/(A + B) (%)	61.95±5.29	60.73±4.39

Fig 2-8 이공의 실제 위치는 방사선 사진에서 관찰되는 것보다 좀 더 상방에 존재한다.
A: 하악 교합면과 이공 상방까지의 거리, **B**: 이공 상방으로부터 하악골 하연까지의 거리.
Direct measure: 실제 환자에서 이공을 노출시킨 후 측정한 경우
Radiographic measure: 파노라마 방사선 사진에서 확대율을 고려하여 계산한 거리

보고된 연구가 있지만 제1,2소구치 사이에서 가장 많이 관찰된다고 보고한 논문들도 많다. 방사선 사진에서 관찰되는 것에 비해 실제 임상에서는 좀 더 상방으로 위치하는 경향을 보인다는 점을 주목해야 한다**(Fig 2-7, 8)**. 즉 방사선 사진만 믿고 수술하다 보면 신경손상을 유발할 위험성이 크다는 것을 의미한다. 파노라마 영상에서 하악관 전방고리(anterior loop)는 약 4.69%에서만 관찰되며, 전방고리의 길이는 5 mm보다 더 연장되는 경우도 많기 때문에 임플란트 수술 시 이공 전방 5–6 mm까지는 주의를 기울여야 한다(김용건; 2011, Ghimire B & Gupta S; 2018, Kim IS, et al; 2006)**(Fig 2-9)**.

3) 설신경(Lingual nerve)

설신경의 위치는 해부학적으로 매우 다양한 양상을 보이고, 간혹 설측 피질골판 치조정 근처를 주행하는 경우도 있기 때문에 손상 위험성에 각별히 주의해야 한다(이진용 & 조상훈; 2016, Pogrel MA, et al;

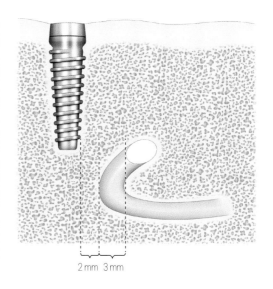

Fig 2-9 이공 전방고리가 손상되지 않도록 주의를 기울여야 한다. 이공으로부터 최소 5 mm 이상의 안전거리를 확보해야 한다. 이공이 상방에 위치할 경우엔 이공 전방에 임플란트를 식립할 때 가급적 짧은 길이 임플란트 식립을 고려하는 것이 좋다.

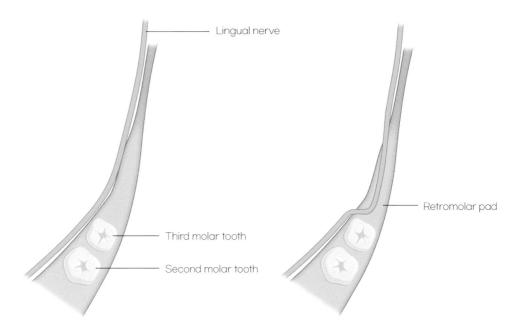

Fig 2-10 설신경은 일반적으로 치조골 설측을 주행한다. 그러나 치조정 상방 혹은 후구치삼각대에 위치하는 경우도 있다. 치조골의 수직 흡수가 심할 경우엔 치조정 상방에 위치할 가능성이 매우 크기 때문에 임플란트 혹은 매복치 발치를 위한 절개를 시행할 때 각별히 주의해야 한다(Behnia J, et al; 2000).

1995). 환자들의 10–15%에서 하악 지치 설측골 상연을 주행한다. 22–25% 정도는 설측골판과 직접 접촉해서 주행하기 때문에 하악 매복지치 발치 혹은 치조골의 흡수가 심한 하악골 후방 무치악 부위에 임플란트를 식립할 때 설신경 손상 위험성이 증가한다.

설신경은 내측익돌근과 외측익돌근 사이를 지나 전하방으로 주행하여 내측익돌근의 전연에서 궁형을 이루면서 전방으로 굴곡하여 구강저에 이른다. 이어서 악하선 심부와 설골설근 사이를 지나 악하선관과 교차한 후, 하악체의 중앙부 내측에서 다수의 가지로 분지되어 혀 내부로 들어간다. 대개 설측 치조골과 매우 밀접하게 접촉되어 있으며, 치조골 흡수가 심한 경우엔 잔존치조능의 정상 근처에 위치하는 경우가 많다(김영균 & 황정원; 2004). Kiesselbach와 Chamberlain (1984)은 제3대구치 부위의 설신경의 해부학적 연구를 통해 외과의는 설측 피질골판이 설신경을 보호할 수 있는 벽으로 생각해서는 안 된다고 경고하였다. Behnia 등(2000)은 하악매복지치 부위에서 설신경에 관한 해부학적 연구를 시행하였다. 설신경이 설측 치조정 상방에 위치한 경우가 14.05%, 후삼각대에 위치한 경우가 0.15%였다. 나머지 85.80%는 설측피질골판과 치조정으로부터 수평으로 평균 2.06±1.10 mm, 수직으로 3.01±0.42 mm 지점에 위치하였다. 특히 설신경의 22.27%는 설측 피질골판과 직접 접촉하고 있었음을 확인하였으며, 매복지치 발치를 시행할 때 손상 위험성이 매우 높음을 언급하였다**(Fig 2-10)**.

4) 장협신경(Long buccal nerve)

장협신경은 손상되더라도 환자가 불편감을 느끼는 경우는 거의 없거나 아주 미미하다(Hendy CW, et al; 1996). 장협신경은 외측익돌근을 빠져나와 내상악동맥(internal maxillary artery)의 가지인 협동맥을 따

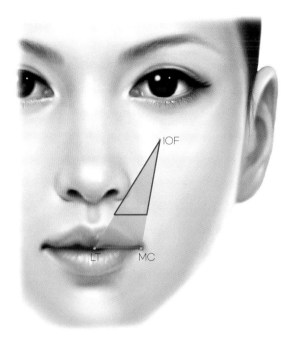

Fig 2-11 안와하공 하방의 파란색 삼각형 공간이 상악 임플란트 수술 시 하악완신경 가지들의 손상으로 인해 감각이상이 잘 발생하는 부위이다(Yang HM, et al; 2014). IOF: infraorbital foramen, LT: lip tubercle, MC: mouth corner.

라 주행하면서 협근과 하악 구치부의 협측치은과 협점막에 광범위하게 말단분지들이 분포한다. 일부는 뺨의 피부에 분포한다.

5) 안와하신경(Infraorbital nerve)

안와하공에서 나오면서 여러 개의 가지들로 분지된다. 5개 그룹의 가지들은 하안검의 감각을 지배하는 아래눈꺼풀가지(inferior palpebral branch), 코의 내측과 외측을 통해 비익, 인중, 비중격, 콧구멍까지 주행하는 바깥코가지 및 안쪽코가지(external and internal nasal branch), 상순의 중앙부터 구각부까지 지배하는 내측윗입술가지 및 외측윗입술가지(medial and lateral superior labial branches)이다(Hu KS, et al; 2006, Yang HM, et al; 2014). 특히 상악 구치부 치조골증대술과 상악동골이식술을 시행한 후 봉합을 위해 협점막골막피판의 내측에서 undermining을 시행할 때 상순 가지들이 절단되면서 술후 상순의 감각둔화 및 통증을 유발할 수 있다. 특히 치조골의 수직 흡수가 심한 경우엔 안와하공이 가까워지면서 수술 중 손상될 위험성이 더욱 커진다. 손상을 최소화하기 위해선 협점막골막피판의 기저부에서 undermining을 수행할 때 가급적 표층에서 수행하는 것이 안전하다. 또는 협측피판의 조작을 최소화하기 위해 구개측 피판을 사용하여 봉합하는 방법이 안와하신경의 가지들의 손상을 예방할 수 있을 것이다**(Fig 2-11)**.

6) 하악 절치관(Mandibular incisive canal), 비구개신경(Nasopalatine nerve)

하악 절치관은 파노라마 방사선 사진에서 약 38.6% 정도만 식별되며, 단지 13.6% 정도만 영상의 질이 우수하다. 그러나 CBCT에서는 100% 식별이 가능하며, 63.6%는 우수한 영상으로 관찰된다 (Kong N, et al; 2016). 임플란트 식립 시 혹은 하악골 정중부에서 골이식을 위한 골편을 채취할 때 하악 절치관을 침범할 수 있으며, 하악 전치부의 감각이상이나 신경병성 통증을 유발하게 된다. 따라서 술전 평가에서 하악 절치관의 위치를 정확히 파악하여 임플란트가 침범하지 않도록 해야 하고, 가급적 하악골 정중부에서 골편을 채취하는 것은 피하는 것이 좋다(Fig 2-12).

비구개관낭종(nasopalatine canal cyst)의 적출, 구개측에 위치한 과잉치의 제거, 구개피판의 거상, 비중격성형술 등 다양한 구개전방부 수술을 시행할 때 수술 시야 확보를 위해 불가피하게 비구개신경을 절단하는 경우가 있다(Fig 2-13). 전구개 절치관(incisive canal)을 주행하는 비구개신경은 좌우측 후방에서 전방으로 주행하는 대구개신경(greater palatine nerve)과 교통하게 된다. 따라서 전상악부의 구개점막의 감각은 이중적인 지배를 받기 때문에 비구개신경의 신경말단이 절단되거나 부분적으로 손

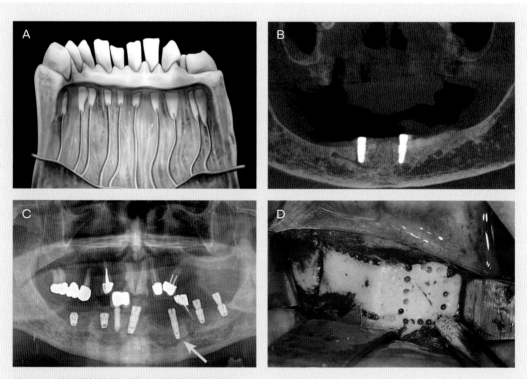

Fig 2-12 하악 절치관 및 신경 손상에 주의해야 한다.

A: 하악 절치신경과 전치부 치근단부를 통해 치아로 들어가는 신경들의 모습.

B: CBCT에서 하악 전치부에 식립한 임플란트가 이신경으로부터 나와서 전방으로 주행하는 절치신경을 침범한 모습이 관찰된다.

C: 파노라마 방사선 사진에서 하악 전치부에 식립한 임플란트가 절치관을 침범한 소견(화살표)이 관찰된다.

D: 하악골 정중부에서 블록골과 같은 다량의 골편을 채취할 경우 절치신경 손상은 불가피하다. 수술 전에 불가피한 감각이상 및 통증 발생에 대해 환자에게 설명하고 동의를 득한 후 시술에 임해야 한다. 환자가 감각이상을 감당할 수 없다고 판단되면 절대로 하악골 정중부에서 골편을 채취하는 것은 피해야 한다.

Fig 2-13 구개 측에 위치한 매복 과잉치를 발치하기 위해 구개점막골막피판을 거상한 모습. 수술 시야를 확보하기 위해 비구개신경을 의도적으로 절단하였다(화살표). 절단할 때에는 surgical blade로 sharp cutting을 시행하여야 술후 피판을 재적합시킨 후 재생이 잘 되고 외상성 신경종이 발생하는 것을 최소화할 수 있다.

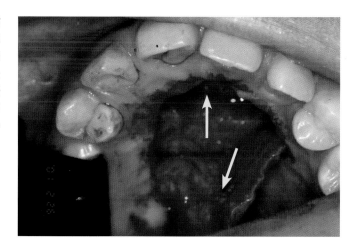

상되더라도 구개 전방부의 감각이상이 발생하는 비율은 매우 낮다(Lake S, et al; 2018). Magennis (1990)의 연구에 따르면 구개피판을 거상하여 신경말단을 절단한 40개의 증례관찰 연구에서 단지 2명의 환자만 구개전방부의 일시적인 감각마비를 경험하였다고 하였다. 부분적인 감각 변화를 보인 환자들은 대부분 큰 불편감을 호소하지 않았다. 그러나 임플란트 식립 시 비구개관을 침범할 경우엔 골유착에 실패할 가능성이 크다. 일부 학자들은 상악 전치부 임플란트 식립 시 비구개신경을 절단하고 비구개관에 골이식재를 충전하고 임플란트를 식립하는 방법을 추천하기도 하였다(Cavallaro J, et al; 2016).

③ 발생 빈도 및 원인

　Klazen 등(2018)은 치과치료와 연관된 신경손상 발생의 주 원인은 매복지치 발치, 임플란트 식립 수술, 국소마취 순이었으며 하치조신경 손상의 54%에서 신경병성 통증이 동반되었지만 설신경 손상의 경우에는 10%에서 통증이 동반되었다. 신경손상 환자들의 60%에서 지속적인 신경장애가 잔존하였다고 보고하였다. Kalladka 등(2008)은 발치·임플란트와 같은 침습적인 처치 후 63%, 악성종양이 존재하는 경우 22%, 치근단농양이나 감염에 의해 15% 정도에서 신경손상이 발생한다고 보고하였다. Sandstedt & Sorensen (1995)은 여성 및 노인 환자들이 신경손상 관련 불편감을 많이 느끼는 경향이 있다고 언급하였다. Kim 등(2008)이 시행한 치과 수술 후 발생한 변화된 감각에 대한 임상연구에 의하면 변화된 감각은 턱, 입술, 치아, 혀 등의 순서로 많이 발생하였고 환자들의 40.7%는 감각이상에 대해 정확히 표현하지 못하였다. 환자들의 29.2%는 "마취가 덜 풀렸다", 26.2%는 "많이 불편하다"고 표현하였다. 52.3%의 환자들은 변화된 감각이 항상 존재하며, 44.6%의 환자들에게는 신경병성 통증이 동반되었다. 통증 환자들의 48.3%는 건드릴 때 통증이 심해진다고 호소하였다. Ziccardi & Assael (2001)은 임플란트 시술과 관련해서 가장 많이 손상받는 신경은 하치조신경으로 64.4%를 차지하였고, 설신경 손상은 28.8%라고 보고하였다.

1) 간접적 원인
　마취와 연관된 손상, 견인기(retractor)에 의한 신경의 신장 혹은 압박, 신경관에 근접하여 임플란트

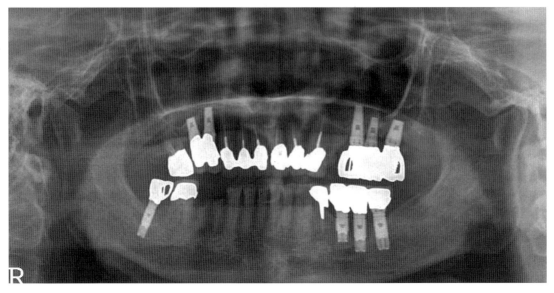

Fig 2-14 양측 하악 구치부에 식립된 임플란트가 하악관에 매우 근접해 있는 것을 볼 수 있다. 다행히 별다른 문제는 없었으나 이와 같은 증례는 하악관에 압박을 가하면서 하치조신경의 간접적 손상을 유발할 가능성이 있다.

가 식립되는 과정 중에 하악관 상벽에 가해진 압박성 손상 등을 들 수 있으며, 대개 생리적신경차단 (neurapraxia)으로서 국소적으로 신경이 차단되었기 때문에 수일–수개월 사이에 완전하게 회복되는 경우가 일반적이다.

(1) 신경에 간접적인 압박

임플란트가 신경에 근접하여 식립될 경우 간접적인 압력을 가할 수 있다**(Fig 2-14)**. 또한 수술 중 심한 출혈로 인한 혈종 형성, 술후 심한 부종이 신경에 간접적인 압력을 가할 수 있다**(Fig 2-15)**. 하악 구치부 수술 후 설측 피판을 너무 많이 포함하여 봉합함으로써 설신경 손상 증상이 나타날 수도 있다. 감염 등이 지속될 경우에는 인접한 골내 신경관으로 감염이 확산되면서 국소빈혈 및 신경손상을 유발할 가능성이 있다.

(2) 신경의 외부 노출

직접적인 신경손상을 피하기 위해 이공을 노출시켜 육안으로 확인하면서 시술하는 경우가 있는데 신경이 외부에 노출된 것 자체가 일시적인 감각이상을 유발할 수 있다**(Fig 2-16)**.

(3) 국소마취제와 관련된 손상

주사침이 신경을 직접 찌르거나 국소마취제의 화학적 독성에 의해 발생할 수도 있다.

2) 직접적 원인

신경 섬유에 직접 외상이 가해지는 경우로 축삭절단(axonotmesis)과 신경절단(neurotmesis)이 있다. 축삭절단은 축삭은 파괴되었으나 신경섬유초는 절단되지 않은 상태로 감각둔화 증상을 보인다. 신경의

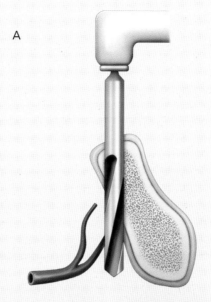

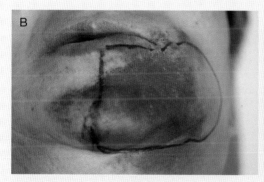
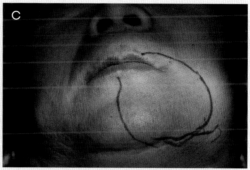

Fig 2-15 수술 후 심한 출혈, 혈종 및 종창은 신경에 간접적 압박을 가하면서 생리적신경차단을 유발할 수 있다.

A: 하악에서 임플란트 드릴링을 시행할 때 설측 피질골을 관통하면서 설측의 동정맥을 손상시킬 수 있으므로 주의해야 한다. 설하동정맥 손상은 심한 출혈 및 기도폐쇄와 같은 응급상황을 초래할 수 있다.

B: **술후 발생한 좌측 턱의 반상출혈(ecchymosis).** 좌측 하순과 턱의 감각둔화가 발생하였다.

C: 좌측 뺨과 악하부의 심한 종창이 존재하고 있으며, 좌측 하순과 턱의 감각이상이 발생하였다.

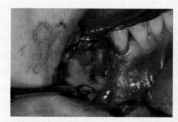

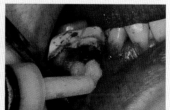

Fig 2-16 **이공을 노출시킨 후 임플란트를 식립하고 골이식을 시행하는 모습.** 이신경이 외부로 노출된 순간 신경전달이상(neurapraxic injury)이 발생할 수 있으나 시간이 경과하면서 대부분 정상으로 회복된다.

회복은 축삭 재생 속도에 달려 있으며 수개월에 걸쳐 회복된다(Fig 2-17). 신경절단은 신경섬유의 내부구조가 파괴되어 구강 및 주위 조직의 말초신경 변성이 발생되며 신경문합술이나 이식술을 시행하지 않고서는 회복을 기대하기 어렵다(이종호 & 김명진; 2006)(Fig 2-18).

⑴ 드릴 혹은 임플란트가 이공이나 하악공을 직접 침범

⑵ 이신경의 전방고리를 직접 손상시킨 경우

⑶ 하악 전치부에 길이가 긴 임플란트를 식립하거나 하악골 정중부에서 블록골을 채취하는 경우에 절치신경(incisive nerve) 손상을 유발할 수 있다.

⑷ 하악 소구치 부위에서 골유도재생술을 시행하고 창상을 1차 봉합하기 위해 협점막피판 기저부에 박리를 시행할 때 이신경 분지가 절단될 수 있다.

⑸ 수술 도중 시야 확보를 위해 피판을 견인기로 과도하게 당길 때 이신경이나 안와하신경 가지들에 압박 혹은 신장성 손상을 유발할 수 있다.

⑹ 상악 임플란트 혹은 골이식 수술을 위해 피판을 거상할 때 혹은 일차봉합을 위해 협점막피판 기저부에서 깊게 undermining을 시행할 때 안와하신경 가지들이 손상될 수 있다.

⑺ 하악 구치부 임플란트 식립 혹은 매복치 발치를 위해 치조정 절개를 시행할 때 설신경이 절단될 수 있다. 또는 설측 피질골에 근접해 있는 설신경이 수술용 버(bur) 혹은 드릴에 의해 절단될 수도 있다.

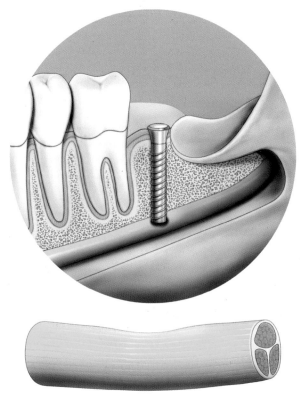

Fig 2-17 축삭절단 모식도. 부분적인 마비 증상을 보이지만 원인을 제거하고 약물 및 물리치료를 적극적으로 시행하면 시간이 경과하면서 회복되는 경우가 많다(이종호 & 김명진; 2006).

⑻ 턱교정 수술 중 골절단술을 시행할 때 안와하신경, 하치조신경, 이신경, 절치신경들이 손상될 수 있다.

⑼ 근관치료와 연관된 손상(Morse DE; 1997, Mohammadi Z; 2010)

① 근관치료용 기구가 치근단부를 넘어서 조작될 경우

Sodium hypochlorite (NaOCl)와 같은 근관세정액이 근단부를 통과하여 하악관이나 이공을 침범할 수 있다. 하악관 내부로 들어간 세정액은 빠져나오지 못하고 축적되면서 신경손상을 유발할 수 있다.

② 근관충전제가 근단부를 넘어간 경우

Gutta-percha는 세포독성을 적게 유발한다. 그러나 eugenol-based sealer는 신경독성이 있는 것으로 알려져 있다. Calcium hydroxide-based sealer는 비가역적인 신경손상을 유발할 수 있다. Thermoplastic technique을 사용하여 근관충전을 시행할 때 열손상이 발생할 수도 있다. 즉 gutta-percha를 무르게 만들기 위해서는 53.5–57.5℃ 이상이 필요한데 근관 내에서는 50–100℃까지 온도가 발생할 수 있으며, 이 온도는 골손상, 괴사 및 신경손상을 유발할 수 있다.

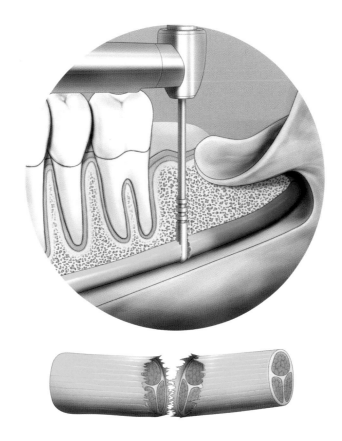

Fig 2-18 신경절단 모식도. 신경전달 기능이 정지하면서 완전 마비증상을 보인다. 자발적인 감각 회복은 거의 불가능하며 외과적 재건술이 시행되어야 한다. 간혹 다른 신경과 문합되면서 일부 기능이 회복되는 경우도 있다(이종호 & 김명진; 2006).

3) 원인 미상

신경손상은 성별 차이를 보이며 여자에서 더 빈발한다고 보고된 경우가 있는데, 확실한 원인은 알수 없다. 원인미상의 신경손상 증상은 누구에게나 나타날 수 있으며, 술자를 매우 난처하게 할 것이다. 하치조신경이 골체부를 지나면서 하악 치아들에 분지를 내면서 치근첨부로 들어간다. 치아들을 발치하면 치아 분지신경들은 위축되면서 소멸되는데, 간혹 분지들이 무치악 부위에서 잔존하는 경우가 있다. 이와 같은 경우에 임플란트 드릴링과 같은 외과적 술식으로 인해 감각이상 등의 증상이 발생할 가능성을 추측해 볼 수 있다. 또한 하치조신경, 이신경의 해부학적 구조가 변이를 보이는 경우가 많으며, 하악관이 2개 존재하는 경우도 보고된 바 있다. 학자들에 따라 이열 하악관(bifid mandibular canal)의 발생률은 0.08-0.95%로 보고되었으며 국소마취, 매복치 발치, 임플란트 치료 시 예상치 못한 합병증을 유발시키는 원인이 될 수 있다(이삼선 & 최순철; 2005, Langlais RP, et al; 1985, 이병하 등; 2010). 컴퓨터단층촬영이나 기타 방사선 사진에서 관찰되지 않는 부신경들이 존재하면 수술 후 신경 손상은 불가피하다.

4 신경손상이 많이 발생하는 치과 치료 및 수술

1) 매복지치 발치

Alling III (1986)는 하악 매복지치 발치 후 설신경 손상 빈도는 1/1,756이고, 이 중 13%의 환자들이 1년 이상 증상이 지속되었고, 하치조신경 손상 빈도는 1/241로서 이 중 3.5%가 1년 이상 증상이 지속되었다고 보고하였다. Bataineh (2001)는 하악 매복지치 발치 후 하치조신경 감각이상이 3.9%, 설신경 감각이상이 2.6%라고 보고하였다. 매복치 발치 시 신경손상에 관여하는 주요 원인들은 매복치 치근이 하악관에 근접해 있는 경우, 설측 피판을 거상하는 수술법과 술자의 경험도였다. 파노라마 방사선 사진에서 매복치 치근이 하악관과 중첩되어 있을 경우를 포함하여 매복치 치근의 이상 소견이 관찰될 경우엔 CBCT를 촬영해서 정확한 관계를 파악해야 한다(Aling III; 1986, Bataineth AB; 2001, Korkmaz YT, et al; 2017)**(Tip 2-3)(Fig 2-19)**.

제3대구치 부위에서 하악관의 위치는 치근의 협측에 위치한 경우가 35.7%, 치근의 설측에 위치한 경우 25.7%, 치근 직하방에 위치한 경우가 33.6%였다. 제3대구치 치근은 대부분 악골의 설측에 위치하므로 하악관이 치근의 설측으로 주행하고 있는 경우에는 협측이나 직하방으로 주행하는 경우에 비해 치근과 설측 피질골 사이에 공간이 없어서 대부분의 하악관(67%)은 좁아져 눌려 있는 상태가 된다. 이 경우 제3대구치를 발치하면서 대부분 협측에서 힘을 가하게 되므로 치아는 설측으로 밀릴 수 있고, 이때 하악관이나 설측 피질골의 골벽은 더욱 손상받기 쉽게 된다(이삼선; 2009).

Gulicher & Gerlach (2001)는 하악 매복지치 발치 후 3.6%에서 입술 감각이상, 2.1%에서 설측 감각이상을 보였다고 보고하였다. 6개월 관찰한 결과, 지속적으로 감각이상이 존재한 경우는 하치조신경 0.91%, 설신경 0.37%였다. 하치조신경 손상과 연관이 있는 요소들은 환자의 나이(나이가 많을수록 증가), 치근의 발육, 매복치 깊이, 하악관의 방사선학적 위치였으며, 설신경 손상과 연관이 있는 요소들은 전신마취, 술자의 숙련도, 설측피판에 과도한 손상을 주는 경우라고 언급하였다. Tay 등(2004)에

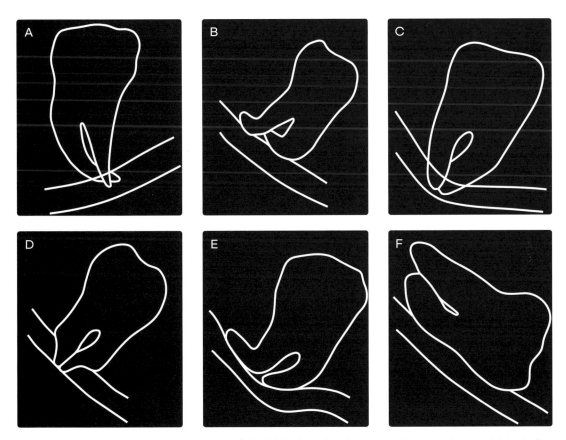

Fig 2-19 Schematic diagram when the risk of inferior alveolar nerve damage is very high during extraction of the mandibular impacted third molar(Rood JP & Noraldeen Shehab BAA; 1990).

A: darkening of the root
B: deflected or hooked roots
C: diversion or bending of mandibular canal
D: narrowing of root
E: narrowing of mandibular canal
F: interruption of obliteration of the radiopaque white lines of mandibular canal

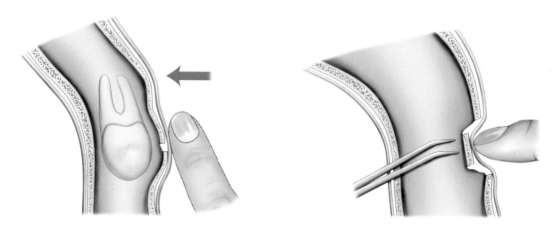

Fig 2-20 하악 매복지치 발치 후 봉합하기 전에 설측으로 튀어나온 날카로운 뼈를 손가락으로 눌러서 원위치시킨다 (swabbing). (Pogrel MA, et al; 1995).

의하면 5년간의 하악 매복지치 발치 수술 도중 하치조신경이 노출된 경우는 170명의 환자에서 192 개 부위였다. 이들 중 166명, 187개 부위를 대상으로 평가한 결과 발치 1주 후 감각이상 발생 비율은 20.3%였고, 15% 부위에서는 객관적 검사에서 비정상적인 결과를 보였다. 3개월 후 회복률은 57.9%, 6개월 후 회복률 65.8%, 1년 후 회복률 71.1%였으며 신경손상의 고위험 요소들은 술자의 숙련도가 낮은 경우, 남자, 나이가 많은 환자, 치근이 심하게 굴곡진 경우였다고 보고하였다.

  설신경의 위치는 해부학적으로 매우 다양한 양상을 보이고 간혹 설측 피질골판 치조정 부위를 주행하는 경우도 있기 때문에 손상 위험성에 각별히 주의해야 한다. 설측 피질골이 파절되면 날카로운 파절편이 궤양 및 통증을 유발하고 이차적인 설신경 자극 위험성이 증가한다. 따라서 매복지치 발치 후 봉합하기 전에 파절되어 튀어나온 날카로운 설측 뼈를 눌러서 원위치 시키는 것(swabbing)이 설신경 손상을 예방하는 유용한 방법이라고 언급하였다(Pogrel MA, et al; 1995)**(Fig 2-20)**. 매복지치 발치 후 설신경 손상은 생각했던 것보다 높은 빈도를 보인다. 미국 California 주 구강악안면외과 전문의 535 명을 대상으로 조사한 결과 12개월 동안 전문의들의 94.5%가 하치조신경 손상, 53%가 설신경 손상을 경험하였다. 구강악안면외과 전문의로서 전체 진료 기간 중에 78%가 하치조신경 영구 손상, 46%가 설신경 영구 손상을 경험하였다. 하악 제3대구치 발치 후 하치조신경 손상 빈도는 4/1,000, 설신경 손상 빈도는 1/1,000이었고, 하치조신경 영구 손상은 1/2,500, 설신경 영구 손상은 1/10,000이었다. 하치조신경 손상의 경우 80%는 원인이 분명하였지만 설신경 손상의 경우엔 57%가 원인이 확실하지 않았다. 매복지치 발치 후 신경손상 위험성이 생각보다 높기 때문에 사전에 신경손상에 대한 충분한 설명과 동의서(informed consent)를 받는 것이 매우 중요하다고 강조하였다(Robert RC, et al; 2005). Fielding 등(1997)은 미국 50개 주 구강악안면외과 전문의들을 대상으로 설문조사를 시행하였고 452 명이 답변하였다. 이들 중 76.5%가 설신경 마비, 불쾌감각 혹은 감각이상 증례를 경험하였으며 경험한 증례들 중 18.64%가 증상이 해소되지 않았다.

2) 국소마취

국소마취제와 관련된 신경손상 합병증이 드물게 보고되고 있다. 즉 주사침이 직접 신경을 찌르거나 국소마취제에 함유된 혈관수축제의 작용으로 신경 주변 혈관들이 수축되면서 일시적인 허혈성 손상이 발생할 수 있다. 또는 신경 주변 조직에서 출혈이 발생하면서 압박을 가하게 되고 수축성 흉터가 형성되면서 신경손상이 야기될 수도 있다. 몇몇 학자들이 4% Articaine, 3-4% Prilocaine 마취제를 사용한 후 신경독성에 의해 신경손상이 발생할 수 있다고 보고하였다(Haas DA & Lennon D; 1995, Hillerup S & Jensen R; 2006, Hillerup S, et al; 2011). 하악신경전달마취 후 하치조신경과 설신경의 일시적 손상 비율은 0.15-0.54%, 영구 손상은 0.0001-0.01%로 보고되었다(Harn SD & Durham TMI 1990, Kraft TC & Hickel R; 1994, Pogrel MA&Thamby S; 2004). Pogrel과 Thamby (2004)는 하치조신경보다 설신경의 손상 빈도가 높다고 하였다. Renton 등(2013)은 치과에서 일상적으로 시행되고 있는 국소마취 후에 발생하는 신경손상은 예상보다 빈도가 높았고 신경손상의 대부분은 일시적이었지만 25%는 영구적이었다고 보고하였다. 따라서 환자가 귀가한 후 마취가 풀리지 않거나 따끔거리는 증상(pricking) 또는 이상 통증이 48시간 이상 지속되면 즉시 내원시켜 적절한 처치를 시행해야 한다고 주장하였다. 마취제 주사 시 전기자극과 같은 충격을 느낀 경우에는 신경손상 증상이 나타나는 경우가 많다는 일부 보고가 있었지만, 전혀 상관관계가 없다는 주장도 많이 제기되었다. 매복치 발치, 턱교정 수술 후 발생한 신경손상은 자연 치유를 보이는 경우가 많지만 국소마취제 독성에 의해 유발된 신경손상은 잘 회복되지 않는다는 보고가 있다(Harn SD & Durham TMI 1990, Kraft TC & Hickel R; 1994, Pogrel MA & Thamby S; 2004).

하치조신경 전달마취 시 신경손상 빈도는 최대 1/12,104(0.004%)로서 생각보다 빈도가 높고 영구적인 손상을 보이는 경우도 종종 발생하고 있다. 치과 국소마취와 관련된 신경손상 5례를 분석한 결과 모두 리도카인이 사용되었고 주사침 자입 시 "전기적 자극을 받았다"고 호소한 경우 3례, "날카로운 것에 찔리는 자극을 받았다"는 호소 1례, "별다른 느낌은 없었으나 마취 후 감각이상이 계속된다"고 호소한 경우가 1례 있었다. 하치조신경 관련 3례, 설신경 관련 2례였으며, 일단 신경손상을 받은 대부분의 환자들은 치과의사-환자 간의 신뢰감과 유대관계가 깨진 후 치료를 포기하는 경향을 보였다(이병하 등; 2010). Renton 등(2013)은 국소마취 관련 삼차신경손상 빈도는 1:26,762-1:800,000였으며, 대개 8주 이내에 85-94%가 회복되었지만 일부는 영구 손상을 보일 수 있다고 하였다. 영국의 일반치과의사들의 55.5%, 전문의의 37.6%만 신경손상을 경험한 적이 없었다고 언급하였다. 신경손상의 25%는 영구적이었고 7%는 inconclusive (언제 끝날지 모르는 상태)였다. 국소마취제는 Lidocaine이 가장 많이 사용되었고 다음은 Articaine이었다.

하치조신경 전달마취 후 미각이상이 발생하는 경우도 있다. 원인은 설신경이나 고실끈신경(chorda tympani nerve)의 직접적인 손상일 수 있지만 대개 1년 이내에 잘 회복되는 경향을 보인다(Hotta M, et al; 2002). 국소마취 후 설신경 손상이 하치조신경 손상에 비해 좀 더 빈번하게 발생하는 경향을 보인다. 설신경은 손상 받은 후 자연 회복이 거의 없이 영구적인 이상을 보이는 경우가 많은데, 그 이유는 신경독성(neurotoxicity)과 관련이 있는 것으로 생각되었다. 손상받은 신경의 54%는 4% Articaine과 연관성이 있었다(Cornelius CP, et al; 2000, Hillerup S & Jensen R: 2006).

3) 근관치료(Fig 2-21)

근관치료 시 사용되는 기구에 의한 신경의 물리적 자극, 근관충전재가 하악관으로 밀려나가 발생하는 신경의 압박과 변성, 근관투약제에 의한 화학적 화상 또는 신경독성, 열가압 충전으로 인한 열성 손상(thermal injury)으로 인해 발생할 수 있다(Gatot A & Tovi F; 1986). 근관치료 후 신경 관련 증상이 발생하고 근관치료와 직접적인 관련이 있다고 확인되면, 가능한 빠른 시간 내에 치근단절제술을 시행하면서 근단부를 넘어간 재료들을 제거하고 신경에 가해지는 압력을 줄여주는 시도(decompression)를 하는 것이 좋다(Grotz KA, et al; 1998). 이지수 등(2011)은 근관치료 후 이상감각 또는 통증이 발생한 32명의 환자들을 조사하였다. 추정 원인들은 국소마취 관련 46.9%, 근관충전재료 및 약제에 의한 화학적 손상 25%, 치근단 수술 관련 15.6%, 원인불명 12.5%였으며, 약물 및 보존적 치료 후 66%에서는 개선, 나머지는 미미하거나 개선되지 않았다고 보고하였다. Scolozzi 등(2004)은 근관충전제가 근단부를 넘어감으로 인해 신경손상이 발생한 4증례를 보고하였다.

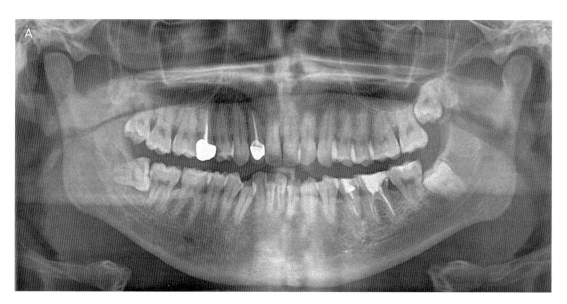

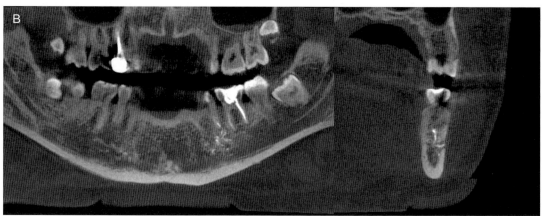

C

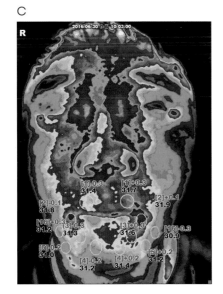

D

SEP-arm

Protocol / Run	N20 ms	P25 ms	A N20 μV
R TRIGEMINAL - mental			
1 Median	13.28	21.88	4.4
2 Median	13.28	21.88	5.1
L TRIGEMINAL - mental			
1 Median	15.68	19.48	7.3
2 Median	15.68	19.48	8.8

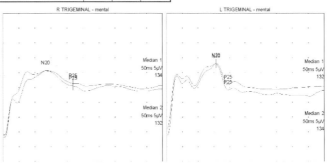

E

Blink Reflex

Nerve / Sites	R2 ms
L TRIGEMINAL - Mental	
Ipsilateral	38.65
Contalateral	40.16
R TRIGEMINAL - Mental	
Ipsilateral	34.11
Contalateral	33.80

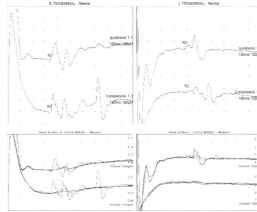

Sensory NCS

Nerve / Sites	Rec. Site	Latency ms	Pk Amp μV	Amp Pk-Pk μV	Duration ms	Lat Diff ms
R GENERAL NERVE - Compare Branches						
Branch 1	G1	1.82	29.1	32.9	1.25	1.82
Branch 2	G1	1.88	32.4	34.0	1.30	1.88
Branch 3	G1	1.77	34.0	30.3	1.30	1.77
Branch 4	G1	1.82	30.7	42.5	1.56	1.82
L GENERAL NERVE - Compare Branches						
Branch 2	G1	1.96	4.3	10.8	2.29	1.96
Branch 3	G1	1.67	5.9	4.4	1.88	1.67
Branch 4	G1	1.98	1.4	4.4	1.56	1.98
Branch 5	G1	2.08	4.4	3.4	1.56	2.08

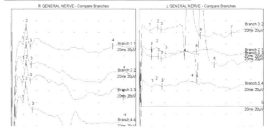

Fig 2-21 23세 남자 환자에서 근관치료 후 좌측 하순과 턱의 감각둔화가 발생한 증례.

A: 초진 시 파노라마 방사선 사진. #35 부위 근관충전재가 근단부를 넘어가서 이공을 통해 하악관으로 확산된 소견이 관찰된다.

B: 초진 시 CBCT 방사선 사진. 이공과 하악관으로 방사선 불투과상을 띠는 근관충전재가 확산된 것을 볼 수 있다.

C: 체열검사에서 좌우측의 온도 차이를 보이고 있다.

D: SEP에서 좌측 하치조신경 지배 부위의 감각 둔화 소견이 관찰되었다(Rt : N1 - 13.28 ms, N1-P1 - 5.1 uV, Lt : N1 - 15.68 ms, N1-P1 - 8.8 uV).

E: EMG 소견. 좌: Mental nerve Blink Reflex(Right mental nerve stimulation: Rt : R2 - 34.11 ms, Lt : R2 - 33.80 ms, Left mental nerve stimulation: Rt : R2 - 40.16 ms, Lt : R2 - 38.65 ms)

우: Sensory NCS. decreased SNAP amplitude on the left side (5.9uV, 17% of Right)

4) 구강내 골편 채취

하악골 정중부, 하악체, 하악지 등에서 골편을 채취할 때 하치조신경, 이신경, 설신경 혹은 절치신경 손상을 유발할 수 있다. Misch (1997)는 하악골 정중부에서 골편을 채취하였을 때 9.6%의 감각이상이 발생하였고, 29%의 환자들에서 하악 절치 부위에 변회된 감각이 발생하였다고 보고하였다. Silva 등(2006)은 하악골 정중부에서 자가골편을 채취할 때 신경손상을 최소화하기 위해 순측 전정절개는 양측 견치 사이로 국한되어야 한다고 언급하였다(Fig 2-22).

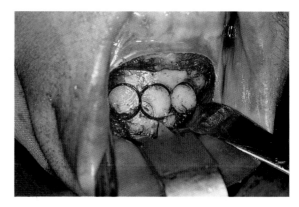

Fig 2-22 하악골 정중부에서 자가골편을 채취할 때 신경손상을 최소화하기 위해 순측 전정절개는 양측 견치 사이로 국한되어야 한다.

5) 턱교정 수술

하악지 시상분할골절단술은 신경손상 발생 빈도가 매우 높으며, 이부성형술이 함께 시행될 경우 손상 위험성은 더욱 증가한다(Akal UK, et al: 2000, Choi JY, et al: 2010, Karas ND, et al: 1990, Lee DK, et al: 2001, Posnick JC, et al: 1996, Upton AR & McComas AJ: 1973, Westermark A, et al: 1998). Al-Bishri 등(2004)은 하악지 시상분할골절단술 후 신경손상 발생률은 약 11.6%이며, 신경손상으로 인해 발생하는 불편감은 심미 및 기능적 개선보다도 더 큰 문제를 유발할 수도 있다고 하였다. 40세 이상의 환자들에서 손상 빈도가 높고(50%까지 증가), 스테로이드를 투여할 경우 손상 정도가 많이 감소되는 양상을 보인다고 보고하였다. 류성호 등(2004)은 턱교정 수술 후 감각이상 발생 빈도는 83%로 매우 높으며 1년 후에 약 94.9%의 환자들이 회복된다고 보고하였다. Lee 등(2016)은 2009년부터 2014년 사이에 턱교정 수술(하악지 시상분할골절단술)을 시행했던 596명의 환자들의 1,192개 부위를 평가하였다. 대부분 술후 감각이상이 발생하였으며(544명의 환자들의 953개 부위), 악골의 비대칭 그룹이 대칭 그룹에 비해 감각이상 발생률이 더 높았다. 그 이유로 악골의 비대칭 이동으로 인한 골간섭이 신경손상에 관여하였을 가능성이 있다고 하였다. 한편 턱교정 수술 후 설신경 손상은 매우 드물다. Posnick 등(2016)은 523증례의 하악지 시상분할골절단술과 양측피질성나사로 견고하게 고정을 시행한 후 단지 1명에서만 비가역성 설신경 손상(1% 미만)이 발생하였다고 보고하였다. 또한 턱교정 수술을 시행할 때 나이, 성별, 매복지치 동시 발치, 양측피질성 나사고정, 하악골전진량 등은 설신경 손상과 연관성이 없었다고 언급하였다.

감각이상이 발생할 수 있는 위험요소들을 Tip 2-4와 같이 정리할 수 있다(류성호 등: 2004, August M, et al: 1998, Lemke RR, et al: 2000, Nakagawa K, et al: 2003, Tabrizi R, et al: 2019, Teerijoki-Oksa T, et al: Thygesen TH, et al: 2008, 2002, Westermark A, et al: 1998, Ylikontiola L, et al: 2000)(Tip 2-4)(Fig 2-23).

1. **나이**

   나이가 어릴수록 감각이상 발생빈도가 낮다.

2. **해부학적 변이**

   하악관이 협측과 하악골 하연 근처에 위치할수록 신경손상 위험성이 증가한다.

3. **술전 환자 개인의 감각역치**

   감각역치가 낮을수록 감각이상을 호소하는 빈도가 높고 매우 민감한 반응을 보인다.

4. **이부성형술**

   이부성형술이 동반되는 경우 감각이상 빈도가 높고 회복 기간도 길어진다.

5. **술자의 경험과 능력**

6. **이동량**

   이동량이 많을수록 감각이상이 빈발하는 경향을 보인다.

7. **수술 도중 신경이 노출된 경우**

8. **수술 중 골절단이 부적절하게 시행된 경우**

9. **고정 방법**

   Bicortical screw, compression plate와 같은 재료를 사용하여 견고한 고정을 할 때 신경손상 위험성이
   증가한다.

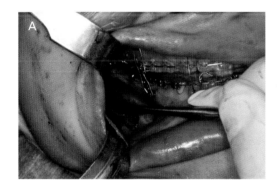

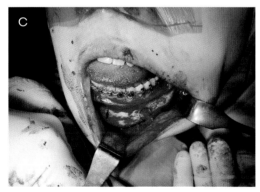

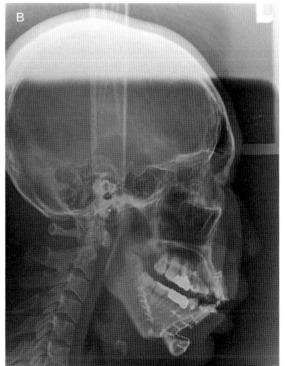

Fig 2-23 턱교정 수술 후 감각이상이 많이 발생하는 경우.

A: 하악지시상분할골절단술을 시행할 때 하치조신경이 협측 피질골에 근접해 있으며, 수술 중에 하치조신경이 노출되거나 절단될 위험성이 매우 높다.

B: 이부성형술과 하악지시상분할골절단술이 동시에 시행될 때 신경손상 위험성이 더욱 증가하는 경향을 보인다.

C: 하악 비대칭 개선을 위해 하악 하연절제술을 시행하는 모습. 이신경이 노출된 상태이며 절단되지 않더라도 신경이 노출된 그 자체로 인해 술후 감각이상이 발생한다.

6) 임플란트

Bartling 등(1999)은 하악 임플란트가 식립된 94명의 환자들 중 8명(8.5%)에서 변화된 감각이 발생하였고, 8명 중 4명은 객관적 신경손상 소견이 전혀 없었다. 1명은 완전한 마비를 보였지만 4개월 후 정상으로 회복되었으며, 영구적인 감각이상을 보인 경우는 없었다고 보고하였다. Kwon 등(2004)은 경북 대구 지역 임플란트 시술자 47명을 대상으로 하악 임플란트 식립 후 초래된 신경손상과 관련된 설문조사를 시행하였다. 45%의 술자들이 감각이상 환자를 경험하였으며, 5년 이상 시술해 온 임상가들은 더 높은 빈도(68%)를 보였다. 즉 술자의 숙련도와 신경손상 합병증은 무관한 것으로 나타났다. 감각이상 부위가 거의 정상적으로 개선되는 경우는 61%의 비율을 보였으며, 대부분 6개월 이내에 개선이 이루어졌다. 임플란트 제거 등의 추가적인 처치를 시행한 경우 53%의 증례들에서 거의 정상으로 회복되었다고 보고하였다.

임플란트 치료 시 하치조신경, 이신경, 안와하신경 손상이 발생할 수 있다. 그러나 신경의 직접적인 손상이 없는 경우에도 감각이상 증상이 발생할 수 있다. 임플란트 수술 시 신경손상이 발생하는 원인들은 Tip 2-5와 같다.

Tip 2-5   **Causes of nerve damage during implant surgery** (Al-Ouf K & Salti L: 2011, Worthington P: 2004)

1. 드릴링 시 냉각이 잘 되지 않아 발생한 과도한 열에 의한 손상
2. 방사선 사진에서 식별이 불가능한 미세한 신경 가지들의 손상
3. 신경관에 근접하게 드릴링이 시행되었거나 임플란트가 식립되면서 가해진 압박에 의한 손상
4. 이신경이 노출되거나 견인되면서 발생하는 간접적 손상
5. 상악 구치부 수술 시 협측 피판의 과도한 견인에 의해 발생하는 간접적 손상
6. 긴장없는 봉합을 위해 충분한 undermining을 시행하는 과정에서 이신경이나 안와하신경의 가지들이 절단되는 경우
7. 설신경이 하악 구치부 치조정 근처에 있는 상태에서 절개 혹은 드릴링에 의한 직접적 손상
8. 술후 심한 혈종이나 부종성 종창으로 인한 신경 압박
9. 하악관이나 이공을 직접 침범하거나 이공의 전방고리를 손상시킨 경우
10. 하악 전치부에 임플란트를 식립할 때 절치신경을 침범하는 경우

---

7) 골절(Fig 2-24)

Marchena 등(1998)은 하악골 골절 환자들의 하치조신경손상 빈도는 50% 이상이었으며, 골편의 전위와 연관성이 있다고 언급하였다. 이 환자들의 1/3은 감각을 정상으로 회복하였지만 2/3의 환자들은 영구적인 감각장애를 보였다. Renzi 등(2004)은 97명의 안면골 골절 환자들에서 103개 골절 부위의 안와상신경(supraorbital nerve), 안와하신경(infraorbital nerve), 하치조 및 이신경(inferior alveolar and mental nerve)을 포함하는 삼차신경에 대한 평가를 시행하였다. 삼차신경 손상 빈도는 70.9%였으며, 전위된 경우 신경손상이 더 많이 발생하였다. 신경이 직접 손상받은 증례들 중 11개 부위에서는 지속

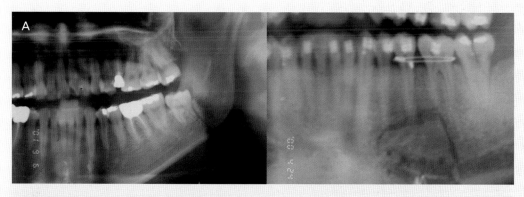

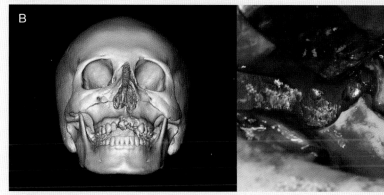
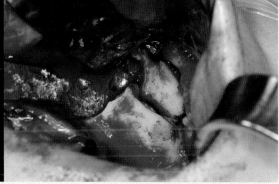

Fig 2-24 안면골 골절 시 하치조신경, 이신경, 안와하신경 손상이 발생할 위험성이 매우 높다.
A: **하악골 좌측 우각부 골절과 좌측 하악체 골절을 보이는 파노라마 방사선 사진.** 골편의 전위가 심할수록 신경손상
위험성이 증가한다.
B: **상악골 및 안와하연 골절이 발생한 증례.** 안와하공 주위로 전위된 골절이 관찰되며 안와하신경 손상이 동반되었을
것으로 예상된다.

적인 감각저하가 관찰되었고 골편의 전위가 없는 경우 회복이 잘 되었다. 중안면 골절이 하악골 골절
에 비해 신경회복이 더 잘 되었다. Vriens 등(1998)은 안와관골복합체(orbitozygomatic complex) 골절 환
자들의 안와하신경 기능을 평가하였다. 비관혈적 정복술을 시행한 경우 장기간의 감각장애가 더 심
한 양상을 보였다고 보고하였다. 즉 전위된 골편을 정확하게 잘 정복하는 것이 감각회복이 더 잘 된
다는 것을 의미한다.

8) 감염(Fig 2-25)

감염과 염증을 동반하는 허혈(ischemia) 또는 화농성 삼출물(purulent exudate)이 축적되면서 신경
에 국소적인 압박을 가함으로 인해 신경손상이 발생한다. 또는 세균이 생산하는 독성물질이 신경초
(nerve sheath)를 파괴할 수도 있다. 하악골 골수염이 심한 환자에서 하치조신경 지배 부위의 감각이상
이 발생하는 경우가 많다. 한편 바이러스 감염으로 인해서도 감각이상이 발생한 증례들도 발표된 바
있다. 대상포진 감염 환자에서 삼차신경 지배 부위의 감각이상이 발생할 수 있으며 Acyclovir와 같은
항바이러스제로 잘 치료할 수 있다는 보고가 있었다(Penarrocha M, et al; 2001).

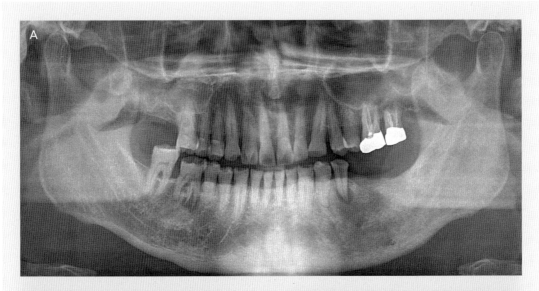

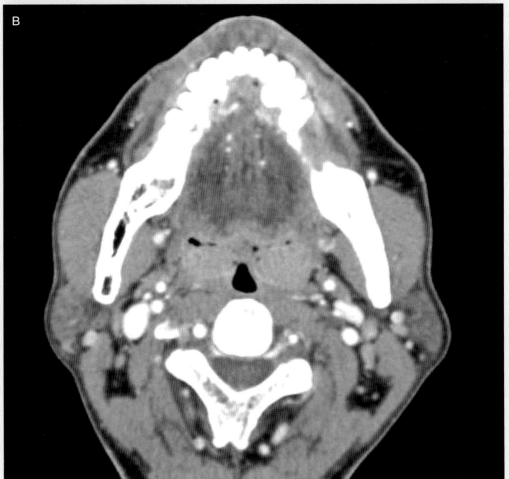

Fig 2-25 59세 남자 환자에서 좌측 하악골 골수염이 발생한 증례.

A: 초진 시 **파노라마 방사선 사진.** #35 치근단 농양이 하방의 골수강과 이공까지 확산된 것을 볼 수 있다.

B: CT에서 좌측 하악골 파괴가 심한 것을 볼 수 있으며, 하치조신경과 이신경의 감각이상이 발생할 가능성이 매우 크다.

9) 수술용 약제 관련

수술 중 다양한 약제 및 재료들(Iodoform, Surgicel, Carnoy's solution 등)이 사용된다. 신경에 근접하거나 직접 접촉할 경우 간접적인 손상을 유발할 수 있다. Surgicel은 지혈 목적으로 많이 사용되는 재료이다. 수술 도중 신경 근처에 적용할 경우 일시적인 감각이상이 발생할 수 있다는 보고가 있으니 주의해서 사용해야 한다(Jo HJ, et al; 2020, Kawakami T, et al; 1991, Loescher AR & Robinson PP; 1998, Nagamatsu M & Low PA; 1995).

10) 기타

전신마취 튜브에 의한 설신경 압박, 전신마취 수술 도중에 사용된 tongue depressor에 의한 혀압박이 설신경 손상의 원인이 될 수 있다(Gulicher D & Gerlach KL; 2001). 한편 확실한 원인이 없음에도 불구하고 삼차신경 지배부위의 감각이상이나 신경병변이 존재할 수도 있는데, 이러한 경우엔 다른 부위에 발생한 악성종양의 원격전이 혹은 결체조직 질환을 의심해 볼 필요가 있다(Shotts RH, et al; 1999).

5 진단

신경손상으로 인해 발생하는 증상들은 주관적이며 환자들의 개인 성향에 따라 매우 다양하게 표현된다. 또한 객관적 소견들과 환자가 호소하는 주관적 증상이 일치하지 않는 경우가 많다. 실제로 치과치료 혹은 외상 등에 의해 발생한 신경손상의 경우 의료분쟁 및 보상이 관련되어 있기 때문에 환자가 다소 과장된 표현을 하며 객관적 검사에서 호전되는 양상이 보이더라도 환자들은 처음과 달라진 것이 없다고 표현하는 경우를 흔히 볼 수 있다. 환자가 호소하는 주관적 증상을 정확히 파악할 수 있는 방법은 없다. 그러나 임상의들은 최대한 객관적인 검사를 통해 신경손상의 정도와 치료법, 예후 등을 평가하기 위해 노력해야 한다. 수술 중 혹은 국소마취 중에 환자가 비정상적인 반응이나 전기 쇼크를 받은 느낌, 갑작스러운 통증 등을 호소하는 경우엔 신경손상 가능성을 추정하고 잘 기록해 두어야 한다. 수술 다음 날 통증, 감각이상, 마비감 등을 호소하면 임상검사 및 기본적인 신경검사를 시행하고 환자가 호소하는 증상들을 환자가 말하는 그대로 의무기록지에 잘 작성해 두어야 한다(Lee SS, et al; 2016). 직접적인 신경손상은 열자극과 전기자극에 대한 역치가 현저히 상승하면서 감각저하증(hyposensitivity)을 보이며, 염증성 병변에 의한 경우는 전기자극에 대한 역치가 감소하면서 오히려 과민반응(hypersensitivity)을 보이는 경향이 있다.

1) 신경손상의 분류

아주 오래 전에 Seddon (1943)과 Sunderland (1951)가 정리한 것들이 최근까지 사용되고 있다. 신경손상의 분류는 치료법을 선택하고 예후를 평가하는데 큰 도움을 준다(Tip 2-6, 7).

1. **생리적신경차단(Neurapraxia)**

   압박, 타박상, 견인 등에 의한 해부학적 손상이 없는 상태에서 신경의 흥분성이 일시적으로 상실된 경우이다. 일반적으로 직경이 큰 신경에서 자주 발생한다. 원인이 제거되면 회복이 빠르고 거의 정상으로 돌아갈 수 있다. "Sunderland"의 1도 손상에 해당된다.

2. **축삭절단(Axonotmesis)**

   신경내막 결합조직이나 Schwann 세포는 손상받지 않은 상태에서 축삭의 연결성이 단절된 상태를 의미하며 "Sunderland"의 2, 3도 손상에 해당된다. 신경의 원위부는 흥분성을 약 3-4일 정도 보유하고 있으나 이후엔 신경전도가 상실된다. 왈러변성(Wallerian degeneration)이 2-3주 후에 나타나고, 손상부위에서 완전한 축삭전도 장애가 발생한다. 손상 받은 축삭의 재생은 하루 1-2 mm 정도, 한 달에 약 25 mm 정도 회복된다.

3. **신경절단(Neurotmesis)**

   전체 신경섬유와 섬유를 싸고 있는 모든 막이 단절된 상태이다. 손상 후 3-4일 정도가 지나면 손상 지점으로부터 근위부로의 신경전도 상실이 일어난다. 왈러변성이 일어나고 전기자극에 반응을 보이지 않는다. 수술 없이는 회복이 불가능하다. "Sunderland"의 4, 5도 손상에 해당된다.

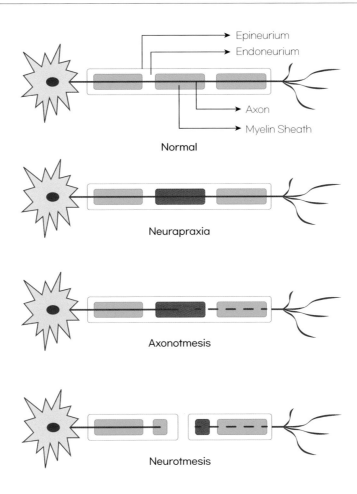

Fig 2-26 1943년 Seddon은 조직손상의 정도, 신경회복 예후, 신경회복 시간에 근거하여 neurapraxia, axonotmesis, neurotmesis의 세 가지로 신경손상을 분류하였다.

| Tip 2-7 | **Classification of Sunderland (1951)(Fig 2-27)** |

1. **1st degree**

   가벼운 압박이나 허혈에 의한 것으로 신경은 완전히 보존된 상태이고, 신경초는 정상이지만 손상 부위에서 일시적인 생리적 차단이 일어난다. 2-3주 내 완전히 회복된다.

2. **2nd degree**

   중등도의 압박에 의해 발생하고, 신경내막(endoneurium)이 어느 정도 보존된 상태에서 축삭의 손상이 진행된 상태를 의미한다. 신경초와 신경전도속도는 정상이다. 왈러변성이 손상부위 아래에서 발생한 상태이고, 신경축삭의 회복은 완전하거나 약간 불완전할 수 있다.

3. **3rd degree**

   신경주위막(perineurium)이 보존된 상태에서 축삭과 신경내막이 손상된 상태이다. 즉 신경은 단지 일부만 보존된 상태이고, 신경초의 손상이 발생한 상태이다. 심한 압박에 의해 발생하고 왈러변성이 나타나며, 신경섬유 손상의 정도에 따라 신경 연속성의 일시적 또는 영구적 상실이 남을 수 있다.

4. **4th degree**

   아주 심한 손상으로 신경외막(epineurium)과 신경주위막의 일부만 보존된 상태로, 신경초는 파괴된 상태이다. 흉터 조직이 nerve bundle을 가로질러 재생되는 축삭의 진행을 방해하기 때문에 신경 불연속성이 일시적 또는 영구적으로 남고, 왈러변성이 나타난다.

5. **5th degree**

   신경이 완전히 절단된 상태로서 수술 없이는 회복이 불가능하다.

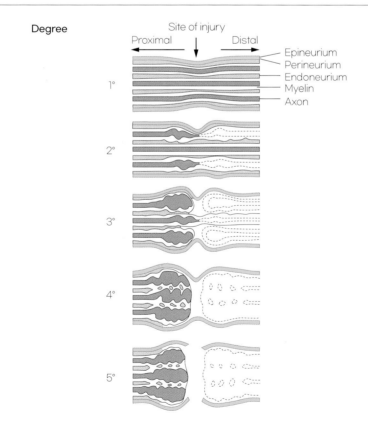

Fig 2-27 Sunderland 분류에 따른 신경 손상의 모식도(대한구강악안면외과학회; 2013).

2) 임상 증상

환자들은 앞부분의 신경손상 관련 용어 정리에서 언급한 다양한 증상들을 호소한다. 임상의들은 환자가 호소하는 증상들을 환자의 표현 그대로 의무기록지에 작성하는 것이 좋다. 억지로 의학용어로 표현하는 것은 바람직하지 않다.

(1) 하치조신경 혹은 이신경 손상 시 구순, 턱과 혀 부위의 감각이상, 감각마비, 작열감(화끈거리는 느낌; burning sensation), 저린 느낌(tingling), 통증, 전기 쇼크성 감각(electrical shock), 간지러운 느낌(tickle, itching), 바늘로 찌르는 듯한 따끔거리는 느낌(prickling), 발음, 음식물 섭취 및 연하장애, 미각장애 등 매우 다양하고 복잡한 증상들을 호소한다(Annibali S, et al: 2008). 감각신경의 손상은 매우 다양한 증상들을 나타내며 엄격히 구분하는 것이 어려울 수 있다. 따라서 "변화된 감각(altered sensation)"이라는 용어를 사용하기도 한다(Essick GK, et al: 2007, Kim YK, et al: 2011).

(2) 환자가 감각이상 혹은 마비감을 호소하는 부위를 직접 자신의 손으로 표시하도록 한 후 마킹펜으로 표시하고 사진을 촬영하여 보관한다(Fig 2-28). 치료 과정 중에 경과를 판단할 수 있는 기준이 되며 애매모호한 증상을 호소하거나 의료분쟁 가능성이 있는 경우에 매우 가치 있는 자료가 될 것이다(Robinson RC & Williams CW: 1986).

(3) 환자가 호소하는 주관적 증상들을 객관화된 지표로 표기한다.

① Visual analogue scale (VAS)

10 cm의 실제 선상에서 통증이나 감각둔화와 같은 주관적 증상을 환자 본인이 표시하도록

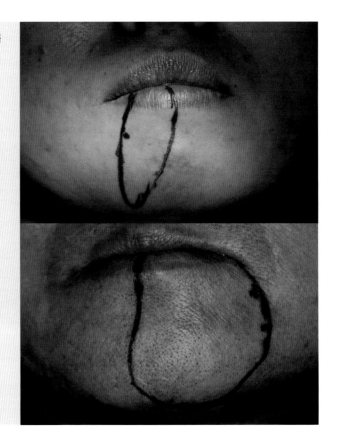

Fig 2-28 환자가 감각이상을 호소하는 부위를 마킹펜으로 표시한 모습.

Fig 2-29 Visual analogue scale (VAS). 통증의 경우 "0"은 전혀 아프지 않은 경우, "10"은 참을 수 없을 정도의 극심한 통증을 의미한다. 감각둔화의 경우 "0"은 정상, "10"은 완전히 감각이 마비된 경우를 의미한다.

한다. 통증의 경우 "0"은 전혀 아프지 않은 경우, "10"은 참을 수 없을 정도의 극심한 통증을 의미한다. 감각둔화의 경우 "0"은 정상, "10"은 완전히 감각이 마비된 경우를 의미한다. 환자의 주관적 증상을 객관화시키기 위해 임상에서 많이 사용되고 있으며 경과관찰 중에 수시로 체크하여 치료 경과 및 회복 정도를 파악할 수 있다(**Fig 2-29**).

② McGill 통증 설문지

정해진 표에 자신의 현 상태를 표시한 후 총점을 통해 감각이상이나 통증의 정도를 수량화 할 수 있다. VAS에 비해 임상에서 많이 사용되지는 않지만 관심이 있는 독자들은 참고문헌 에서 자세한 정보를 얻을 수 있다(Melzack R; 1975, 1987).

3) 객관적 검사

신경손상 환자들을 진찰할 때 반드시 시행 가능한 객관적인 검사들을 시행하여 결과를 진료기록부 에 기록해 두어야 한다(김영균 & 황정원; 2004). 어떤 학자들은 객관적인 측정이 환자가 느끼는 감각이 상을 모두 대변하지는 못한다고 주장하였으나 그 반대 의견을 주장하는 사람들도 많으며, 감각신경 손상의 대부분은 환자의 주관적 증상에 의존할 수밖에 없기 때문에 가능한 객관적 검사를 시행하여 자료를 축적해 두는 것이 바람직하다.

다양한 객관적 검사들이 있지만 이것들의 결과를 절대적으로 믿어서는 안 된다. 검사 오류가 많고 객관적 검사 결과들이 환자의 주관적 증상과 일치하지 않는 경우가 많기 때문이다. 이전에 많이 사용 되던 신경손상 검사들은 대부분 피부의 자극에 대한 환자의 주관적인 반응에 의존하고 있으며, 자극 에 대해서 검사자와 피검자의 개인적 판단이 개입될 수 있어 객관성에 한계가 있다. 환자들은 임상 검사에서 신경손상이 있는데도 불구하고, 적응하였기 때문에 정상 소견을 보이기도 하고(faking good), 임상검사에서 정상소견을 보이는데도 지속적으로 신경손상을 호소하는 경우(faking bad)도 있다(김병 국 & 이금숙; 2007, De Beukelaer JGP, et al; 1998, Leira JI & Gilhuus-Moe OT; 1991, Westemark A, et al; 1999, Zuniga JR, et al; 1998).

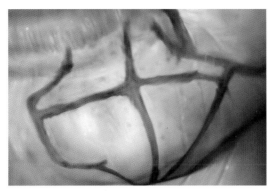

Fig 2-30 감각이상 부위를 펜으로 표시한 후 솜 조각의 움직임을 느끼는지 평가한다.

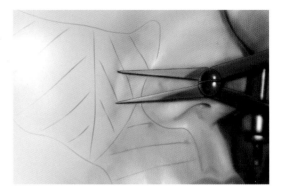

Fig 2-31 Two-point discrimination. 캠퍼스를 이용하여 두 점을 인지하는 거리를 측정한다.

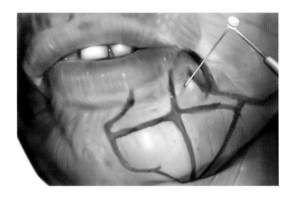

Fig 2-32 **통각유해감각 구별법.** 침, 치과 국소마취 바늘, 가는 핀 등으로 감각마비 부위 피부를 가볍게 찌를 때 통증을 인지하는지 여부를 평가한다.

(1) 정적촉각검사(Static tactile test, static light touch detection)

Frey's fiber, 솜 조각(cotton) 등을 이용하여 촉각을 느끼는지 평가한다. 좀 더 객관적 평가를 위해서 Weinstein–Semmes filament를 피부에 수직으로 찍어 촉각을 느끼면 filament의 직경을 줄여가면서 검사하는 방법이 소개된 바 있다.

(2) 동적촉각검사(Dynamic tactile test)

Brush direction discrimination 방법이 소개되어 있는데, 1 cm 범위 안에서 솔 혹은 솜 조각을 움직일 때 50–75% 이하를 인지하면 감각이상이 존재한다고 판단한다**(Fig 2-30)**.

(3) 이점 식별능 검사(Two-point discrimination test)

캠퍼스와 같은 기구를 사용하여 두 개의 점을 구별할 수 없는 최소 간격을 측정하는 방법이다. 환자의 눈을 감게 하고, 먼저 한 점을 인지하는지 확인한다. 이후 2 mm씩 거리를 증가시켜 두 점으로 인지하는 거리를 확인한다**(Fig 2-31)**.

(4) 통각유해감각 구별법(Pin pressure nociceptive discrimination test)

침, 치과 국소마취 바늘, 가는 핀 등으로 감각마비 부위 피부를 가볍게 찌를 때 통증을 인지하는지 여부를 평가한다. 교정용 게이지와 끝이 날카로운 안전핀을 아크릴릭으로 부착한 기구(일명 통각계 (algometer): Palpeter)로 100 g의 압력을 가할 때 반응이 없으면 통증을 인지하지 못하는 것으로 판정한다(Fig 2-32).

(5) 온도감각 검사(Thermal test)

전기를 이용한 온냉 자극, 온수나 냉수를 넣은 플라스틱 튜브, Minnesota thermal disk, 얼음, ethyl chloride spray, acetone 등을 이용하여 검사한다.

(6) 방사선 검사

신경을 직접 관찰할 수 있는 방법은 없다. 신경이 주행하는 주변의 골조직과 연조직이 간접적으로 영향을 미쳤는지를 평가한다. 가령 하악 매복지치 발치창이 하악관을 침범하였는지, 치과 임플란트가 하악관 상벽을 침범하였는지, 이물질이나 파절된 치근이 신경을 압박하고 있는지 등을 평가하는 것이다. 치근단 방사선 사진, 파노라마 방사선 사진에서 하악관의 방사선 불투과성 선이 소실되었으면 하치조신경 손상을 의심할 수 있다. 컴퓨터단층촬영을 통해 신경관의 상태 등 손상 가능성을 보다 정확히 관찰할 수 있다(Fig 2-33).

(7) 체열검사(Thermography), 적외선체열검사(Digital Infrared Thermographic Imaging, DITI)(Fig 2-34)

정상에서는 좌우 측 체온이 비슷한 분포를 이루게 되지만 질환이 있는 신체 부위와 이와 대칭되는 정상 부위는 체표면에서 유의한 온도 차이가 존재한다는 기본 개념 하에 개발된 진단방법으로서 현대 의학에서 질병의 진단에 유용하게 이용되고 있다(김예원 & 김명래: 2002, Lee JG, et al: 2007). 김예원 등(2002)은 편측성 하치조신경 손상 시 이환 측에서 평균 −0.32±0.13℃의 저체온증을 보였다고 보고하였다. 체열검사는 신경손상의 유무와 미세수술적 신경재건술의 적응증, 수술 전후의 경과, 계속 관리 등의 결과를 비교하기 위한 객관적인 평가를 위해 이용될 수 있다. 또한 환자의 주관적인 통증을 객관적으로 진단할 수 있는 유일한 진단법으로서 임상에서 만성 통증환자의 진단과 치료결과 판정 및 예후 평가에 이용되고 있다. Gratt 등(1994)은 이부의 체열검사를 시행한 결과, 정상인에서는 좌우 측에서 0.1℃의 온도 차이가 있었던 반면, 하치조신경 손상 후 12에서 186일이 경과된 6명에서는 이환측의 약 0.5℃의 고체온증이 관찰되었다고 발표하였다.

(8) 전기생리학적 검사

① QST (quantitative sensory test)

말초신경 활동전위의 변화는 신경의 변성 및 재생 과정과 관련이 있으며, 활동전위의 진폭은 주로 재생신경의 섬유수, 전도속도는 수초 변성(myelin degeneration)의 변화를 반영하는 것으로 알려져 있다. 하치조신경 활동전위를 측정하기 위해서는 이공 부위에서 자극을 가하고 하

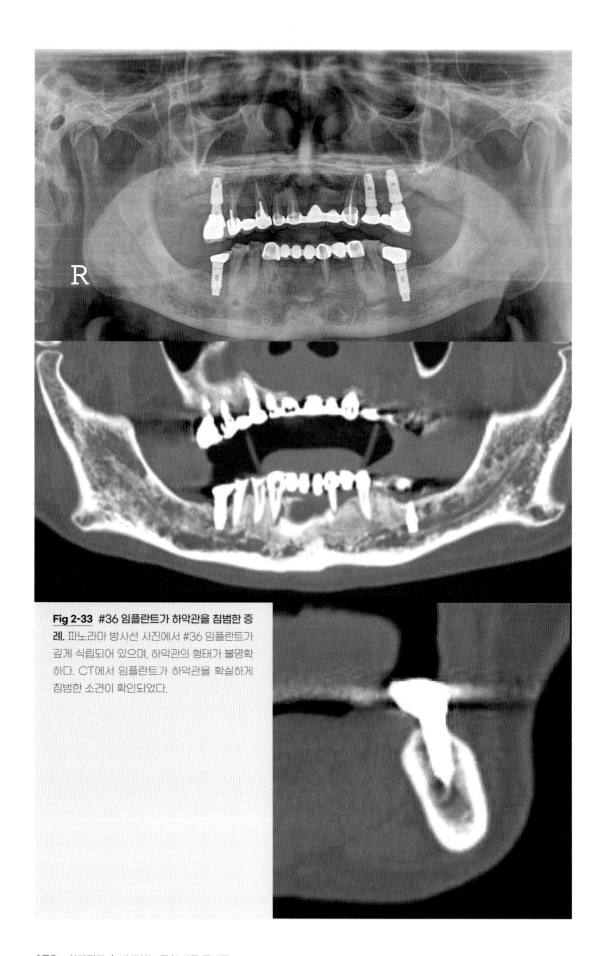

R

Fig 2-33 #36 임플란트가 하악관을 침범한 증례. 파노라마 방사선 사진에서 #36 임플란트가 깊게 식립되어 있으며, 하악관의 형태가 불명확하다. CT에서 임플란트가 하악관을 확실하게 침범한 소견이 확인되었다.

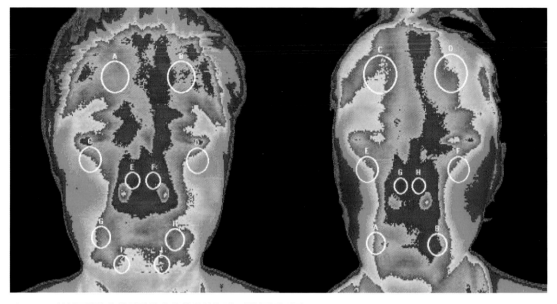

Fig 2-34 하치조신경 손상 진단에 유용하게 사용되는 체열검사 사진.

A: 좌측 하순과 턱의 감각 둔화 및 신경 손상을 호소하는 환자였지만, 체열검사에서 양측의 온도가 거의 차이를 보이지 않았으며 정밀검사 결과 정상으로 확인되었다.

B: 좌측 하치조신경 손상으로 인해 하순과 턱의 감각둔화가 존재하는 환자로서 좌우 온도차이가 큰 것을 볼 수 있다.

악공 부위에서 활동전위를 기록한다. 활동전위의 진폭이 적기 때문에 증폭기를 이용할 필요가 있다(Yekta SS, et al; 2010). 전류인지도역치(current perception threshold, CPT), 체성감각유발전위(somatosensory evoked potentials, SEP)를 측정하는 검사법으로서 감각신경의 말초신경에 대한 QST는 nerve conduction velocity, EMG, MRI와 같은 검사들에 비해 임상적으로 좀 더 유용한 정보를 제공해 준다고 한다(Eliav E, et al; 2004, Yekta SS, et al; 2010)**(Table 2-1)**.

• 전류인지도역치(current perception threshold, CPT) 검사

검사 부위당 10분 정도로 검사 시간이 짧은 장점이 있으며, 이중 맹검으로 큰 유수신경(Aβ, 2K Hz), 작은 유수신경(Aδ, 250 Hz) 및 무수신경(C, 5 Hz)의 기능을 정량화하여 나타낼 수 있다 (Caissie R, et al; 2007, Ziccardi VB, et al; 2012).

Neurometer (Neurotron, Inc, Denver, CO)(Fig 2-35)

CPT를 쉽게 측정하는 대표적인 장비로서 구강안면 영역의 신경병성 통증과 삼차신경 지배 부위의 감각이상 평가에 유용하게 사용된다(Kim HS, et al: 2000). 일정한 전기 자극을 가할 때 피검자가 느끼는 최소한의 전류의 양으로 말초감각신경섬유들의 다양한 병적 상태를 진단할 수 있고, 치료 결과를 평가할 수도 있다. 검사 과정 중에 통증이나 기타 불편감이 거의 없으며, 비교적 신경손상 초기에 진단이 가능하고 검사 시간이 짧은 장점이 있다. 3가지 주파수 범위 내에서 말초신경 섬유별 평가(2000 Hz: Aβ fiber, 250 Hz: Aδ fiber, 5 Hz: C fiber)가 가능하다(임현대 등: 2007, Kim YK, et al: 2015, Thygesen TH, et al: 2009, Yekta SS, et al: 2010, Yilmaz Z, et al: 2016).

Table 2-1 CPT와 EMG nerve conduction velocity 비교

	CPT (Neurometer)	Nerve conduction velocity (EMG)
통증유발	없다	매우 고통스럽다
측정신경	Aβ, Aδ, C fiber	Aβ fiber
검사방법	쉽고 간단하고 빠름	어렵고 복잡하고 느림
측정공간	특별한 공간 불필요	특수 검사실이 필요함
신경과민증 측정	측정가능	측정 불가능

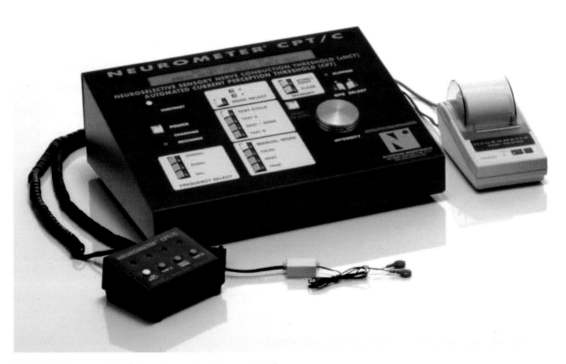

Fig 2-35 Neurometer (Neurotron, Inc, Denver, CO)

• 체성감각유발전위검사(somatosensory evoked potentials, SEP)(Fig 2-36)

말초 감각신경을 자극할 때 유발되는 말초 혹은 중추신경계 전위의 변화를 검출하는 전기생리학적 검사이다. 비침습적이면서 객관적이고 신뢰할 만한 검사로 소개되었으며, 턱교정 수술 후 하순의 감각 변화에 대한 연구에서 그 유용성이 확인되었다(Hashiba Y, et al; 2007, Li Q, et al; 2012). SEP은 편측성 하치조신경 손상 유무와 미세수술적 신경재건술의 필요성 및 수술 전후 경과를 평가할 수 있는 객관적인 검사 방법의 하나라고 언급되었다. 편측성 손상 시 턱끝신경 체성감각유발전위검사는 건강 측과 비교할 때 이환 측에서 평균 2.22±2.46 msec의 N1 감시 지연반응을 보였다. 그러나 경도의 신경손상이나 손상 후 장기간 경과하여 부분적으로 또는 비정상적으로 신경재생이 일어난 경우에는 감각이상이 남아있더라도 비교적 정상에 근접한 체성유발전위의 파형이 나타날 수도 있다(정현주 & 김명래; 2001). 두피 부위에 침 전극을 살짝 삽입하고 발목과 손목 또는 보고자 하는 부위에 전기자극을 주어 머리에서 손 또는 발로 전해지는 신경전달 경로의 이상을 확인한다. 전기자극 시 다소 통증이 있으나, 인체에는 무해하며 정확한 검사를 위해 움직이지 말아야 한다. 검사 시간은 약 30분–1시간 정도 소요된다.

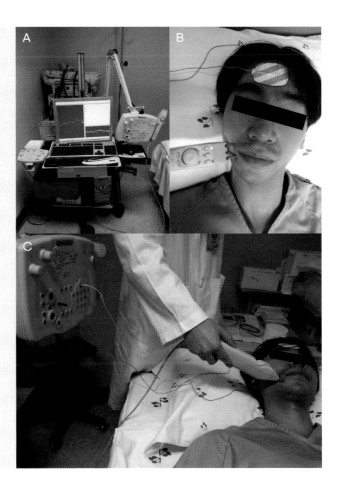

Fig 2-36 SEP을 측정하는 모습.

A: Nicolet EDX (CareFusion 209 Inc., Middleton, WI, USA).

B: 환자가 누운 상태에서 두피와 검사하고자 하는 부위에 electrode needle and pad 를 부착한다.

C: 전기자극을 주면서 측정하는 모습.

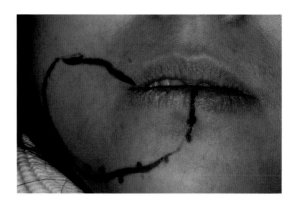

15900520   2008-01-24

SEOUL NATIONAL UNIVERSITY BUNDANG HOSPITAL
Electrodiagnostic Laboratory

Name: ○○○   M.D: ○○○
Patient ID: ○○○○○○   Sex: ○○○

Motor NCS

Nerve / Sites	Latency ms	Amp.2-4 mV	Dur. ms	Area mVms	Lat Diff ms
R FACIAL - Nas,Ocu,Oris					
1. Ear-Nasalis	3.25	2.5	6.45	5.4	3.25
2. Ear-Orb Oculi	3.70	2.1	6.05	3.8	3.70
3. Ear-Orb Oris	3.25	2.6	5.35	4.1	3.25
4. Ear-Orb Frontalis	3.85	2.8	10.40	10.5	0.60
L FACIAL - Nas,Ocu,Oris					
1. Ear-Nasalis	3.40	2.9	6.85	6.3	3.40
2. Ear-Orb Oculi	3.25	2.5	9.90	10.4	3.25
3. Ear-Orb Oris	3.20	2.3	4.70	2.6	3.20
4. Ear-Orb Frontalis	3.40	2.3	9.90	9.2	0.20

Sensory NCS

Nerve / Sites	Rec. Site	Latency ms	Pk Amp μV	Amp Pk-Pk μV	Duration ms	Lat Diff ms
L INFERIOR ALVEOLA						
1.	II	1.10	7.0	5.3	1.55	1.10
2.		1.25	8.8	8.4	1.60	0.15
R - INF ALVE						
1.	II	1.40	3.0	5.4	1.15	1.40
2.	II	1.00	4.3	6.0	1.05	-0.40

Needle EMG

EMG Summary Table	Spontaneous					MUAP			Recruitment	
	IA	Fib	PSW	CRD	Fasc	Amp	Dur.	PPP	Pattern	Effort
R. MASSETER	N	None	None	None	None	N	N	N	Full	Full

SEP-arm

Protocol / Run	N20 ms	P25 ms	A N20 μV
R TRIGEMINAL			
1 Trigeminal	16.10	22.25	3.9
2 Trigeminal	16.05	22.40	3.6
L TRIGEMINAL			
1 Trigeminal	15.20	23.70	5.0
2 Trigeminal	15.20	23.25	4.0

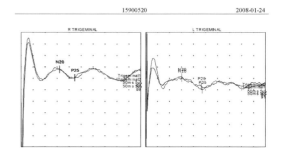

Fig 2-37 우측 하치조신경 손상이 발생한 환자의 근전도 검사 보고서.

② 말초 감각신경전도속도 검사(sensory nerve conduction velocity, SCV)**(Fig 2-37)**

눈깜박임 반사(blink reflex) 혹은 각막반사(corneal reflex)는 기계적 각막 자극, 밝은 빛, 말초신
경자극에 의해 눈을 불수의적으로 감게 되는 생리적 반응인데, 외부 자극으로부터 각막을 보
호하는 적응적 행동이다(Overend W; 1986). 따라서 근전도를 이용한 눈 깜박임 반사검사가 감
각이상의 간접적 진단에 유용하게 사용될 수 있다. 특히 무감각증은 확실히 구별이 가능하며
지연시간(delayed time)이 신경손상의 지표로 활용될 수 있다. Jaaskelainen는 감각이상이 존
재하는 경우에 10 ms 정도 지연시간이 더 증가한다고 보고하였다(조준혁 등; 2014, Cho J. et al;
2014, Jaaskelainen S; 1995).

③ 전기치수검사(electric pulp test, EPT)

감각이상 부위의 치아들에 대한 전기치수검사를 실시하여 결과를 기록해 둔다(Khajehahmadi
S. et al; 2013, Ku MS. et al; 2011, von Arx T. et al; 2007). 측정 방법이 간단하면서 감각마비에 대한
객관적 자료를 제공할 수 있는 장점이 있다. 그러나 전기적 자극의 전류량이 제한적이며, 측
정 범위가 넓지 않고 일반적으로 감지 역치가 높게 나타나는 남자, 나이가 많은 환자, 향정신
성 의약품 등의 약물을 복용하는 환자에게 사용하기에는 제한이 있다. 주로 감지 역치가 낮은
환자에서 피부의 감각이상을 알 수 있는 진단도구로 사용 가능하며, 치아에 대한 측정 수치와

함께 사용할 경우 매우 유용하다고 한다. Ylikontiola 등(1998)은 턱교정 수술 후 감각이상에 대한 평가를 위해 치아들에 대한 전기자극테스트가 유용하다고 언급하였다. 방법이 쉽고 검사 가격이 저렴한 장점이 있지만 환자의 주관적 증상과 많이 일치하지 않는 양상을 보였다.

(9) 미각 검사

설신경은 체성감각 섬유이지만, 고실끈신경(chorda tympani nerve)에서 유래하는 미각이 설신경에 섞여서 분포한다. 따라서 손상받을 경우 일반 체성감각과 미각, 또는 둘 중 하나의 손상 증상이 나타난다. 미각의 변화는 대부분 후각의 변화와 동반되는 경우가 많다. 후각의 변화는 대부분 상기도 감염과 관련이 있기 때문에 최근 갑자기 발생한 미각 변화는 후각 변화를 먼저 의심해 보아야한다. EGM (electrogustometry), FPD (filter paper disk) test가 미각 이상의 진단에 도움이 되며, Sodium Dehydrocholate (Decholin sodium)를 정맥주사한 후 쓴 맛을 인지할 수 있는지 검사하는 방법이 있다. 또한 미각을 못 느끼는 부위의 버섯유두(fungiform papillae)의 위축 상태를 살펴보는 것이 보조적 진단 수단으로 이용될 수 있다(Hotta M, et al; 2002). 이진용과 조상훈(2016)은 미각 검사를 위한 간단한 시약 제조방법을 소개하였으며, 임상에서 유용하게 사용할 수 있다고 생각된다(**Tip 2-8**).

Tip 2-8 | **미각 검사에 사용한 수 있는 간단한 시약들**

1. **단 맛:** 설탕물
2. **짠 맛:** 소금물 혹은 생리식염수
3. **신 맛:** 식초나 레몬즙을 넣은 액체
4. **쓴 맛:** 리도카인

---

1) 예방

어떠한 치료법도 신경손상을 완치시킬 수 없기 때문에 치료보다도 신경손상이 발생하지 않도록 예방하는 것이 최선의 방법이다. 신경손상 위험성이 매우 높은 치료를 시행할 경우엔 환자에게 치료 후 100% 감각이상이 발생할 것이라고 약간 과장되게 설명하고, 환자의 동의를 득한 후 치료에 임해야 한다. 환자가 거부할 경우엔 무리하게 치료를 진행할 필요가 없다(Fig 2-38). 치과에서 많이 시행되는 수술별로 예방적인 방법들을 잘 숙지하고 진료에 임하면 신경손상을 최소화할 수 있다(Tip 2-9~13).

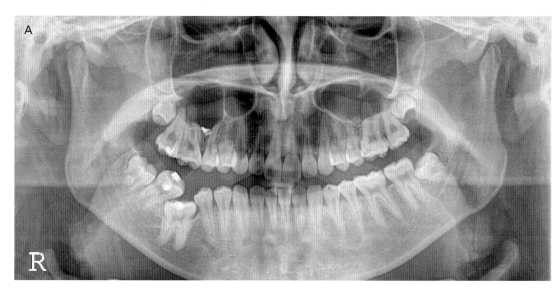

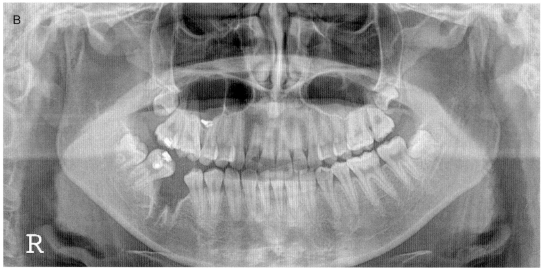

Fig 2-38 19세 여자 환자에서 미맹출된 #46을 발치한 증례. #46 치근이 하악관과 중첩되어 있기 때문에 발치 후 신경손상 위험성이 매우 높다. 발치 전에 환자에게 100% 신경손상이 발생한다고 설명하고, 환자가 동의할 경우에 발치를 진행해야 한다. 동의했더라도 술후 감각이상이 발생하면 대부분의 환자들은 담당 치과의사에게 문제를 제기하기 때문에 의무기록지에 상세히 설명했다는 근거 자료를 남겨두어야 한다.

Tip 2-9 \ **치과 임플란트 수술**

1. **적절한 임상 및 방사선학적 평가(Fig 2-39)**

   1) 파노라마 방사선 사진의 확대율을 고려하여 임플란트 식립 부위의 신경과의 관계 평가

   2) 표준화된 측정치를 갖는 스테인리스 스틸 볼(stainless steel ball, 5.0 mm 직경) 혹은 튜브(tube) 등을 스텐트에 장착한 후 방사선 촬영을 시행하여 평가

   3) 컴퓨터단층촬영

2. 침윤마취를 시행하고 수술을 진행하면 임플란트 드릴이 신경에 근접하면서 환자가 과민성을 느끼게 됨으로써 손상을 예방할 수 있다고 주장하는 학자들이 있다. 그러나 실제로 대부분의 환자들은 하악 전달마취를 시행해도 신경관에 근접할 경우에는 과민증 혹은 통증을 인지한다. 오히려 침윤마취만을 시행하였을 경우에는 간혹 마취가 잘 안 돼서 드릴링 도중에 심한 통증을 호소하기 때문에 계획된 깊이까지 드릴링을 못하는 경우가 종종 발생한다. 필자는 개인적으로 전달마취를 추천한다.

3. 설신경 손상을 방지하기 위해 지나치게 설측으로 절개선이 치우치지 않도록 하고 드릴링 중 손상을 방지하기 위해 설측 피판을 골막기자로 보호하면서 수술을 진행한다. 하악골 후방부 치조골의 수직적 흡수가 심한 경우엔 상대적으로 설신경이 치조정 상방에 위치하고 있을 가능성도 있다. 이런 경우엔 협측 전정부에서 절개하여 피판을 거상하는 방법을 선택하는 것도 좋은 방법이다**(Fig 2-40)**.

4. **수술 중 직접 확인하면서 신경손상을 피하는 방법**

   이공이 상방에 위치한 경우엔 피판을 거상하여 직접 노출시킨 상태에서 시술하는 것이 더 안전하다. 육안으로 확인한 상태에서는 이공과 전방 루프(loop)를 직접 침범하는 오류를 피할 수 있다. 하악구치부에서는 드릴링 도중에 수시로 탐침기를 삽입하여 하악관 침범 여부를 확인할 것을 추천한다**(Fig 2-41)**.

5. 조직을 견인할 때 과도한 압력이 가해지지 않도록 주의한다**(Fig 2-42)**.

6. 하악관까지 잔존골 높이가 충분하지 않을 경우 짧은 길이 임플란트를 선택한다. 짧은 길이 임플란트조차 식립이 어려울 경우엔 치조골 수직증대술을 시행하고 충분한 치유기간을 거친 후 짧은 길이 임플란트를 식립한다**(Fig 2-43, 44)**.

7. 짧은 길이 임플란트를 약간 기울어진 상태로 식립하면 1 mm 정도 길이를 확보할 수 있다**(Fig 2-45)**.

8. 하악관 상벽에 접촉되더라도 손상을 최소화할 수 있는 특수 드릴 키트를 사용한다. 드릴의 날 부분을 둥근 형상으로 적용하여 신경손상을 최소화하도록 설계되었다**(Fig 2-46)**.

CHAPTER 2

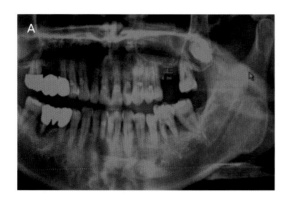

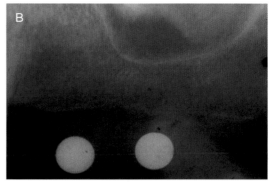

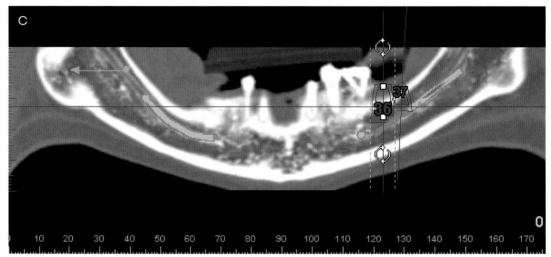

Fig 2-39 주요 해부학적 구조물 근처에 남아있는 잔존골 높이를 측정하는 방법들.

A: 파노라마 방사선 사진은 각각의 장비에 따라 다양한 확대율을 보인다. 따라서 자신이 사용하고 있는 파노라마 방사선 사진의 확대율을 알아둬야 한다.

B: 과거에는 직경이 알려져 있는 스테인리스 스틸 볼 혹은 튜브 등을 레진 스텐트에 장착한 후 방사선 사진을 촬영하여 확대율을 계산하였다.

C: 최근에는 치과용 CBCT가 보편화되어 있고, 영상의 질이 우수해져 주요 해부학적 구조물 주변의 잔존골량을 정확히 평가할 수 있다.

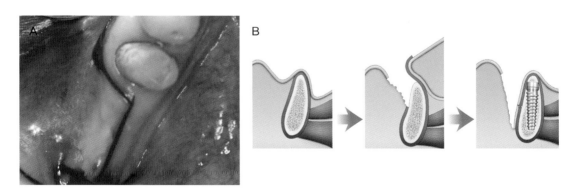

Fig 2-40 설신경 손상을 예방하기 위한 하악 구치부 절개법.

A: 치조정 절개가 설측으로 치우칠 경우, 설신경 손상 위험성이 증가한다.

B: 협측 전정부에서 절개하여 피판을 거상한 후 임플란트를 식립하는 모식도.

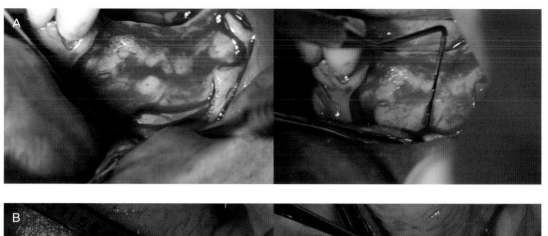

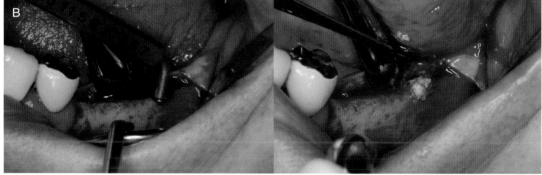

Fig 2-41 수술 중 신경손상을 방지하기 위한 방법.

A: 이공이 상방에 위치한 경우엔 이공을 노출시킨 후 치조정으로부터의 거리를 측정하고 직접 눈으로 보면서 수술을 진행하는 것이 안전하다.

B: 하악 구치부에서는 드릴링 도중에 수시로 depth gauge를 삽입해 보는 것이 좋다. 실제 드릴링한 깊이보다 더 들어갈 경우엔 골 내부가 텅 빈 것을 의미하며, 이러한 경우 임플란트가 식립되는 과정에서 하악골 내부로 밀려들어가는 경우가 자주 발생하게 된다. 골수강 내부가 텅 빈 양상을 보이면 소량의 입자형 골이식재를 충전하고 임플란트를 식립하는 것이 안전하다.

Fig 2-42 조직을 견인할 때 주변 조직에 과도한 압력이 가해지지 않도록 주의해야 한다. 가령 상악 구치부에서 협측 피판을 과도하게 상방으로 견인하는 과정에서 안와하신경이 압박을 받아 술후 감각이상이 발생할 수도 있다.

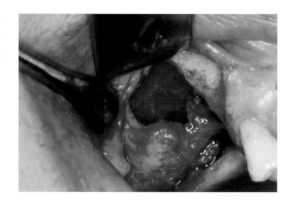

Fig 2-43 77세 여자 환자에서 양측 하악 구치부에 짧은 길이 임플란트를 식립한 증례.

A: 초진 시 파노라마 방사선 사진. 타 치과의원에서 식립된 #36, 37 임플란트 주위 골파괴가 매우 심한 상태이며, #47 소실 부위에 대한 임플란트 치료가 필요한 상태였다(#46 임플란트는 타 치과의원에서 식립). 양측 구치부에서 하악관까지의 잔존골량이 충분하지 않으며 최소 침습적 수술을 위해 짧은 길이 임플란트 식립을 계획하였다.

B: 짧은 길이 임플란트 식립 후 파노라마 방사선 사진(#36, 37, 47: 6D/7L).

C: 임플란트 식립 4개월 후 상부 보철물이 장착되었다.

D: 상부 보철물 장착 2년 2개월 후 파노라마 및 CBCT 방사선 사진.

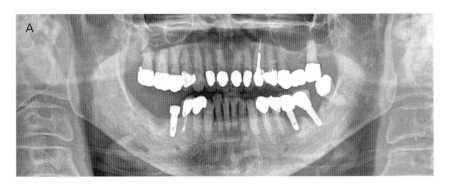

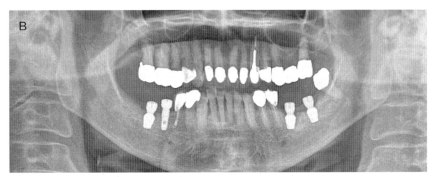

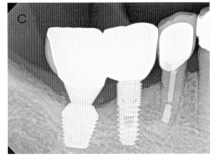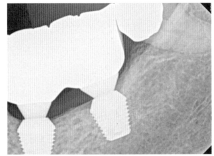

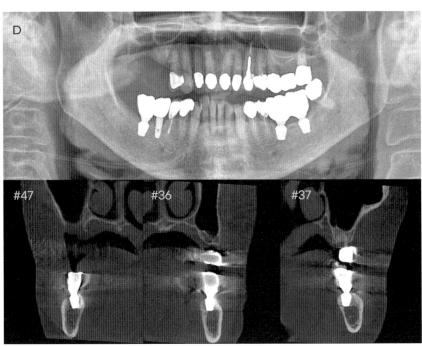

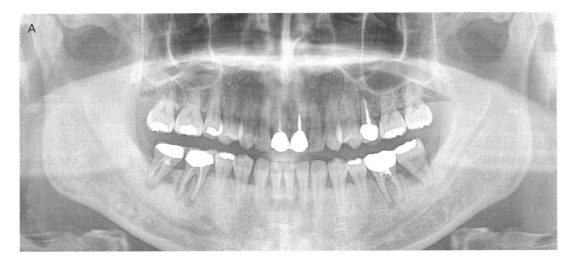

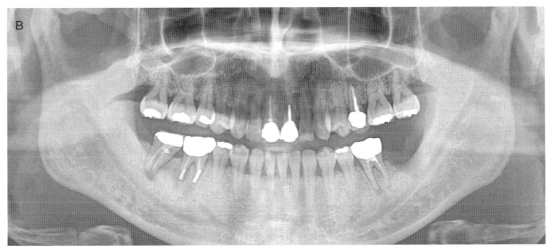

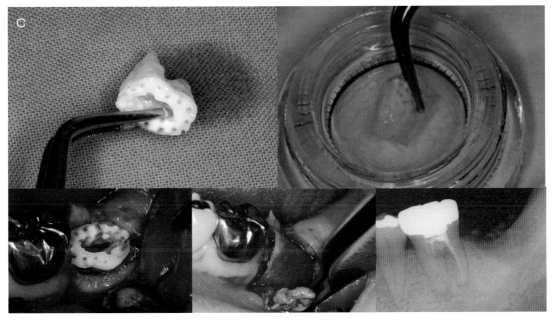

BioArm covering

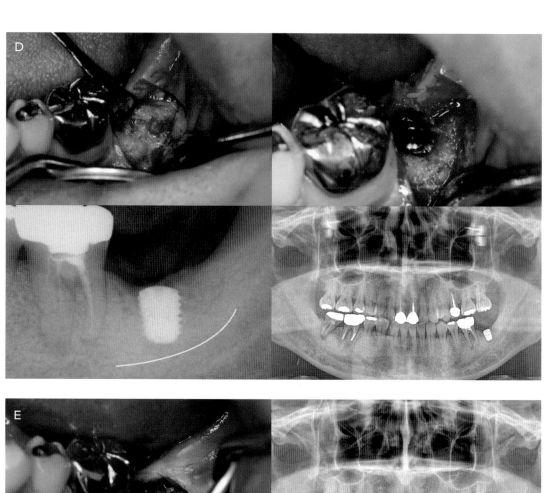

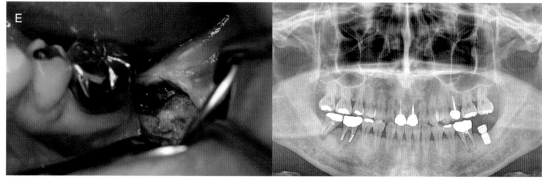

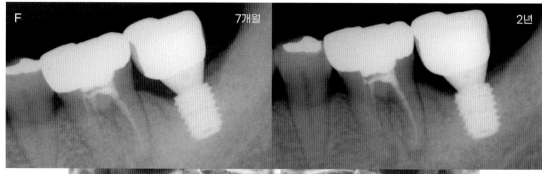

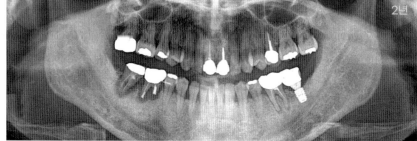

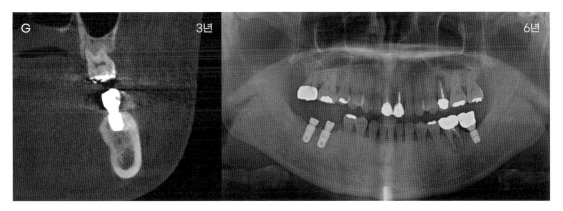

Fig 2-44 41세 여자 환자에서 부족한 치조골 높이로 인해 치조골 수직증대술 시행 후 임플란트를 지연 식립한 증례.

A: 초진 시 파노라마 방사선 사진. #37의 심한 동요도 및 치주 농양을 확인할 수 있었다.

B: #37 발치 3주 후 파노라마 방사선 사진(#46은 보존과에서 치근단수술이 시행되었다). 발치된 치아는 자가치아뼈이식재 블록으로 제조하여 보관하였다. #37 부위에서 잔존골량이 절대적으로 부족하여 골이식 후 임플란트 지연식립을 계획하였다.

C: 자가치아뼈이식재 블록을 수화시킨 후 #37 발치창에 이식하고 흡수성 차폐막(Bioarm)을 피개한 후 봉합하였다.

D: 골이식 5개월 후 짧은 길이 임플란트(Osstem TS III SA 5D/6L)를 식립하였다.

E: 임플란트 식립 9주 후 이차수술을 시행하였다.

F: 상부 보철물 장착 후 방사선 사진.

G: 상부 보철물 장착 3년 후 CBCT 방사선 사진 및 6년 후 파노라마 방사선 사진.

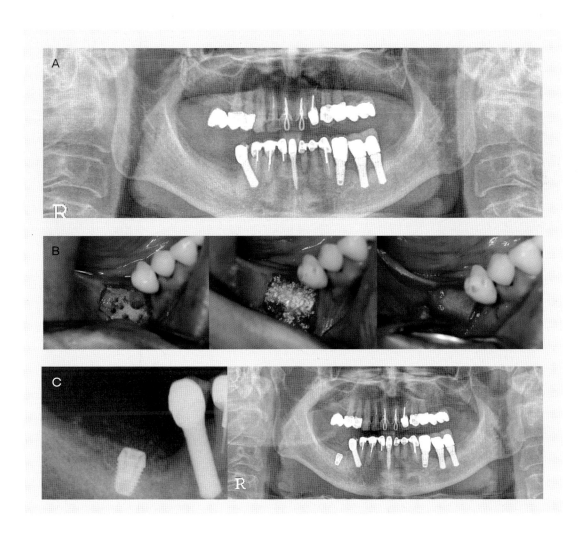

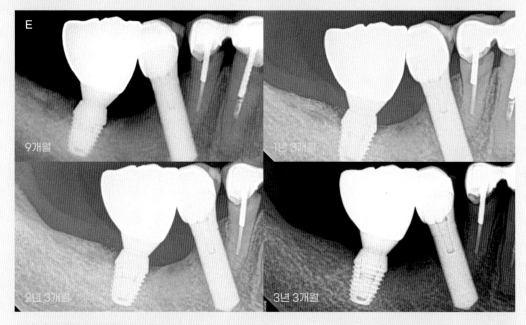

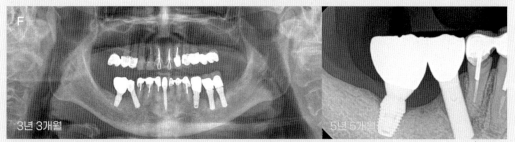

Fig 2-45 57세 여자 환자에서 #45 부위 임플란트를 의도적으로 기울여서 식립한 증례.

A: 술전 파노라마 방사선 사진. #45 부위에 똑바로 임플란트를 식립할 경우 이공을 손상시킬 위험성이 매우 큰 상태이다.

B: #45-46 부위에서 이공을 피할 수 있도록 경사지게 드릴링을 시행한 후 임플란트(Superline 4.5D/7L)를 식립하였다(Osstell 71 ISQ). 임플란트 주변 결손부에는 GBR을 시행한 후 봉합하였다.

C: 임플란트 식립 후 방사선 사진. 이공과 하악관을 침범하지 않고 안전하게 임플란트가 식립된 것을 볼 수 있다.

D: 임플란트 식립 2.5개월 후 이차수술(Osstell 80 ISQ)을 시행하였다.

E: 최종 보철물 장착 후 치근단 방사선 사진.

F: 최종 보철물 장착 3년 3개월 후 파노라마 및 5년 5개월 후 치근단 방사선 사진.

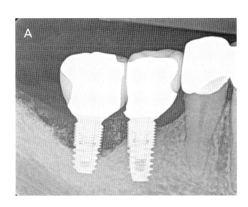

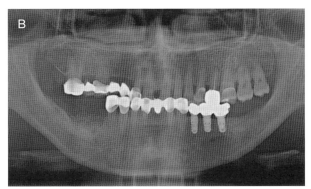

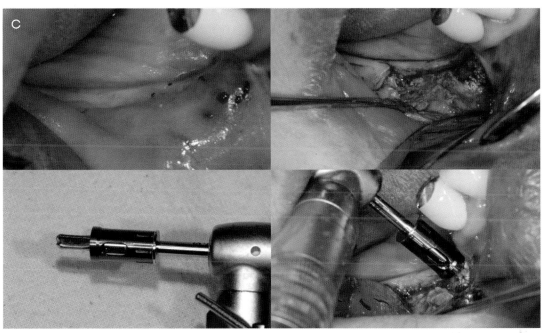

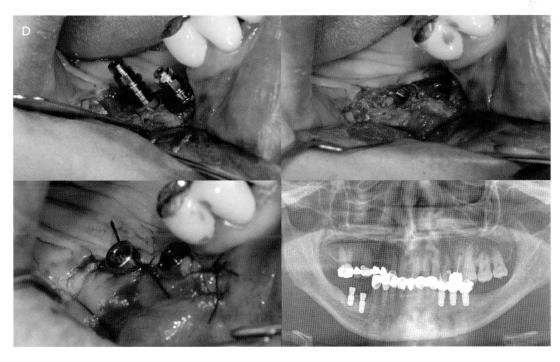

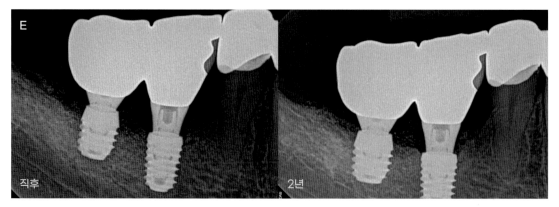

Fig 2-46 56세 여자 환자에서 임플란트 제거 후 재식립한 증례에서 신경손상을 최소화할 수 있는 특수 드릴키트를 사용한 경우.

A: 초진 시 진행된 임플란트 주위염으로 인해 제거를 결정하였다.

B: 임플란트 제거 및 골이식 후 파노라마 방사선 사진. 하악지에서 자가골 분말을 채취한 후 NOVOSIS BMP, ICB를 혼합하여 골이식을 시행하고 Remaix 차폐막을 덮고 봉합하였다.

C: 골이식 7개월 후 짧은 길이 임플란트 2개(Osstem TS III CA, #45:4.5D/6L, #46:5D/5L)를 식립하였다. 치조정접근법을 이용한 상악동점막 거상술 시 사용되는 특수 드릴키트(Osstem CAS kit)를 사용하면 하악관 상벽에 드릴이 접촉되어도 신경을 손상시킬 위험성이 현저히 낮아진다. CAS drill에 stopper를 연결하여 안전하게 드릴링을 시행하였다.

D: 임플란트의 일차 안정도가 우수하여 일회법으로 식립하고 치유 지대주를 연결하였다. 임플란트가 하악관 상벽에 아주 근접한 상태이지만 감각이상은 발생하지 않았다.

E: 최종 보철물 장착 직후 및 2년 후 치근단 방사선 사진. 임플란트 보철물은 식립 3.5개월 후에 장착되었다.

Tip 2-10 \ **매복치 발치 시 신경손상을 예방하는 방법(Gargallo-Albiol J, et al; 2000. Leung YY; 2019)**

1. **치료 전 세밀한 방사선 판독**

   하악 매복지치 치근의 비후, 골유착, 하악관 중첩, 하악관이 협소해진 경우 등은 매복치 발치 후 신경손상 위험성이 매우 높기 때문에 CT 촬영이 필수적이고 환자에게 신경손상 위험성을 충분히 설명한 후 시술에 임해야 한다(Blaeser BF, et al; 2003)**(Fig 2-47)**. 매복치가 하악관에 근접해 있거나 치근의 해부학적 변이로 인해 발치 도중 신경손상 위험성이 매우 높다고 판단되는 경우엔 의도적치관절제술(intentional partial odontectomy, IPO)와 같은 술식을 환자에게 미리 설명하고 시행하는 것이 큰 도움이 될 수 있다**(Fig 2-48)**.

2. 설측 피판을 골막기자와 같은 도구로 잘 보호하면서 발치를 시행한다. 외과용 버 등이 설측 피판을 건드리면서 설신경이 손상되는 경우가 많다**(Fig 2-49)**.

3. 매복치 발치 도중 치근이 파절되었을 경우 일부러 제거할 필요가 없다. 치근 주위에 병적 소견이 없는 경우엔 부러진 치근을 남겨두어도 거의 문제가 발생하지 않는다. 오히려 주변골을 삭제하면서 치근을 제거할 경우 하치조신경이나 설신경을 손상시킬 위험성이 증가한다**(Fig 2-50)**.

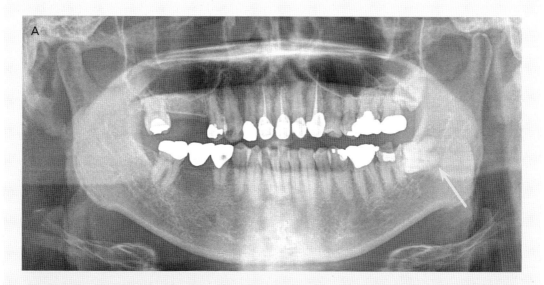

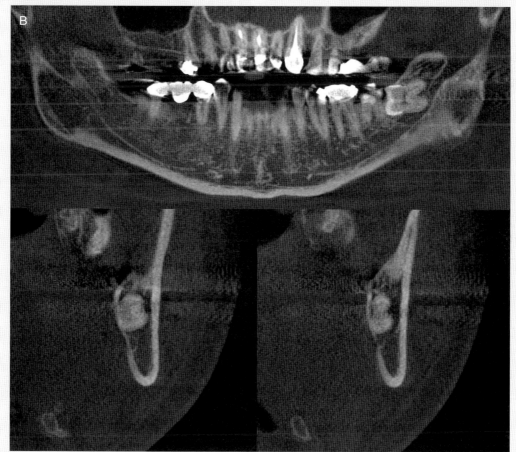

Fig 2-47 #38 수평 매복치 발치를 상담하러 내원한 39세 남자 환자의 방사선 사진.

A: 파노라마 방사선 사진에서 #38 매복치가 수평으로 깊게 매복되어 있으며 치근이 하악관과 중첩되어 있는 것을 볼 수 있다.

B: CBCT 방사선 사진에서 매복치 치근이 하악관을 밀고 있는 소견이 관찰된다. 매복치 발치 후 신경손상으로 인한 감각이상이 발생할 위험성이 매우 높다. 환자에게 신경손상 위험성을 설명하고 매복치 관련 임상증상이 없다면 발치하지 않고 주기적으로 경과를 관찰하는 것이 더 나은 방법일 수 있다.

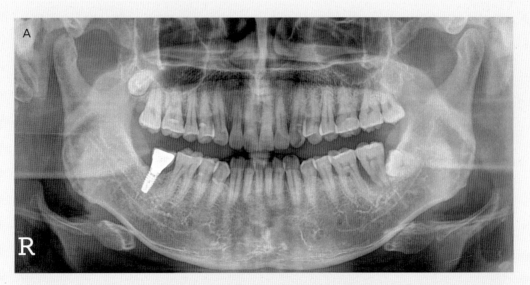

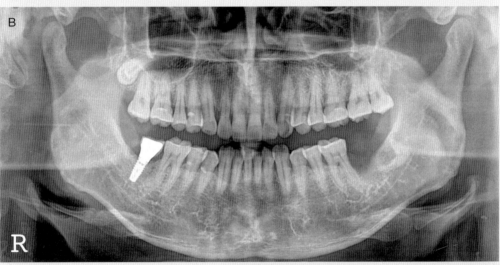

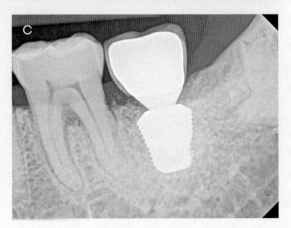

Fig 2-48 #37, 38 발치 예정인 55세 남자 환자의 파노라마 방사선 사진.

A: #38 수평 매복치의 치근 골유착과 하악관에 치근이 중첩되어 있는 소견이 관찰되어 IPO와 #37 발치를 계획하였다.

B: IPO 3주 후 파노라마 방사선 사진.

C: IPO 5년 3개월 후 치근단 방사선 사진. #37 부위에는 임플란트가 식립된 상태이며, IPO를 시행한 #38 부위는 특별한 문제점 없이 완전한 골치유가 이루어진 상태이다.

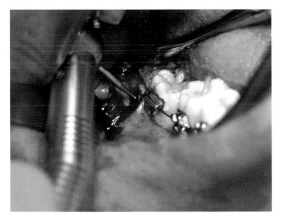

Fig 2-49 매복지치 발치를 위해 surgical bur로 치아를 절단하는 모습. Surgical bur에 설측 피판이 말리는 경우가 많기 때문에 설측 피판을 골막기자로 보호하는 것이 중요하다. Surgical bur로 치아를 완전히 절단하는 과정 중에 설측 피질골판을 삭제하면서 설신경을 손상시킬 수 있다. 따라서 치아를 완전히 절단하지 말고 설측의 일부는 남겨두어야 한다. Elevator를 사용하여 절단선을 완전히 분리한다.

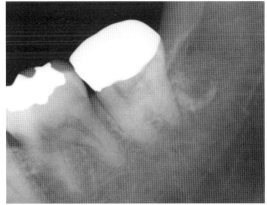

Fig 2-50 #38 매복치 발치 2년 후 치근단 방사선 사진. 파절된 치근이 잔존하고 있으나 주변 골과 잘 유착된 상태이며, 특별한 합병증은 발생하지 않았다. 파절된 작은 잔존치근을 제거하려고 시도할 경우 주변 골삭제량이 많아지거나 elevator와 같은 기구의 과도한 조작으로 인해 하악관을 손상시킬 위험성이 커진다.

Tip 2-11 | **국소마취 시 신경손상을 예방하는 방법**(Cornelius CP, et al: 2000, Hillerup S & Jensen R: 2006)

1. 리도카인을 사용하는 것이 좋다. 리도카인이 다른 마취제들에 비해 화학독성이 가장 적고 안전한 것으로 알려져 있다.

2. 주사침을 삽입할 때 환자가 전기 자극을 받은 느낌, 찌릿한 통증 등을 느끼면 즉시 주사침을 빼서 방향을 바꾼 후 주입한다. 이런 경우는 주사침이 신경을 직접 건드렸을 가능성이 있기 때문이다.

3. 하치조신경 전달마취를 시행할 때 바늘이 하악골 내면에 접촉하면서 바늘 끝이 휘어지거나 변형될 수 있다. 변형된 바늘이 조직 내에서 움직이면서 신경을 손상시킬 수 있기 때문에 주의해야 한다. 필자는 하치조신경 전달마취를 시행할 때 긴 바늘을 사용하고 하악골 내면의 골표면에 바늘을 접촉시키려는 시도를 하지 않는다. 전달마취는 신경 주변에 마취제가 주입되면 효과를 발휘하기 때문에 하악골 표면에 바늘을 접촉시키는 것은 큰 의미가 없다고 생각한다.

Tip 2-12 | **하악골에서 골편 채취 시 신경손상을 예방하는 방법**

1. 수술 전에 반드시 CBCT를 촬영하여 하악관, 이공, 절치관의 위치와 형태를 파악한다.

2. 가급적 하악지(mandibular ramus)에서 골편을 채취한다. 이 부위가 다른 부위에 비해 신경손상 위험성이 가장 낮다**(Fig 2-51)**.

3. 하악체(mandibular body)에서 채취할 경우 협측 피질골판만 조심스럽게 제거한다. 하악관이 협측 피질골판에 근접해 있는 경우가 많기 때문이다.

4. 하악골 정중부에서 블록골편을 채취할 경우 절치관 손상이 불가피한 경우가 많다. 절치관은 하악골 협측으로 치우쳐 있는 경우가 많기 때문에 하악 전치부 임플란트 식립 시 절치관 침범을 피하기 위해 약간 설측으로 경사지도록 식립하는 것이 좋다. 골편을 채취할 경우엔 4 mm 이내 깊이로 제한하는 것이 좋다(Kong N, et al: 2016)**(Fig 2-52)**.

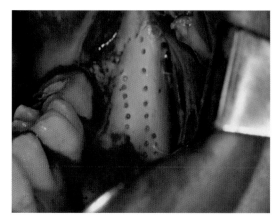

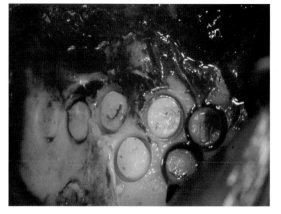

Fig 2-51 하악지에서 골편을 채취하는 모습. 하악골의 다른 부위에 비해 신경손상 위험성이 낮지만 하악관이 상방 혹은 협측에 위치할 경우엔 손상 위험성이 증가한다. 따라서 수술 전 CT를 촬영하여 하악관의 위치를 확인해야 한다.

Fig 2-52 하악골 정중부에서 골편을 채취할 경우 절치신경 손상을 피하기 위해 가급적 4 mm 이내 깊이로 제한하는 것이 좋다.

Tip 2-13 **턱교정 수술 시 신경손상을 예방하는 방법**(김영균 등; 2018, 신홍수 & 황순정; 2002, Nakagawa K, et al; 2003, Rajchel J, et al; 1986, Yamamoto R, et al; 2002)

1. 수술 전에 반드시 CBCT를 촬영하여 하악관, 이공, 절치관, 완와하공의 위치와 형태를 정확히 파악한다.
2. 하악관이 협측에 위치할수록 하악지 시상분할골절단술(SSRO) 중 신경손상 위험성이 크다. 따라서 이러한 경우엔 구내 하악지 수직골절단술(IVRO)이나 그 변형된 방법으로 수술을 시행하는 것을 고려할 수 있다(**Fig 2-53**).
3. 협측피질골과 하악관 사이의 거리는 제1대구치와 제2대구치 사이에서 가장 크고 제3대구치 부위에서 가장 작은 양상을 보인다. 환자들의 약 25%에서 하악지 부위에서 협측 피질골판과 하악관이 접촉되어 있는 경향을 보이기도 한다. 따라서 외측 피질골과 하악관 사이의 간격을 술 전에 잘 평가하여 수술 도중 신경손상을 초래하지 않도록 주의해야 한다. 협측 수직골절단술은 피질골이 가장 두꺼운 제1대구치와 제2대구치 사이에서 시행하는 것이 안전하다(**Fig 2-54**).
4. 양측피질고정성 나사(bicortical screw) 혹은 견고한 고정(rigid fixation)을 피하는 것이 좋다.
5. 신경과 같은 주요 해부학적 구조물이 근접한 부위에서 Piezoelectric surgery를 시행하면 신경손상 위험성을 현저히 감소시킬 수 있다(**Fig 2-55**).
6. 수술 중 lingula 근처의 신경이 손상 받지 않도록 조심스럽게 견인해야 한다(**Fig 2-56**).
7. 수술 도중 Steroid를 투여하면 술후 부종과 염증을 줄여 줌으로써 신경에 대한 간접적 손상을 최소화할 수 있다.

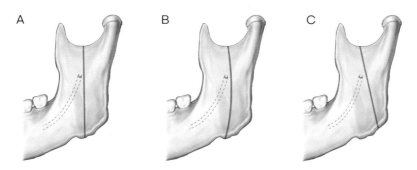

Fig 2-53 다양한 하악지 수직골절단술. **A**: vertical, **B**: C-shaped, **C**: oblique

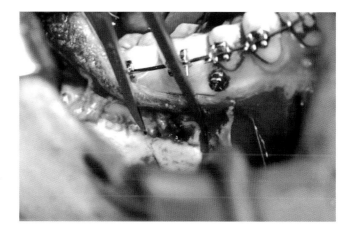

Fig 2-54 하악지 시상분할골절단술을 시행할 때 협측 수직골절단술은 제1,2대구치 사이에서 시행하는 것이 안전하다.

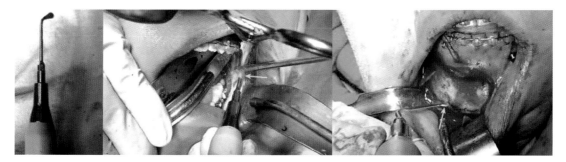

Fig 2-55 Piezosurgery saw를 사용하여 하악지시상분할골절단술과 턱하연 성형술(chin inferior border trimming)을 시행하는 모습.

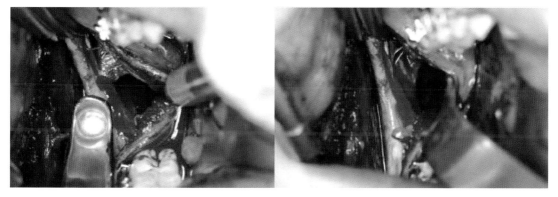

Fig 2-56 수술 부위의 설측 피판을 박리한 후 좌측에서 보이는 형태의 channel retractor를 삽입한다. 하악골 설측에는 lingula와 하치조신경 및 혈관이 있어 수술 중 손상을 받으면 출혈이 심해지고 술후 감각 마비 증상이 올 수 있다. 따라서 channel retractor와 같은 기구를 이용하여 조직을 보호해야 한다.

2) 치료

신경의 외부 노출, 견인기에 의한 압박, 술후 혈종에 의한 압박과 같은 간접적 손상은 시간이 경과하면서 잘 치유되는 경향을 보인다. 그러나 환자의 초기 불편감을 해소하고 빠른 치유를 위해 투약, 물리치료와 같은 보조적 대증요법이 유용할 수 있다. 한편 신경절단, 직접적 신경압박과 같은 자연회복을 기대하기 어려운 신경손상은 외과적 수술을 고려하여야 하며 구강악안면외과 전문의에게 의뢰한다. 그러나 신경문합술 혹은 신경이식을 통한 신경재건술을 시행하더라도 100% 감각 회복이 이루어질 수 없다는 것을 명심해야 하며 환자에게 예후에 대해 충분히 설명해야 할 것이다.

신경손상이 발생한 경우 환자를 치료한다는 개념으로 접근해야 하며, 환자와 유대관계를 돈독하게 하고 신경손상이 발생한 추정 원인, 치료법과 예후 등에 대해 상세히 설명하면서 최선을 다해서 노력하는 모습을 보여주는 것이 중요하다. 손상된 신경을 수복하여 완벽히 재생시키려는 방향으로 지나치게 집중해선 안 된다. 신경손상의 원인들은 신속히 찾아내서 해소해줘야 한다. 가령 임플란트가 신경관에 근접했거나 침범한 경우엔 발견 즉시 제거해야 한다. 근관충전제나 관련 약제가 근첨부를 넘어가서 신경관을 침범한 경우엔 외과적으로 접근하여 이물들을 신속히 제거해야 한다(김하랑 등; 2009, Gregg JM; 1995)**(Fig 2-57)**.

(1) 물리치료

① 전기자극요법

통증조절을 위한 전기자극요법은 저주파 전기침자극요법과 경피성 전기신경자극요법이 많이 사용되는 경향이 있다. 이런 치료법은 신경손상 후 감각이상을 보이는 환자들에서도 유용하게 사용될 수 있다(Somers DL & Clemente FR; 2006, Lepilin AV, et al; 2007).

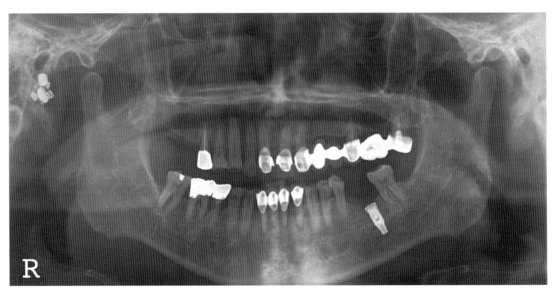

Fig 2-57 63세 남자환자에서 #36 임플란트 식립 후 감각둔화가 발생한 증례. 파노라마 방사선 사진에서 임플란트가 하악관을 침범한 소견이 관찰된다. 임플란트를 역회전 시켜 빼낸 후 관찰하는 방법은 절대로 선택해선 안 된다. 즉시 임플란트를 제거하고 제거한 구멍에 Steroid를 국소적으로 주입한 후 Steroid tapering 요법으로 경구 복용시키면서 조기에 적극적인 물리치료를 시행해야 한다.

• 저주파 전기침자극요법(Electrical acupuncture stimulation therapy, EAST)

한방에서 사용하는 침술(acupuncture)은 신체의 항유해수용계를 이용하여 통증을 감소시키는 치료법이다. 특정 부위, 즉 경혈점 자극은 아편유사제(endogenous opiates)인 endorphin 분비를 촉진시켜 통증을 감소시킨다고 한다. 치의학 분야에서는 마비 부위 점막이나 피부에 침을 삽입한 후 높은 전류(30–80 mA)를 저빈도 주파수(1–5 Hz)로 전기적 자극을 가하여 치료한다. 침 삽입 시 통증을 심하게 느끼면 pad를 부착해서 사용한다. 침 삽입은 환자가 촉각과 통각을 느끼는지를 파악할 수 있고 통증을 느낄 때까지 전기자극을 올리면서 자극을 가한다. 과학적인 근거는 확실하게 밝혀지지 않았지만 신경손상 부위에 전기침차극요법을 시행하면 회복에 도움을 줄 수 있다는 논문들이 일부 발표된 바 있다. 경혈점에 미세한 전기자극을 가하면 미세순환을 개선시키고 진통 및 근육경련을 완화시키는 효과가 있다고 한다(Hao J, et al; 1995). 지속효과가 TENS에 비해서 길고, 주로 고위 중추신경에 영향을 주어서 endorphin과 같은 내분비성 아편류를 분비하기도 해서 치료 효과가 훨씬 우수하다고 한다. 전기침 자극은 지속적으로 5일 이상 시행해야 임상적으로 통증 억제 효과가 나타난다고 하였다. 술후 통증, 턱관절 통증 및 수술 후 지각 이상의 개선에 좋은 효과를 발휘한다(Chung AR & Kim KS; 1995) **(Fig 2-58)**.

• 경피성 전기신경자극요법(Transcutaneous electrical nerve stimulation, TENS)

주파수 50–100 Hz, 전류 10–30 mA를 사용하는 전기자극요법이다. 안면근육과 저작근육을 매우 정교하고 규칙적으로 자극하고 이완시키면서 근육긴장성 경련, 근육 피로 및 통증을 완

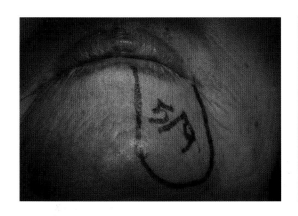

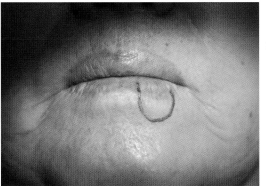

Fig 2-58 감각둔화가 존재하는 좌측 하순과 턱에 EAST 치료를 시행하는 모습.

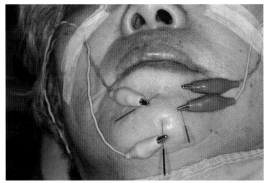

화하고 근육의 재교육, 혈액과 림프액 순환촉진, 비정상적인 근경련 감소 등의 효과를 발휘한다. 피부의 신경 섬유에 통증 역치 이하의 지속적인 자극을 가하는 술식이다. 환자는 거의 불편함을 느끼지 못하고 오히려 약간의 마취효과도 있으며, 근육의 수축이 없고, 효과도 빠르게 나타나는 장점이 있다. 발통점이나 침술을 위한 경혈에 경피성 전기자극을 가할 경우 통증조절에 매우 효과적이라고 보고되었다. 즉 말초신경 손상에 의한 통증 75%, phantom limb pain 66%, 어깨-팔 통증 62%, 등 요통의 60% 감소 효과가 보고되었다(Melzack R; 1975).

② 저수준 레이저 치료(Low lever laser therapy, LLLT)

저수준 레이저는 손상부위 조직의 회복 촉진 및 진통 효과를 발휘한다. 광에너지가 인체 조직 내에서 열에너지로 전환되어 국소 혈류 개선, 창상치유 개선, 탈수 작용, 살균 작용, 주위 세포의 활성화 등을 야기한다(Khullar SM, et al; 1996). 감각이상의 치료 시 장점이 많고 신경손상을 회복시키는 데 큰 도움을 준다고 알려져 있다. 턱교정 수술 시 골절단술 후 노출된 신경 부위에 레이저를 조사하고 수술 후 12회 적용하면 신경손상을 최소화할 수 있다고 보고되었다. 1회 레이저 조사는 830-nm infrared laser, 50mQ, spot 0.6, 20 J/cm^2 dose 였다(Prazeres LDKT, et al; 2013). 많은 학자들이 하악 매복지치 발치 후 발생한 감각둔화 혹은 마비의 치료를 위해 LLLT를 적용하여 좋은 회복 효과를 얻었다고 보고하였다(Khullar SM, et al; 1996, Ozen T, et al; 2006). 레이저의 종류에 따라 접촉 혹은 비접촉 모드로 적용하였으며, Khullar 등(1996)은 하치조신경 주행 방향을 따라서 1회 치료당 4 × 6 J을 사용하여 총 20회 치료하였다. 한 지점당 85초 정도 접촉 모드로 조사하였고 조사 부위는 하순, 구강 내의 이공 주변, 하악 제1대구치 근첨부 근처의 협측 치은, 하악공의 설측 부위였다. 치료기전은 레이저가 세포 대사를 변화시키고, 손상받지 않은 곁신경(collateral nerve)의 빛에 민감한 신경섬유들을 자극함으로써 감각이상 부위로의 성장을 촉진하여 손상된 신경의 재생을 촉진시키는 것이다. Miloro 등(2000)은 턱교정 수술 후 발생한 감각둔화의 치료를 위해 구외 피부 2부위(하순 및 이부) 및 구내 점막 2부위(이공 및 골절단부)에 한 부위당 90초씩 조사하였다. 총 7회(수술 직전, 수술 6시간 후, 수술 24시간 후, 2, 3, 4, 7일 후) 시행하였으며, 감각 회복 효과가 매우 좋았다고 보고하면서 LLLT가 신경손상의 치료에 보조적으로 사용될 수 있다고 언급하였다.

저수준 레이저(low-level laser, LLL), 즉 소프트 레이저(soft laser)가 손상된 신경의 회복에 도움이 된다는 논문들이 다수 발표된 바 있으며, 오래 지속되는 하치조신경손상 환자들의 기계수용기 인지도(mechanoreceptor perception)를 개선시킨다는 보고가 있다. 최근 적외선 레이저(Infrared laser) 조사가 턱교정 수술 후 발생하는 감각이상의 예방 및 치료에 효과가 있다는 논문이 발표되었다. 저수준 레이저가 감각을 회복시키는 기전은 Tip 2-14와 같다(Khullar SM et al; 1996, Martins DD, et al; 2012, Midamba ED & Haanas HR; 1993, Prazers LDKT, et al; 2013).

1. 기계수용기와 Aβ 섬유와 같은 말초신경의 회복에 도움을 준다. 또한 신경의 재분포 및 재생에 도움을 주고, 인접 조직으로부터 신경이 자라 들어오면서 곁신경재분포(collateral reinnervation)가 이루어질 수 있도록 해준다.
2. 영양인자(trophic factor)들의 방출을 촉진함으로써 부가적인 재신경화에 도움을 준다.
3. 신경재생속도를 촉진한다.
4. 레이저는 감광성 로돕신 인산화효소(light-sensitive rhodopsin kinase) 혹은 로돕신 인산화효소 유사단백질(rhodopsin kinase-like protein)과 반응하여 손상된 신경조직의 회복을 촉진하고 신경성 통증을 감소시킨다.

③ 온찜질 및 마사지

혈행과 조직의 신진대사를 촉진함으로써 손상된 신경 회복에 도움을 줄 수 있다.

④ 감각회복훈련(Sensory re-training)

감각회복훈련은 손상된 신경을 회복시키는 것이 아니라 중추신경계에서 자극을 받아들이는 방식에 영향을 주어 감각 회복을 도모하는 것으로 알려져 있다. 연령이 어릴수록 감각이 빠르게 회복되며 정신적인 압박이나 고통을 많이 받고 있는 사람들은 감각 회복 속도가 훨씬 느리다(Florence SL, et al; 2001, Essick GK, et al; 2007, Phillips C, et al; 2007, Phillips C, et al; 2009, 정민호; 2012).

감각이 둔한 부분을 자주 마사지하고 감각회복운동을 하루 3회 시행한다. 처음 4주까지는 입술을 중심으로 상하, 좌우 4부위로 나누어서 각각 한번씩 시행하고 4주 이후에는 감각이 둔한 부위만 시행한다. 눈을 감은 상태와 뜬 상태에서 거울을 보면서 화장솜이나 면봉을 사용하여 다음과 같은 훈련을 시행한다.

- 살짝 접촉했을 때 접촉된 부분을 느껴본다.
- 살짝 접촉했을 때 접촉된 부위를 알아내 본다.
- 좌우 혹은 상하로 살짝 이동시켜서 이동하는 방향을 맞추어 본다.

(2) 약물복용
① 스테로이드

신경손상 초기에 나타나는 염증 상태를 가장 빠르고 효과적으로 감소시키며 신경재생에 많은 도움을 준다(Seo K, et al; 2004). 신경손상 후 초기 1주일 내에 스테로이드를 사용하면 신경 회복을 촉진시키고 신경병성 통증 발생을 줄이는 데 도움이 된다(장승일 & 팽준영; 2018). 신경손상 회복을 위한 스테로이드 요법을 일명 "medical decompression"으로 칭하기도 한다 (Gatot A & Tovi F; 1986). Prednisolone, Prednisone, Dexamethasone와 같은 약물을 약 2주간 사용하는데, 초기에 고용량으로 시작하여 점차 용량을 줄이는 tapering 요법으로 처방한다 (**Tip 2-15-1~3**). 신경손상 위험성이 높은 수술(이하선절제술, 하악지 시상분할골절단술 등)을 시행할 경우, 수술 직전과 수술 도중에 스테로이드를 투여하면 예방 효과 측면에서 도움이 될 수 있다는 연구 결과가 발표되기도 하였다(Al-Bishri A, et al: 2005). 스테로이드는 가급적 오전 8시경에 복용한다. 그러나 대량의 약 복용이 부담스럽거나 위장장애가 걱정되면 오전 8시, 오후 8시 2회로 분할하여 복용하기도 한다.

Tip 2-15-1 \ **Prednisolone (Solondo) 5 mg tapering 요법**

하루 60 mg을 시작으로 tapering 하면서 총 12회 처방한다. 아침 8시경에 복용한다.
1-2일: 60 mg
3-4일: 50 mg
5-6일: 40 mg
7-8일: 30 mg
9-10일: 20 mg
11-12일: 10 mg
➡ 총 12일 복용한다.

Tip 2-15-2 \ **Dexamethasone tapering 요법**

Dexamethasone 4 mg tablet를 처방하는 것이 좋다. 0.5 mg tablet을 사용할 경우 처방 알 수가 너무 많아져서 불편하다.
1-3일: 8 mg/day
4-6일: 4 mg/day
➡ 총 6일간 복용한다.

Tip 2-15-3 \ **Methylprednisolone (Medrol) tapering 요법**(Langer P, et al: 2006)

Medrol Dosepak: 21 methylprednisolone
Day 1: 2T: 아침식사 전, 1T: 중식 후, 1T: 석식 후, 2T: 취침 전
Day 2: 2T, 1T, 1T, 1T
Day 3: 1T, 1T, 1T, 1T
Day 4: 1T, 중식 후 1T, 취침 전 1T
Day 5: 조식 전 1T, 취침 전 1T
Day 6: 조식 전 1T

---

② 비타민(Vitamin), Adenosine triphosphate disodium hydrate (ATP)

• Vitamin B

Vitamin B12, B1, B6는 신경의 대사 회복에 도움을 주는 것으로 알려져 있다(장승일 & 팽준영: 2018, Lee CH, et al: 2016). Vitamin B complex는 전신대사를 촉진시키고 영양장애를 개선시킨다. 수용성 비타민이어서 과량을 투여해도 쉽게 배설되므로 부작용 발생 가능성이 적다. Pharma mecobalamin 0.5mg은 Vitamin B12 제제로서 핵산의 합성을 촉진하고 전신대사 촉진, 영양 개선 및 손상된 수초와 축삭을 재생시키는 효과를 발휘한다. 따라서 당뇨병성 신경 합병증을 포함한 말초성 신경장애 치료에 많이 사용되고 있다.

• Vitamin C (Ascorbic acid)

연조직 구성물질인 콜라겐 섬유와 연골의 구성성분인 프로테오글리칸(proteoglycan), 골기질 등의 합성에 도움을 줌으로써 상처치유 촉진 및 면역력 강화, 술후 부종 감소 및 세포막의 손상을 야기하는 활성산소 해독 효과가 있다. 보통 하루 1~1.5 g이면 충분하며, 1일 4 g 이상을 복용하면 요결석이나 출혈성 경향을 증대시키고 복통이나 설사를 유발할 수 있다(김영진: 2003, Sun H, et al: 2012).

• Vitamin D

미각장애 치료에 도움이 될 수 있다는 의견들이 제시되었으며, 설신경 손상으로 인한 미각장애 치료에 사용해 볼 수 있다(Bigman G: 2020).

• Vitamin E (d-α-tocopherol): Auropherol, Grandpherol, Hanobac

말초순환기능장애 및 갱년기 증상(어깨, 목 결림, 수족저림, 수족냉증 등)을 완화시킨다.

• Adenosine triphosphate (ATP): Adetphos Kowa Enteric Coated (Kowa Co., Japan)

혈관확장과 신체대사 촉진을 통해 혈류를 증가시키면서 장기의 기능을 개선시키고 손상된 신경을 회복시키는 효과가 있다.

신경손상 직후 2일 이내에 ATP/Vitamin B12를 투여를 시작하고 최소 6개월간 계속 투여할 경우 신경손상 회복에 큰 도움을 준다는 연구 보고도 있다(Hasegawa T, et al: 2018).

③ 항우울제(Antidepressant)

항우울제는 저용량을 사용할 경우 만성통증을 억제하는 효과가 있다. 구강건조증, 변비, 졸린 증상과 같은 부작용이 있으며 취침 전에 복용하도록 되어 있다. 그러나 취침 전에 복용시킬 경우 아침에 졸린 증상이 지속될 수 있기 때문에 저녁 식사 1시간 후쯤 복용시키는 것도 좋다. 약물 투여 후 치료효과가 나타나기까지 장기간이 소요된다. 가령 Amitriptyline의 경우 편두통의 예방을 위해 처방할 경우 효과는 투여 개시 후 6주 시점부터 나타나기 시작한다. 신경병성 통증 치료를 위해서도 최소 6주 이상 사용하여야 한다. Notriptyline (Sensival)은 투여 1-3주 경과하면 치료 효과가 발현되기 시작하며 부작용이 Amitriptyline (10-50 mg)에 비해 훨씬 적기 때문에 Amitriptyline의 대체 약물로 많이 사용되고 있다. 1일 10-80 mg의 용량을 1-3주간 투여한다(Solberg WK, Graff-Radford SB; 1988).

④ 항경련제(Anticonvulsant)

감각이상 증상과 함께 신경병성 통증이 존재하는 경우엔 항경련제 사용이 추천된다. 신경병성 통증을 방치하면 만성화되면서 치료가 더욱 어려워질 수 있다. Carbamazepine (Tegretol), Oxcarbazepine (Trileptal), Gabapentin (Neurontin)과 같은 약물들이 많이 사용된다. Gabapentin은 carbamazepine 계열 약물에 비해 부작용이 적고 안전한 약물이지만 드물게 자살 충동을 유발할 수 있기 때문에 우울증이 존재하는 환자들에게는 사용하지 않는 것이 좋다.

(3) 주사치료

① 스테로이드 국소주사

Misch (2008)는 수술 중 하악관을 침범하였다고 판단될 경우에 다음과 같은 치료법을 제시하였다. 임플란트를 제거하고 드릴링 부위에 Dexamethasone 4 mg/ml을 주입한다. 2-3분 기다린 후 계획하였던 것보다 짧은 길이 임플란트를 식립하고 Dexamethasone을 3-5일간 경구 투여하면 1-3개월 후 회복을 기대할 수 있다고 하였다.

② 리도카인과 스테로이드 국소주사

2% 리도카인 국소마취제(1:10만 에피네프린 함유)와 스테로이드(Dexamethasone 4 mg/mL)를 1:1로 혼합하여 손상된 신경 주변에 주사한다(Wright EF; 2011). 1주 간격으로 내원하면서 증상이 완화될 때까지 주사하는데, 신경병성 통증이 동반되는 경우에 좋은 효과를 보일 수 있다.

③ 주사용 비타민

Beecom hexa는 Thiamine HCl 10 mg, Riboflavin 5.47 mg, Pyridoxine HCl 5 mg, Cyanocobalamin 10 mcg, Nicotinamide 40 mg, Dexpanthenol 5.17 mg을 함유하고 있으며 신경염, 피부염 등의 치료에 보조적으로 사용될 수 있다. 신경손상 치료 목적으로 사용할 경우엔 근육, 정맥주사를 할 수도 있지만, 마비 부위 조직에 국소적으로 주사하여도 무방하다.

④ Prostaglandin E_1 제제

Prostaglandin E_1 제제(Eglandin 10 mcg/2 mK, Eglandin 5 mcg/1 mK, Prostandin 20 mcg/2 mL)는 혈관 평활근과 동맥관 평활근에 직접 작용하여 혈관을 확장시킴으로써 말초혈행장애에 수반하는 자각증상을 개선시키고, 말초 순환을 개선시키면서 신경기능을 회복시키는 데 도움을 주는 약물이다. 원래 용법대로 정맥주사할 경우 혈압강하, 혈관염, 안면홍조, 구역, 복통, 설사, 발열, 발진 등과 같은 부작용이 잘 발생한다. 따라서 신경손상 치료 목적으로 사용할 경우엔 마비 부위의 피부나 점막에 국소적으로 소량 주사하는 방법이 추천된다.

⑤ Hyaluronic acid (HA)

HA는 glycosaminoglycan 고분자 화합물로 세포외 기질(extracellular matrix)의 주요 구성요소 중 하나이다. HA는 제3대구치 발치 후 주입할 경우 상처치유 촉진, 육아조직 형성 촉진, 항염증 작용, 재상피화 및 혈관신생 촉진 등의 효과를 보이는 있는 것으로 알려져 있다(Koray M, et al; 2014, Gocmen G, et al; 2015, Mendes RM, et al; 2008). Maria 등(2020)이 발표한 메타 분석에 의하면 제3대구치 발치 직후 HA가 주사된 경우 술후 7일째의 평균 통증 수준이 낮은 것으로 나타났다.

Lee 등(2007)은 백서 좌골신경을 절단 후 봉합하고 해당 부위에 4종의 약제(dexamethasone, hyaluronic acid, 양수, 생리식염수)를 점적한 후 신경재생의 정도를 비교하였고, 12주 경과 후 HA를 투여한 군이 다른 군에 비해 근전도 검사 결과 가장 양호한 결과를 보였으며, 유수신경의 개수가 가장 많이 나타났음을 보고하였다. Gong 등(2012)은 비골신경압박 동물 모델에서 HA를 신경 주위에 국소 점적한 결과, 10주 경과 후 대조군에서는 손상된 신경 주위로 주변 조직과의 유착과 함께 섬유조직 침윤이 관찰된 반면, HA 적용군에서는 정상과 같은 신경조직과 함께 섬유조직 침윤이 관찰되지 않았음을 보고하며, HA가 말초신경 재생 촉진 효과가 있음을 보고하였다.

⑥ 성상신경절차단(Stellate ganglion block, SGB)(Fig 2-59)

교감신경을 차단하여 혈류를 증가시키고 신경섬유로의 혈행을 개선시킴으로써 신경섬유의 재생이 촉진될 수 있다. 성상신경절차단 마취를 시행하면 손상된 신경의 회복이 유의하게

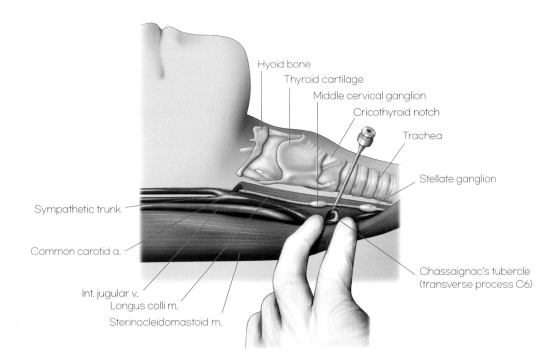

Fig 2-59 성상신경절차단 마취를 시행하는 모식도.

빠르다는 연구 보고들이 많이 발표되었다. 그러나 손상 직후부터 초기에 시행할 경우 효과를 기대할 수 있으며 손상 후 시간이 많이 지연될수록 지각 회복이 어렵다(Graff-Radford SB & Evans RW; 2003, 이종호 & 김명진; 2006).

SGB는 complex regional pain syndrome (복합부위통증증후군), 대상포진 후 신경통, 편두통, 외상 후 스트레스장애, 혈액순환 장애, 안면신경마비, 안면부위의 통증치료에 많이 사용되는 술식이다. 통증을 치료하는 작용 기전은 다음과 같다. 혈관을 확장시켜 혈액순환을 개선시키고 척수에서 substance P를 감소시키거나 혈장 카테콜아민을 감소시켜 통증을 줄여준다. 또한 멜라토닌 분비를 정상화시켜 외상 후 스트레스 장애 및 불안장애 증상을 완화시키면서 손상된 신경의 기능을 회복시켜 준다(전영훈; 2014, Hanamatsu N, et al; 2002).

(4) 외과적 치료

외과적 치료는 적응증이 된다면 빨리 시행하는 것이 손상된 신경의 회복에 큰 도움을 준다. Kim 등 (2013)은 하치조신경 손상을 약물과 물리치료를 이용하여 보존적으로 치료할 경우, 감각이 전혀 회복되지 않거나 이상 감각으로 남는 비율이 70% 정도를 차지하였다고 보고하였다. 따라서 증상이 악화되거나 잘 회복되지 않을 경우 외과적 처치와 같은 적극적인 치료 필요성을 조기에 결정하는 것이 중요하다. 신경절단, 직접적인 신경압박과 같은 자연 회복을 기대하기 어려운 신경손상은 외과적 수술을 고려해야 한다. 그러나 신경이식술과 같은 신경재건술을 시행하더라도 100% 감각 회복이 이루어질 수 없다(Robinson PP, et al; 1996, 2001; Graff-Radford SB & Evans RW; 2003). 외과적 수술의 임상 성적은 술자의 술기와 수술을 시행하는 시기에 따라 민감한 반응을 보인다. 경험이 많은 외과의사들이 손상 6개월 이내에 수술할 경우 80-90%의 회복을 달성할 수 있다. 장기간 신경병성 통증이 지속되는 경우에도 외과적 치료가 비외과적인 치료에 비해 좀 더 좋은 효과를 보인다.

신경손상은 가능한 조기에 원인 제거와 함께 미세외과적 신경초성형술 및 포관술(microsurgical explorations and repairs: epineurectomy, decompression neurolysis, and neurorrphaphy)이 권유되지만 손상 후 1년 이상 경과되고 통증이 심한 경우엔 손상부위 신경종조직의 완전 절제 후 미세재건하는 것이 보다 효과적이다(Kim MR, et al; 1998). Pogrel (2002)은 5년간 시행된 미세신경수술 환자 51명을 조사하였다. 객관적 신경 평가와 환자의 주관적 평가는 일치하지 않았으며, 환자들의 50% 이상에서 감각이 개선되는 효과를 보였고 수술 전에 불쾌감각이 없었던 환자들에서 수술 후 불쾌감각이 발생한 경우는 없었다. 신경수술은 조기에 시행(10주 이내)할수록 경과가 좋으며 비교적 합리적인 결과를 보였다. 그러나 수술 후 전혀 개선이 없었던 환자들도 많이 있기 때문에 환자에게 충분한 설명과 동의를 얻은 후 수술을 진행하는 것이 추천된다.

Yamauchi 등(2006)은 3명의 설신경 손상을 수복한 증례들을 보고하였다. 술후 미각은 회복되지 않았지만 감각은 많이 회복된 양상을 보였고, 술전에 비해 상황이 더 악화된 경우는 없었다. 설신경 손상이 발생한 경우엔 즉시 혹은 조기(3개월 이내)에 신경재건술을 시행하는 것이 좋다. Susaria 등(2007)은 손상된 삼차신경의 외과적 치료 후 예후를 평가하였는데 하치조신경은 1년 후 75%의 회복을 보였다. 수술 전에 신경종(neuroma)이 존재하던 환자들에서 기능적 회복을 얻는 것이 더 어려웠다고 보고하였다.

① 신경감압술(Decompression)(Fig 2-60)

　　신경관을 압박하고 있는 임플란트나 이물들을 신속히 제거하고 손상받은 신경 주위에 접근하여 반흔성 조직이나 염증성 조직을 제거함으로써 신경에 가해지는 압박을 감소시키는 술식이다. 손상 직후 빠른 시간 내에 수술하는 것이 예후가 좋다. 근관충전재나 관련 약제들이 하악관으로 들어간 경우엔 협측 피질골판을 제거하여 신경관을 노출시킨 후 식염수 등으로 충분히 세척하여 제거한다. 감각이상과 함께 신경병성 통증이 동반되는 경우는 손상부에 외상성 신경종(traumatic neuroma)이 형성된 경우가 많기 때문에 외과적으로 접근하여 미세현미경 수술을 통해 신경종과 주변의 반흔성 조직을 제거하여 신경에 가해지는 압력을 감소시킨다(Grotz KA, et al; 1998, Scolozzi P, et al; 2004, Song JM, et al; 2016). 설신경 손상 및 통증이 지속될 경우 설측 점막골막피판을 박리하여 조심스럽게 설신경을 노출시키고 주변의 반흔 조직들을 미세현미경으로 관찰하면서 제거한 후 신경 주변에 스테로이드를 주사한다(Kim MR, et al; 1998, Joshi A&Rood JP; 2002).

- **외부 감압법(External decompression)**

　　가장 많이 시행되는 술식으로서 주위의 반흔 조직, 이물, 뼈, 치아파편들로부터 신경을 분리시켜서 신경에 가해지는 압력을 해소시키는 방법이다.

- **내부 감압법(Internal decompression)**

　　미세 가위나 미세 칼날로 신경 상막을 종으로 절개하여 신경 내부의 압력을 줄여주는 방법

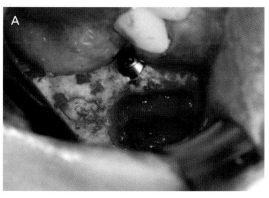
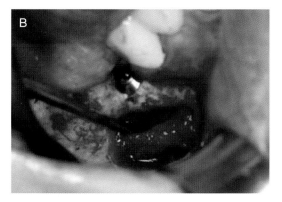
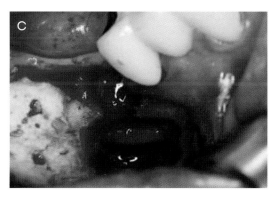

Fig 2-60 임플란트 식립 후 우측 하순과 턱의 감각둔화 및 신경병성 통증이 지속되어 하치조신경감압술을 시행한 증례.
A: 하악체 협측 피질골창을 제거하여 하치조신경을 노출시키는 모습.
B: 하치조신경을 박리하는 모습.
C: 미세수술용 가위로 신경 주위의 흉터 조직들과 임플란트를 제거하였다.

② 신경문합술(Nerve anastomosis) 혹은 신경이식술(Nerve graft)

끊어지거나 심하게 손상된 신경을 재건하는 방법들은 직접 끊어진 부분을 이어주는 방법, 다른 신경을 채취하여 이식하는 방법, Goretex tubing 등의 방법이 있다. 하치조신경이나 이신경에 접근하기 위해 하악골의 협측 피질골판을 제거하여 손상된 신경을 노출시킨다(Miloro M; 1995, Auniga JR, et al; 1992). 손상된 신경을 외과적으로 재건해 주더라도 완전한 회복을 기대할 수 없고 감각이상과 환자의 불쾌감은 지속된다. 그 이유는 신경문합술 혹은 신경이식술을 시행하여도 수초는 정상적으로 재연결되지 않기 때문이다(Harvey AR, et al; 1995, Pereira LV, et al; 2019, Techawattanawisal W, et al; 2007, Walsh S & Midha R; 2009). 다음과 같은 적응증과 금기증을 숙지하고 적응증에 해당된다면 빨리 수술을 시행하는 것이 좋다(Hegedus F & Diecidue RJ; 2006, Nazarian Y, et al; 2003)**(Tip 2-16, 17)**.

Tip 2-16 \ Indications of nerve reconstructive surgery

1. 신경 절단이 분명한 경우
2. 3개월 이상 완전 마비증상이 지속되는 경우
3. 4개월 이상 불쾌감각, 감각저하가 지속되는 경우

Tip 2-17 \ Contraindications of nerve reconstructive surgery

1. 전달마취를 시행하였을 때 불쾌감각이 소멸되지 않는 경우(Dysesthesia not abolished by local anesthetic nerve block)
2. 감각이 점차 회복되는 징후를 보이는 경우
3. 신경손상 후 기간이 너무 많이 경과한 경우("Excessive" delay after injury)
4. 비조절성 전신질환을 보유한 환자들

---

(5) 최신 혹은 미래의 치료

2000년대 초부터 신경재생을 위해 Erythropoietin (EPO), 줄기세포를 이용하여 치료하는 것들에 대한 연구들이 활발하게 시행되고 있다(Brines ML, et al; 2000, Ehrenreich H, et al; 2002, Kaptanoglu E, et al; 2004, Shingo T, et al; 2001). 일부 학자들은 혈소판 농축 섬유소(platelet rich fibrin, PRF)가 신경손상의 치유에 좋은 역할을 한다고 언급하였다. 즉 하치조신경전위술 후 PRF를 적용할 경우 6개월 이내에 신경치유가 잘 이루어지면서 환자가 불편감을 느끼는 기간이 현저히 감소되었으며, 신경이식술을 시행한 후 PRP, PRF를 적용할 경우 치유가 촉진된다고 주장하였다(Khojasteh A, et al; 2016). 신경성장인자들을 이용하여 재생시키려는 실험적 연구들이 시행되기도 하였으나, 아직 임상에는 적용할 수 없는 실정이다(Farhadieh RD, et al; 2003, Gao EF, et al; 2006).

(6) 신경손상이 발생한 시기에 따른 치료 가이드라인

① 신경손상 초기

손상 직후에는 단기간 스테로이드를 사용하는 것이 좋으며 항염증, 세포부종 완화, 신경세포 생존에 관여하는 단백질 합성, 축삭 재생, 신경성장요소 유도 등의 기전을 통해 신경손상을 회복시킬 가능성이 있다. 조절되지 않는 내분비질환과 같은 절대적 금기증에 해당되지 않는다면 조기에 적극적으로 스테로이드를 투여함으로써 부종과 외상에 의한 염증반응을 최소화하고 신경영양(neurotrophic) 효과가 있어 신경회복에 도움을 줄 수 있다. 스테로이드는 초기에 많은 양을 투여한 후 점차 용량을 감소시키는 테이퍼링(tapering) 요법이 추천된다(Seo K, et al; 2004).

② 손상 10일-3개월 경과

- **비타민 제제 경구 복용**
- **항우울제(antidepressant) 혹은 항경련제(anticonvulsant) 복용**

  통증이 동반되는 경우엔 신경병성 장애(neuropathic disorder)의 하나로 간주하고 Amitriptyline, Nortriptyline (Sensival)과 같은 항우울제, Carbamazepine (Tegretol), Oxcarbazepine (Trileptal), Gabapentin (Neurontin)과 같은 항경련제 사용을 고려한다. Topamax, Effexor XR 등의 약제도 오래 지속되는 신경병성 통증 치료에 저방될 수 있나.

- **국소도포용 제제**

  구강 내 적용을 쉽게 하기 위해서 인상을 채득한 후 스텐트를 제작하여 내면에 국소도포용 약제를 바르고 착용하면 구강 내 특정 부위에 장시간 도포제를 적용할 수 있다(Scrivani SJ, et al; 1999).

  A. 캡사이신은 말초신경 손상으로 인한 신경병성통증 발현 시 Substance P 생성 억제를 통한 진통 효과가 있다고 알려져 있다. 국소마취 연고와 캡사이신(Zostrix)을 1:1의 비율로 혼합하여 화끈거리는 통증 부위에 5일간 하루 5회 도포하고 이후엔 3주간 하루 3회씩 도포하면 증상 완화에 도움을 줄 수 있다. 환자가 화끈거리는 증상을 잘 견디지 못하면 더 강한 국소마취 연고(4% lidocaine or EMLA cream)로 대체할 수 있다(Graff-Radford SB & Evans RW; 2003).

  B. Topical Clonazepam (0.5–1.0 mg 3 times per day)

  Clonazepam을 구강 내에서 녹인 후 감각이상이나 통증이 있는 부위에 일정 시간 머금고 있다가 뱉어낸다. 그러나 삼켜도 무방하다. 하루 3회 3분씩 10일간 적용하면 화끈거리는 증상을 감소시키는데 효과적이라고 보고되었다(Woda A, et al; 1998).

③ 장기간 경과한 경우

손상된 신경의 회복 가능성은 더욱 낮아진다. 환자의 신경병성 통증을 완화시키기 위한 보조 목적으로 관련 약물들을 사용한다. 무감각증과 신경병성 통증이 지속되면서 환자의 삶의 질을 현저히 감소시키는 상황이라면 외과적 처치를 고려해 볼 필요가 있다.

(7) 임플란트 식립 후 발생한 신경손상의 치료에 대한 6가지 가이드라인(Alhassani AA & AlGhamdi AS; 2010, Basa O & Dilek OC; 2011, Juodzbalys G, et al; 2013, Nazarian Y, et al; 2002, Pogrel MA & Thamby; 1999, 2000, Smith MH, et al; 2006, Walton JN; 2000)

① Step 1: 하치조신경 혹은 이신경 손상 확인
- 환자의 주소와 증상을 통해 확인
- 주로 감가이상, 간각마비 혹은 가려운 증상을 호소한다. 이신경 근처 잇몸이나 아랫 입술 근처 피부를 건드리면 찌릿한 통증을 호소하기도 한다.

② Step 2: 위험요소 파악

일반적인 위험요소	수술 중 위험요소	술후 위험요소
골다공증, 심한 치조골 흡수, 방사선 검사에서 하악관, 이공, 절치관의 해부학적 변이	국소 마취 과정, 드릴링 과정, 임플란트 길이	술후 감염, 혈종 등

③ Step 3: 병인론 파악
- Step 2의 위험요소들이 실제 신경손상에 관여하였는지 평가한다.

④ Step 4: 신경 기능 이상 진단
- 임상 및 전기생리학적 검사
- 체열검사

⑤ Step 5: 신경손상의 치료
- 식립 후 36시간 내에 소인들을 제거한다. 가령 임플란트가 하악관이나 이공에 근접해 있다면 즉시 제거한다.
- 심한 종창, 혈종, 감염에 대한 적극적인 치료
- 수술 중 신경 근처에 압박이 가해졌거나 신경관을 직접 침범한 것이 확인되었다면 신경 근처에 4 ml의 Dexamethasone (4 mg/ml)을 주사한다.
- 물리치료는 초기부터 적극적으로 시행한다. 횟수의 제한은 없으며 환자가 내원할 수 있다면 자주 해 주는 것이 좋다.
- 술후 약물치료
  - 경미한 손상: 고용량의 NSAIDs (예: 400-600 mg of Ibuprofen) tid PO for 7days
  - 중등도 혹은 심한 손상: Dexamethasone 혹은 Prednisolone 스테로이드 경구 투여
  - 부가적으로 800 mg Ibuprofen을 하루 3번 최대 3주까지 처방(위장장애에 대한 대비)
- 감각이상이 장기간 지속되는 경우: Vitamin 제제 장기 투여
- 신경병성 통증이 지속되는 경우: 항경련제, 항우울제, 국소적 도포 약물 사용

⑥ Step 6: 신경손상의 회복에 대한 경과관찰
정해진 관찰 주기는 없다. 임상가들이 환자들의 증상 및 개인적 상황들을 고려하여 내원 주기를 설정한다. 가능한 모든 치료법을 적용하면서 환자의 회복을 위해 최대한 노력하고 있다는 자세를 보여줘야 한다.

삼차신경 손상은 자발적인 신경 재분포 및 회복을 보이면서 비교적 좋은 예후를 보일 수 있다. Kim 등(1996)은 하악골절제술과 재건술을 시행한 증례들에서 하치조신경 감각회복에 대한 평가 결과를 발표하였다. 수술 당시 하치조신경은 완전히 절제되었고 신경재건술은 시행되지 않았다. 신경평가가 가능했던 6명의 환자(하치조신경을 포함한 하악골절제술)들에서 경미한 감각이상만 관찰되었으며, 신경이 절단되었음에도 불구하고 감각소실 부위는 광범위하지 않았다(Fig 2-61). 손상된 감각신경이 자연 회복되는 기전은 무엇인가? 확실하게 원리를 알 수 없지만 일부 학자들은 인접 신경들에 의한 신경 재분포를 언급하였다. 즉 하치조신경이 절단되더라도 편측의 악설골(mylohyoid), 설신경, 협신경과 반대 측 하치조신경에 의한 신경 재분포가 이루어질 가능성을 언급하였다(Bouloux GF & Bays RA; 2000, Robinson PP; 1981). Park 등(2012)은 임플란트 식립 후 하치조신경에 압박성 손상이 가해진 증례들을 보고하였다. 임플란트를 제거하고 약물 및 물리치료를 시행하면서 경과를 관찰한 결과, 대부분 하악관 내에서 양호한 신경재생이 일어났으며 환자들이 시간이 지나면서 감각이상에 잘 적응할 수 있다고 하였다.

Alling III (1986)는 하악 제3대구치 발치 후 발생한 하치조신경과 설신경의 감각이상 및 불쾌감각의 자연 회복율은 하치조신경 96.5%, 설신경 87%라고 보고하였다. 하치조신경은 하악관을 따라 회복이 인도되기 때문에 설신경에 비해 좀 더 높은 회복율을 보인다고 한다. Kim 등(2011)은 신경손상이 발생한 30명의 환자들을 조사하였으며, 경과관찰 기간 중에 감각이상과 신경병성 통증이 현저히 감소되는 양상을 확인하였다. 턱교정 수술 후 감각이상 발생률이 매우 높고 어떤 학자들은 100% 감각이상을 보인다고 보고하기도 하였다. 그러나 시간이 경과하면서 대부분 정상으로 회복되며 영구 장애를 보이는 경우는 매우 드물다. 감각이상이 남아있더라도 잘 적응하는 경향을 보이지만 환자들의 개인 성향에 따라 많은 차이를 보인다. 또한 1년 후 거의 정상 감각을 보이는 환자들이라 할지라도 이들 중 31%는 이부에서 변화된 감각이 계속 남아있었다(Lee J, et al; 2002, Pogrel MA, et al; 211, Ylikontiola L, et al; 2000).

Cheung 등(2010)은 하악 매복지치 발치 후 신경손상에 관한 전향적 임상연구 결과를 발표하였다. 하치조신경 손상 빈도는 0.35%, 설신경 손상은 0.69%를 차지하였다. 하치조신경 손상 환자들의 67%, 설신경 손상 환자들의 72%는 2년 이내에 완전히 회복되었다. 신경절단과 같은 심각한 손상이 없고 원인들을 초기에 제거하고 적극적으로 약물 및 물리치료를 시행하면 시간이 경과(6개월-2년)하면서 객관적 증상들은 거의 회복될 수 있다(Leung YY, et al; 2012, Mohammadi Z; 2010). 그러나 완전한 감각 회복이 이루어지는 경우는 드물며, 환자들의 주관적 증상들은 계속 남아 있을 수 있다. Zuniga 등(1997)은 설신경 손상을 받은 12명의 환자들을 대상으로 한 연구를 시행하였다. 모든 환자들은 초진 시 혀 전방부에서 citric acid를 인지할 수 없었고 완전한 감각소실을 보였다. 그러나 12개월 후 50%의 환자들에서 버섯유두(fungiform papillae)의 현저한 증가를 보였고 저작, 느낌, 미각, 발음에서 현저한 개선을 보였음을 발표하였다. 설신경 손상을 진단할 때 혀 전방부의 미각 민감도와 손상 측에서 건강 측에 비해 감소되는 버섯유두의 개수를 확인하는 것이 도움이 될 수 있다고 한다.

Kim 등(2013)은 임플란트 치료 후 발생한 하치조신경 손상 환자를 보존적으로 처치한 후향적 연구

CHAPTER 2

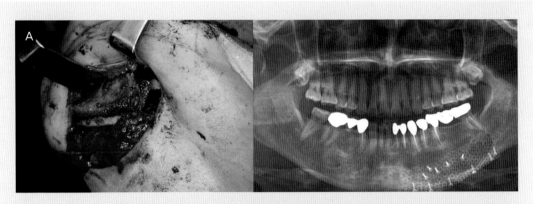

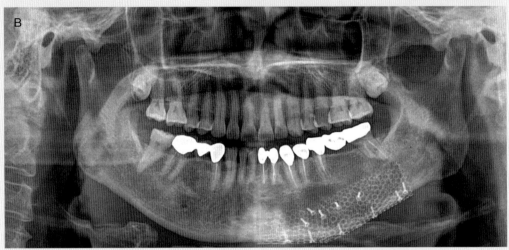

Fig 2-61 44세 여자 환자에서 좌측 하악골 법랑아세포종 수술 후 즉시 재건술을 시행한 증례.

A: 종물과 주변의 정상 부위를 포함하는 하악골절제술을 시행하고 자가장골이식을 시행하였다. 수술 중 하치조신경은 절제술에 포함되어 제거되었고 신경재건술을 시행하지 않았다.

B: 수술 15년 후 파노라마 방사선 사진. 하치조신경의 상당 부분이 절제되었음에도 불구하고 환자는 통각, 촉각, 온각 및 냉각을 정상적으로 느끼고 있으며, 신경병성 통증도 없는 상태이다.

결과 70%의 환자들이 거의 개선되지 않았음을 보고하였다. 이들은 하치조신경과 임플란트의 근접도와 임플란트 제거, 감압술(decompression) 혹은 투약과 같은 조기의 적극적인 치료 여부가 감각회복에 중요한 영향을 미친다고 하였다.

신경세포가 재생되면서 상방 점막 및 피부의 따끔거리거나 찔리는 듯한 느낌, 화끈거림, 벌레가 기어가는 듯한 느낌을 호소하게 되고 시간이 가면서 점차 통각 및 촉각을 회복해 나간다. 그러나 쿡쿡 쑤시는 감각이나 갑작스러운 통증, 경미한 접촉이나 온도 자극 등으로 강한 통증을 느끼는 경우(통각 과민증) 신경병성 통증이 동반된 것으로 판단하고 통증 조절을 위한 적극적인 치료가 이루어져야 한다. 신경병성 통증이 만성화되면 신체화 증상이 동반되면서 환자에게 극심한 고통을 유발하게 된다.

1) 변성(Degeneration)

신경이 절단될 경우 절단부를 기준으로 원심부(distal portion)는 변성되어 축삭과 수초가 소실되지만, 근심부(proximal portion)의 신경세포체에 가까운 부분은 건전하게 유지된다. 이런 현상을 왈러변성(Wallerian degeneration)이라고 명명한다. 퇴행성변성(Retrograde degeneration)은 축삭이 절단될 때 근심부의 신경세포체(nerve cell body)에 나타나는 변화를 의미하며 핵의 위축 및 측방 편위, 니슬소체(Nissl body)의 소실이 발생하게 되고 이런 현상을 염색질융해(chromatolysis)라고 한다.

2) 재생(Regeneration)

중추신경은 재생되지 않지만 변성된 말초 신경은 원인이 제거되면 24시간 이내에 재생이 시작된다. 신경의 중심에서 "growth cone"이라는 신경의 흉터조직이 슈반신경초(Schwann's sheath)를 찾으려고 시도한다. "growth cone"은 하루에 1.5 mm씩 원심측으로 성장하면서 새로운 수초(myelin)를 만들게 된다. "Growth cone"을 건드리면 이상 통증과 벌레가 이어가는 듯한 느낌이 발생한다. 이런 증상을 Tinel's sign이라고 명명하며 신경이 재생되어 가고 있는 것을 의미한다. 손상된 신경의 원심 측에 흉터와 같은 덩어리가 형성되면서 재생을 방해하고 신경병성 통증을 유발할 수 있다. 원심 측에 형성된 덩어리를 외상성 신경종(traumatic neuroma)이라고 칭한다.

신경이 재생되는 속도는 하루 1–4 mm이고 직경이 굵고 수초막이 두꺼운 신경일수록 회복이 불량하다. 빨리 회복되는 속도는 통각, 촉각, 고유수용기 관련 신경, 운동신경 순이다. 연령이 어릴수록, 신경말단부와 손상부위와의 거리가 짧을수록 회복이 양호하다. 턱교정 수술 후 손상받은 larger myelinated fibers (A–α)이 small myelinated and unmyelinated nerve fibers에 비해 회복 속도가 늦고 덜 회복되는 양상을 보인다. 술후 6개월 이상 경과하면서 감각의 회복은 양호한 양상을 보인다. 객관적 테스트에서 지속적인 감각이상 징후를 보인다 하더라도 환자들은 잘 적응하면서 정상적인 감각기능을 보이는 경향이 많다(Fridrich KL, et al: 1995, Kim YK, et al: 2011).

설신경 손상의 예후는 좋지 않다. 하치조신경은 하악골이라는 단단한 장벽이 있고 혈류공급도 좋은데 반해 설신경은 연조직에 박혀 있기 때문에 같은 조건에서 손상 정도가 더 심할 수밖에 없다. 10–12주 이후에도 설신경 손상으로 인한 감각이상 및 신경병변성 통증이 지속되면 신경감압술과 같은 외과적 처치를 고려해 볼 필요가 있다. 그러나 외과적 치료 선택에 주의를 기울여야 한다. 즉 외과적 처치를 한다고 해서 완전히 회복되는 것이 아니다. 오히려 좌우 신경이 각각 지배하고 있기 때문에 반쪽 만으로도 일상생활이 가능하다. 오히려 외과적 수술을 시행할 경우 조직 손상을 크게 하고 문제를 더 악화시킬 수 있다. 감각이상과 함께 이질통(allodynia)이 동반되는 경우가 가장 좋지 않으며, 예후를 예측할 수 없다. 환자는 가족, 친구 및 직장동료들과 잘 지내지 못하면서 사회적으로 고립되어 정신적 장애가 발생할 수도 있다. 한편, 의원성으로 발생하는 신경장애는 손해배상금을 받기 전까지는 자각증상의 경감, 개선을 인정하지 않는 자세를 취하는 환자들도 많이 있다. 감각의 회복은 통각이 가장 먼저 회복된다. 그 다음은 거칠고 큰 진동감각, 동적 촉각, 정적 촉각, 미세한 진동감각 순이다(최재갑 등: 2019).

환자의 변화된 감각은 주관적이면서 확실한 경과를 예측할 수 없기 때문에 환자에게 적절히 설명하기가 어렵지만 절대로 피하지 말고 가능한 원인과 경과에 대해 상세히 설명하고 대처하는 것이 환자와의 분쟁을 최소화할 수 있는 유일한 방법이다. 신경손상은 시간이 지나면서 마비의 범위나 감각 둔화가 많이 감소되며 영구적인 마비 부위가 남더라도 생활에 큰 지장이 없을 정도로 적은 범위에 국한되는 경우가 많다. 그러니 예민한 환자들은 변화된 감각에 대해 매우 민감해하고 손상 전 상태로 회복되지 않는 것에 대해 심각하게 이의를 제기하는 경향이 있다. Thygesen 등(2008)은 하악지 시상분할골절단술 후 신체 감각 기능에 영향을 미치는 위험요소들에 대해 연구한 결과 외과적 술식, 술 중 위험요소와 환자들의 개인적 요소가 신체감각기능 변화에 영향을 미치는 중요한 요소들이라고 언급하였다. 환자들에 따라 신경손상을 받은 후에도 적응능력이 우수하여 잘 회복되는 경우가 있는가 하면 경미한 손상에도 불구하고 회복이 잘 안 되는 경우도 있다.

신경손상의 상태, 손상 부위, 환자의 연령 등에 따라서 다르지만 경도의 손상이라면 조기에 대부분 회복되며, 완전히 절단되더라도 말초신경의 재생, 인접 다른 감각신경과의 문합 등을 통해 신경섬유가 재생 회복되는 경우가 많으므로 환자와의 지속적인 대화 및 정성스러운 진료를 통해 환자를 관리해 나가는 것이 대단히 중요하다. 환자의 객관적 증상은 정상에 가깝게 회복될 수 있다 하더라도 주관적 증상은 완전히 회복되지 않는 경향을 보인다. 따라서 환자와의 좋은 유대관계를 유지하는 것이 의료분쟁을 방지할 수 있는 유일한 방법이라고 생각되며, 환자가 술후 감각이상 증상을 호소할 경우에는 즉시 투약, 물리치료와 같은 요법을 시행하여야 하고, 의료분쟁이 우려될 경우에는 즉시 전문병원으로 의뢰하여 전문가의 조언을 받는 것이 좋다(김영균 등; 2008).

1) 회복 유무 및 기간

신경손상이 발생하였을 때 환자와 시술한 치과의사들이 가장 궁금해하는 것은 감각이상이 해소되는 기간과 완치될 수 있는지 여부이다. 완치 여부에 대해서는 앞에서 설명하였고 회복되는 기간은 손상 정도, 환자의 연령, 전신건강, 환자의 심리상태 등 여러가지 요소들에 따라 많은 차이를 보이기 때문에 확실하게 회복기간을 확신할 수 없다. 감각이상은 환자의 주관적 증상이기 때문에 회복 유무를 판단하는 것은 현실적으로 어렵다. 경미한 손상의 경우 통상적으로 6개월 이내에 회복되는 것으로 알려져 있지만 그렇지 않은 경우도 매우 많기 때문에 환자에게 설명할 때 주의가 필요하다. 1–2년 사이에 회복되는 경우도 많기 때문에 초기에 성급하게 영구손상으로 진단하고 보상 등을 논의하는 것은 바람직하지 않다(한성희; 2009).

2) 배상금

의료진의 과실 여부와 상관없이 보상금을 지급해야 하는 경우가 있는데, 임상의들은 얼마 정도가 적절한지 궁금해할 것이다. 그러나 손상 정도 및 환자가 느끼는 주관적 불편감은 환자별 편차가 매우 심하기 때문에 일률적으로 보상금을 결정하는 것은 불가능하다. 대한치과의사협회지에 게재된 한성희 박사(2009)의 논문을 참고하면 하치조신경 지배부위의 감각이상, 설신경 지배부위의 감각이상으로 인해 배상이 이루어진 경우와 배상액, 감각이상의 지속 기간에 대해 상세히 기술되어 있다. 10년 이상 경과한 논문이지만 현재의 물가인상율 등을 고려하여 따져 보면 큰 도움이 될 것이며, 대한치과의사협회 홈페이지에서 PDF file로 다운로드해 진료실에 비치해 두고 참고할 것을 권유하고 싶다.

3) 신경손상의 노동력 상실율과 장애등급(악안면장애평가위원회: 2012, Hwang KG: 2012)

신경손상은 치과치료 후 합병증에서 매우 높은 빈도를 차지하고 있으며, 관련 의료문서를 작성해야 할 경우가 증가하고 있다. 특히 환자 혹은 법원에서 후유장애진단서 혹은 장애등급을 판정을 요구할 경우, 치과의사들은 최대한 객관적 관점에서 의료문서를 잘 작성해야 한다. 참고로 편측의 하치조신경손상과 관련된 노동력 상실율과 장해등급 판정법을 아래와 같이 정리함으로써 임상가들에게 다소 도움이 되었으면 한다(절대적인 기준은 아니며 환자의 상태, 환자들의 직업, 판정하는 의료인들의 개념에 따라 많은 차이가 있을 수 있음)(Korean Association of Oral and Maxillofacial Surgeons: 2012). 좀 더 자세한 내용은 2013년에 출판된 "치과의사를 위한 의료문서 작성법"(김명래 등; 2013)을 참고하길 바란다.

(1) 전신장애율과 노동력 상실률(rates of impairment and labor capacity loss)

맥브라이드(1963), AMA 2000, AMA 2007, 대한구강악안면외과학회 가이드라인을 잘 참조하여 나름대로의 개념과 근거를 가지고 평가하면 큰 문제가 없을 것으로 생각된다. 치의학 관련 진단서 작성은 치과의사 고유의 권한이며 어느 누구도 간섭할 수 없다.

① McBride 식 판정법(Table 2-2)

전신장애율

1. 양측 삼차신경 손상: 18% (impairment whole person)
2. 편측 삼차신경 손상: 9%
3. 삼차신경은 3개의 분지(안분지, 상악분지, 하악분지)로 구성되어 있고 하치조신경은 삼차신경의 하악 분지이기 때문에 편측 손상의 1/3을 적용하면 3%
4. 하악분지는 3개 분지(설신경, 장협신경, 하치조신경)로 구성되어 있고 하치조신경 1개 부위가 손상되었을 경우엔 1/3을 적용하여 최종 전신장애율은 1%를 적용한다. 만약 신경병성 통증이 동반되어 있으며 환자에게 심한 고통을 유발하고 있는 상태라면 2–3%의 전신장애율을 적용해도 무방하다고 생각한다.

옥내외 일반근로자의 노동력상실률

신체장애율에 직업계수를 고려한 것으로 직업계수표에서 신경계의 신체부위를 적용하면 3번의 20%를 적용할 수 있다. 신체장애율과 같은 방식으로 계산하면 하악분지 손상은 20% × 1/2 × 1/3 = 3.3%를 적용할 수 있다. 하치조신경 손상의 경우 1.1%–3.3%의 범위 내에서 노동력상실률을 계산하면 적절할 것으로 판단된다.

Table 2-2 맥브라이드 장애평가

치유종료기의 장애상태	옥내근로자	옥외근로자	일반 육체 노동자 (30세)	영구장애의 직업에 따른 분류								
			전신장애율	1	2	3	4	5	6	7	8	9
(두부, 뇌, 척추) 신경손상												
II-A												
2. 제5뇌신경(삼차신경): 안면동통	20	20	18	18	19	20	21	23	25	28	31	34
3. 제7뇌신경(안면신경): 연하장해	18	18	16	16	17	18	19	21	23	26	29	32
4. 제9뇌신경(설인신경): 연하장해	7	7	5	5	6	7	8	10	12	15	18	21
7. 제12뇌신경(설하신경): 혀놀림, 저작, 연하	12	12	10	10	11	12	13	15	17	20	23	26

② AMA Impairment Guideline (5th edition, 2000)**(Table 2-3)**

- 편측 하악신경 손상에 의한 감각이상 장애는 삼차신경 전체 장애율의 절반과 동시에 1/3(하악신경에 국한)을 적용해서 산정한다.
  - Class I: 0–2.3%
  - Class II: 2.5–4%
  - Class III: 4.2–5.8%
- 단순한 하순의 마비만 있는 경우는 0–2.3%의 장애율을 적용할 수 있고, 중등도의 안면통증을 동반하는 경우는 2.5–4%, 심한 안면통증을 동반하는 경우에는 4.2–5.8%의 장애율을 적용시킬 수 있다.

Table 2-3 미국의학협회 장애평가기준 5판(2000)

제5뇌신경(삼차신경)의 장애평가 기준

- **Class I(0–14%):** 일상생활 활동을 방해하는 경도의 조절되지 않은 안면 신경통증
- **Class II(15–24%):** 일상생활 활동을 방해하는 중등도로 심한, 조절되지 않는 안면 신경통증
- **Class III(25–35%):** 일상생활 활동을 수행하지 못하게 하는 고도의 조절되지 않는 편측 또는 양측 안면 신경통증

③ AMA Impairment Guideline (6th edition, 2007)**(Table 2-4)**

미국의학협회(American Medical Association, AMA)에서는 장애비율(impairment rating)을 "환자의 건강 상태 및 일상 생활에서의 제한 정도를 반영한 신체활동 손실율의 추정치"로 규정하고 있다. 삼차신경이나 설인신경 손상의 병력이 있으며, 손상 이후 적절한 의료행위를 시행받은 이후에도 신경병성 통증이 잔존하는 경우, 개인 장애 비율(whole person impairment rating)로서 Table 2-4의 기준에 의거하여 평가한다.

Table 2-4 신경병성 통증이 동반된 삼차신경 장애 평가 기준 (미국의학협회 장애평가기준 6판: 2007)

신경병성 통증이 동반된 삼차신경의 장애 평가

- **Class 0(0%):** 신경통증이 없는 경우
- **Class 1(1–2%):** 일상생활 활동 또는 운동기능을 경미하게 저하시키는 것으로 볼 수 있는 경도의 조절되지 않는 안면 신경통증
- **Class 2(3–5%):** 일상생활 활동을 방해하거나 운동기능을 저하시키는 중등도의 심한 안면 신경통증
- **Class 3(6–10%):** 일상생활 활동을 수행하지 못하게 하거나 운동기능을 심각하게 저하시키는 고도의 조절되지 않는 편측성 혹은 양측성 안면 신경통증

④ 대한구강악안면외과학회 악안면장애평가위원회의 가이드라인

장애 평가의 시기는 증상이 발생한 후 최소 2년 이상이 경과한 이후가 적절하다. 편측 하치조신경 손상에 대한 신체장애율의 평가는 맥브라이드 기준, 미국의학협회, 미국구강악안면외과학회, 국가배상법의 기준을 종합적으로 고려할 때, 전신장애에 대한 0–5%의 장애율을 산정하는 것이 타당하며, 아래와 같이 나누어 평가하는 것이 적절하다**(Table 2-5)**.

Table 2-5 감각소실 및 저하, 안면신경 통증에 대한 장애율

	감각소실 및 저하	안면신경 통증
경도	0–1%	1–2%
중등도	1–2%	2–3%
고도	2–2.5%	3–5%

(2) 장애등급

① 국가배상법

국가배상법의 장애평가 기준에서 하치조신경 장애에 대한 정확한 기준은 없다. 따라서 아래와 같은 항목을 준용하여 적용하고 있지만 일률적으로 5, 15, 30% 장애율을 적용하는 것은 많은 문제가 있으며 개선되어야 할 것이다**(Table 2-6)**.

Table 2-6 국가배상법에 의한 신경증상 관련 장애 등급(장애율)

등급 (장애율)	신체장애
제10급 (30%)	씹는 것과 언어 기능에 장애가 남은 자, 14개 이상의 치과보철을 가한 자
제12급 (15%)	국부에 심한 신경증상이 남은 자, 7개 이상의 치과보철을 가한 자
제14급 (5%)	국부에 신경증상이 남은 자, 3개 이상의 치아에 대하여 치과보철을 가한 자

② 장애인복지법시행규칙에 따른 장애등급

삼차신경 손상으로 인한 변화된 감각, 안면통증에 대해 준용할 수 있는 등급이 없음.

4) 삼차신경 손상 관련 후유장애진단서 예시

필자가 작성했던 사례 2개를 소개한다. 진단서 작성은 전적으로 담당의 책임 하에 이루어지며, 진단서 작성에 어느 누구도 간섭할 수 없다. 그러나 법적 분쟁이 발생할 경우 진단서 작성의 명확한 근거를 제시할 수 있어야 한다. 진단서는 담당의의 의학적 개념에 따라 많은 차이가 있으므로 반드시 참고용으로만 활용하길 바란다.

(1) 40세/여자: #38 매복치 발치 후 감각이상

① 주요 치료경과, 현증 및 기왕증, 검사소견 등

좌측 하순과 턱의 경미한 감각이상이 지속되고 있음. 전기생리학적 검사 및 체열검사 결과 좌측 삼차신경의 하악 분지(하치조신경) 손상을 추정할 수 있는 소견들이 관찰되었고 환자가 호소하는 임상증상과 일치한다고 볼 수 있음.

② 장애 평가

• 맥브라이드 방식

 – 두부, 뇌, 척수 제5뇌신경 완전장애 18%, 좌측 삼차신경(3개분지)의 손상: 9%, 하악신경(3개분지) 손상 1/3 준용: 3%, 하치조신경손상 1/3 준용: 1%

 – 최종 장애율: 1%

• AMA (2000) 장애평가기준

 – 편측 하악신경 손상에 의한 감각이상 장애는 삼차신경 전체 장애율의 절반이면서 하악신경에 국한하여 적용함

 – Class I (0–14%)의 1/2는 0–7%

 – 하악신경 1/3을 적용하면 0–2.3%: 경미한 감각이상이 잔존하는 것을 고려하여 1.5%의 신체장애율을 산정함.

 – 최종 장애율: 1.5%

(2) 30/여: 턱교정 수술 후 감각이상 및 지속적인 통증

① 주요 치료경과, 현증 및 기왕증, 검사소견 등

우측 하순과 턱의 감각둔화 및 신경병변성 통증이 지속되고 있음. 전기생리학적 검사 및 체열검사 결과, 우측 삼차신경의 하악 분지(이신경) 손상을 추정할 수 있는 소견들이 관찰되었고 환자가 호소하는 임상증상과 일치한다고 볼 수 있음.

② 장애 평가

- **맥브라이드 방식**
  - 두부, 뇌, 척수 제5뇌신경 완전장애 18%, 좌측 삼차신경(3개분지)의 손상: 9%, 하악신경(3개 분지)손상 1/3 준용: 3%, 하치조신경손상 1/3 준용: 1%
  - 최종 장애율: 1%
- **AMA (2000) 장애평가기준**
  - 편측 하악신경 손상에 의한 감각이상 장애는 삼차신경 전체 장애율의 절반이면서 하악신경에 국한하여 적용함
  - Class I (0–14%)의 1/2는 0–7%
    하악신경 1/3을 적용하면 0 2.3%: 감각둔화 및 신경병성 통증이 함께 존재하는 것을 고려하여 2%의 신체장애율을 산정함.
  - 최종 장애율: 2%

5) 신경손상 관련 의료분쟁의 법원 판단 사례 분석

(1) 치과의사 패소

대한치과이식임플란트학회(2019)에서 출판한 "아는 만큼 피해 가는 임플란트 소송 대표 2–판결 요약집"에서 신경손상과 관련한 민사소송 결과 치과의사가 패소한 5가지 사례를 분석하였다. 패소한 주 원인은 주의의무 위반, 설명의무 위반 및 의료상 과실이었고, 치과의 책임 비율을 40–50%로 인정하는 경향을 보였다. 설명의무 위반은 의무기록지가 부실하고 설명하였다는 명확한 근거를 찾아볼 수 없는 경우가 대부분이었기 때문이다. 배상액은 사례별로 5,000,000–25,000,000원 사이였다. 배상액 결정에 중요한 역할을 한 것은 치과의사의 책임비율, 환자의 일실수입, 기왕치료비, 향후치료비, 환자의 재산상 손해, 위자료, 노동능력상실율 등이었다. 신경손상이 발생하였더라도 치과의사가 신경손상에 대한 원인을 잘 몰라서 적절히 설명하지 못하거나 부적절하게 대처하는 경우(예: 신경손상을 회복시키기 위해 물리치료 혹은 약물치료 등을 통해 최선을 다하지 않는 경우. 즉 "시간이 경과하면 나아질 것이니까 기다려라"고 하면서 아무런 조치를 취하지 않은 경우 혹은 적절한 시기에 전원조치를 하지 않고 방치함으로 인해 신경과와 같은 의과 진찰을 받음으로써 부적절한 진단과 장애율이 산정되는 경우)에는 패소는 물론이고 배상액도 상당히 많아지는 경향을 보인다. 2009년 사랑니 발치 후 신경손상에 대한 손해배상청구소송(인천지법 2009 나 15671)에서 1, 2심 결과 치과의사의 책임 80%, 위자료 2,000만원을 포함하여 총 3,900만원을 배상하라는 판결이 있었다. 이 사건은 #48 발치 후 우측 혀 부위의 통증과 감각마비 증상이 발생하

여 스테로이드만 투여하면서 관찰하였고 "혀에 타는 것 같은 느낌과 미각 소실"을 호소하여 발치 1년 6개월 후 상급병원으로 전원되었다. 신경과 진찰 후 복합부위동통증후군으로 진단받고 7,440만원의 손해배상을 청구하였던 사례이다. 환자를 방치하여 비전문과에서 진단을 받거나 혹은 삼차신경 손상에 관한 체계적인 개념이 정립되어 있지 않은 치과의사나 의사들에게 후유장애진단을 받을 경우 10-20%에 육박하는 부적절한 노동능력상실율이 계산되는 경우도 있으므로 주의해야 한다.

(2) 치과의사 승소 혹은 위자료만 소액 인정

치과의사가 의무기록지를 충실하게 작성하였고 사전 설명을 확실하게 했다는 증거가 있을 경우엔 설명의무 위반을 피할 수 있다. 또한 감각이상을 인지한 시점부터 증상 회복을 위해 적극적으로 노력을 하였고, 필요할 경우 적절한 전원 조치를 하였다면 치과의사로서 취해야 할 모든 것을 했다고 볼 수 있다. 원인을 알 수 없거나 불가항력적인 신경손상의 경우엔 재판부에 명확한 근거를 제시하고 잘 설명한다면 책임을 피하거나 책임률을 현저하게 낮출 수 있다(대법원 2007다 76290, 대법원 2002 다 45185).

① 23세 여자 환자가 #38 매복치를 발치한 후 혀에 마취가 지속되는 듯한 증상을 호소하였으며, 대학병원에서 설신경 손상으로 인한 감각이상 진단을 받은 사례가 있었다. 환자는 5천만원의 손해배상 소송을 제기하였고 설명의무 위반만 인정하여 위자료 500만원 배상이 결정되었다(서울서부지법 2010가단65422). 판결 근거는 "설신경은 방사선사진으로 주행을 판별할 수 없고, 현재 임상의료 수준으로는 발치 이전에 설신경의 위치를 미리 파악하여 대처할 수 있는 방법이 없다. 또한 사랑니 발치 시 설신경에 압력이 가해지는 것을 완벽하게 배제할 수 있는 방법이 없으므로, 정상적인 시술 과정에서도 설신경 손상이 발생할 수 있다"는 내용을 주목할 필요가 있다.

② 45세 여성 환자가 #48 매복치 발치 후 좌측 하순, 턱 끝, 혀 뒷부분의 감각저하와 저림 현상이 발생하였다. 대학병원에서 "하치조신경 손상으로 인한 감각이상"으로 진단받고 2,200만원 손해배상 소송을 제기하였다. 1, 2심 모두 설명의무 위반 만을 인정하여 위자료로 300만원 배상이 결정되었다(서울중앙지법 2011가단 115800). 설명의무 위반만을 인정한 근거는 "하치조신경 및 설신경 손상으로 인한 감각이상은 사랑니 발치 후 전형적으로 발생할 수 있는 위험에 해당되므로, 시술에 앞서 환자에게 이를 설명하여 환자가 사랑니 발치 시술의 필요성과 위험성을 충분히 비교해 보고 그 시술을 받을 것인지 선택하도록 할 의무가 있다"는 것이었다.

③ 35세 남자 환자가 #48 매복치 발치 후 "우측 잇몸 및 우측 안면부가 마비된 느낌"을 호소하여 대학병원에서 "하치조신경 손상에 의한 감각이상"으로 진단받았다. 환자는 2,900만원의 손해배상 소송을 제기하였고 치과의사는 채무부존재소송을 제기하였다. 법원은 치과의사의 책임이 없다고 판결(울산지법 2009 가합6086)하였는데 그 근거는 "하치조신경관과 사랑니 치근과의 관계가 아주 긴밀하게 접촉하고 있거나 치근이 휘면서 하치조관을 감싸듯이 위치하는 경우엔 발치기구 등으로 직접 손상을 가하지 않더라도 치아가 발치될 때 신경에 압박 및 간접적 손상을 유발

수 있다."는 것이었다. 이와 같은 판결을 끌어낸 것은 치과의사가 불가피한 신경손상에 대한 학술적 근거를 찾아서 재판부에 제출하고 적극적으로 자기방어를 한 결과였다고 생각된다.

④ 48세 여자 환자가 #38 매복지치 발치 후 혀의 감각이상 및 통증을 호소하였으며, 이후 설신경 손상에 따른 감각이상으로 진단을 받았다. 이와 관련하여 한국소비자원에서 최종 조정한 내용을 요약하면 다음과 같다.

> - **과실 유무**
>
>   설신경 주행 경로를 시술 전 진단하기 어렵고 완전한 예방은 불가능하다.
> - **발치 과정의 적절성**
>
>   술후 방사선 사진 등 의무기록지를 분석한 결과 주의의무 위반으로 보기 어렵다.
> - **발치 전 설명의 적절성**
>
>   양 당사자의 주장이 상반되나 치과의 동의서 양식을 살펴본 결과 상세한 설명이 이루어졌다는 근거를 찾을 수 없다.
> - **후처치의 적절성**
>
>   설신경 손상은 대부분 몇 주 내지 몇 달 내에 저절로 회복된다고 알려져 있는 바, 감각이상 및 통증 확인 이후의 처치는 적절하였다.
> - **인과관계**
>
>   설측피판 일부 거상은 불가피하며 발치 과정에서 치과의 과실로 발생되었다고 보기 어렵다.
> - **후유장애**
>
>   맥브라이드 장애율 3%, 미국의학협회 장애: 0-2.3%

＜처리결과＞

치과는 환자에게 600만원을 지급하고 환자는 치과에 대한 민형사상 청구나 고소 및 진정 등 일체의 이의제기는 물론 명예나 평판을 해하는 어떠한 행위도 하지 않기로 함.

3

안면신경마비 고찰

3

안면신경마비
고찰

 일반적인 치과치료 후에 갑자기 안면신경마비 증상이 올 경우 환자들은 치과치료가 잘못되었거나 치과질환으로 인해 유발된 것으로 생각할 것이며, 치과의사 자신들도 몹시 당황하게 된다. 치료 중 술자의 오류로 인해 발생할 수도 있지만, 원인을 잘 모르는 경우가 더 많기 때문에 치과의사들은 안면신경 마비의 원인, 치료 및 예후에 대한 명확한 지식을 갖고 있어야 하며, 환자에게 잘 설명하고 대처할 능력을 갖춰야 한다.

1 원인

 추정 원인들은 전신질환, 바이러스 감염, 종양, 외상, 스트레스, 차가운 것에 직접 노출, 만성 피로 등 매우 다양하며 원인을 잘 모르는 경우도 매우 많다. 치과진료와 연관이 있는 원인들을 살펴보면 다음과 같다(이천의 등; 2011).

1) 치과 국소마취
 하치조신경 전달마취를 시행할 때 주사침이 잘못된 방향으로 너무 깊게 주입되면 안면신경 주변이 마취되거나 안면신경을 직접 손상시킬 수도 있다(Tzermpos FH, et al; 2012). 한편 Procaine, Tetracaine과 같은 국소마취제 자체가 신경독성을 많이 유발한다고 알려져 있다. 그러나 치과용 국소마취제로 많이 사용되는 Lidocaine, Bupivacaine도 드물게 신경독성을 유발할 수 있다는 보고도 있으니 참고할 필요가 있다(Shlizerman L&Ashkenazi D; 2005, Byram SC, et al; 2020).

2) 감염

환자 몸속에 잠복해 있던 Herpes simplex virus type 1 (HSV-1), Epstein-Barr virus (EBV), HIV, Varicella zoster virus (VZV)와 관련된 안면신경마비 증례들이 다수 발표되었다(Álvarez-Argüelles ME, et al; 2019, Evelien van Eeten E, et al; 2017, Hanalioglu D, et al; 2018, Sathirapanya P, et al; 2018, Tolstunov L&Belaga GA; 2010, van Eeten E, et al; 2017).

3) 종양

이하선 부위에 발생하는 양성 혹은 악성 종양, 다른 구강악안면 종양이 증식하면서 안면신경을 직접 침범하거나 압박하면서 안면신경마비 증상이 발생할 수 있다(Nishijima H, et al; 2017, Tolisano AM, et al; 2019).

4) 전신질환

뇌혈관질환, 당뇨성 혈관장애, 홍반성낭창(lupus erythematosus,) 자가면역질환, 다발성 신경염 (multiple neuritis)과 같은 전신질환이 이차적으로 안면신경 마비를 유발할 수 있다(Calcaterra TC; 1976, Adour KK; 1978, Vasconcelos BC, et al; 2006).

5) 외상

턱관절 개방수술, 하악골 및 관골골절의 관혈적 정복술, 턱교정 수술, 이하선 적출술, 안면부 종양 수술 등을 시행하는 도중에 손상을 받아 발생할 위험성이 있다. 턱교정 수술 후 발생하는 안면신경 마비는 Osteotome을 사용할 때 후방으로 너무 깊이 밀려 들어간 경우, 과도한 조직견인(retraction), 하악골 후퇴량이 매우 많은 경우, 술후 심한 혈종 및 종창, 경상설골돌기(stylohyoid process) 골절에 의해 안면신경에 압박이 가해지면서 발생하는 것으로 생각된다. 따라서 수술 도중 연조직을 적절히 보호하고 거상한 피판을 과도하게 견인하지 않도록 주의해야 한다(김영균 등; 1993, 홍성철 등; 2006, Acebal-Bianco F, et al; 2000, De Vreis K, et al; 1993, Jones JK & Sickels JE; 1991). 하악지 시상분할골절단술 후 0.26-0.38%의 발생률이 보고된 바 있다(Acebal-Bianco F, et al; 2000, Martis C; 1984). 최근 Bowe 등(2016)은 턱교정 수술 후 안면신경의 일시적 마비가 0.3/100, 영구 마비는 0.05/100의 빈도를 보인다고 보고하였다.

2 임상증상 및 진단

이마 주름이 잡히지 않으면서 경직된 모습을 보이고, 코와 입술 움직임의 불균형을 보인다. 눈이 감기지 않으면서 동공이 확대된 모습을 보이고 각막감각이 소실된다. 비이환 측의 눈물 분비가 많아지고 뺨과 혀 및 구강내 점막의 감각이상이 동반되며, 미각이 감소 혹은 소실되는 양상을 보인다. 일상생활에서 양치질, 음식 저작, 말을 하는 것에 지장이 생기는 것과 더불어 표정을 짓기 어렵고 얼굴에 변형이 오게 되므로 사회생활에 심각한 지장을 초래하게 된다(Fig 3-1).

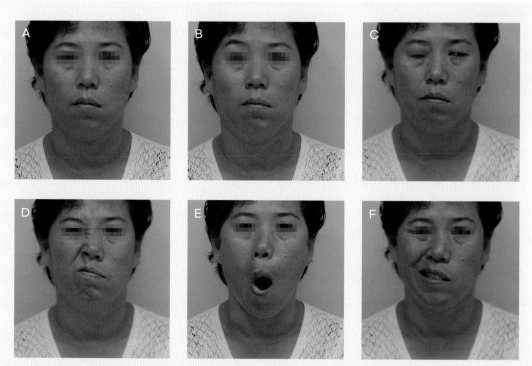

Fig 3-1 50대 여자 환자에서 원인 불명의 좌측 안면신경마비가 발생한 증례.
A: 표정을 짓지 않는 상태의 정면 모습. 안면의 좌우 비대칭 등 부자연스런 모습을 보이고 있다.
B: 좌측 이마 주름이 잡히지 않는다.
C: 좌측 눈이 감기지 않는다.
D: 좌측 코와 입술이 움직이지 않는다.
E: "오" 발음을 할 때 입술이 우측으로 틀어지는 모습을 보인다.
F: "이" 발음을 할 때 입술이 우측으로 틀어지고 좌측 안면 표정근의 움직임은 전혀 없는 상태이다.

안면신경 마비의 진단은 대부분 임상적으로 가능하다. 그러나 신경손상의 정도와 예후를 평가하기 위해서 근전도(electromyography, EMG)와 같은 전기생리학적 검사가 유용할 수 있다. 손상된 신경이 지배하던 골격근의 변화는 근섬유의 숫자와 크기가 감소되면서 근육의 위축 및 무게가 감소된다. 생화학적으로 근수축에 관여하는 단백질합성이 감소되며 근육의 수축 속도가 느려지고 섬유성연축 (fibrillation)이 일어나게 된다. 따라서 운동신경의 손상 정도를 평가하기 위해서 전기생리학적 검사는 매우 중요하다(이천의 등: 2011)**(Fig 3-2)**.

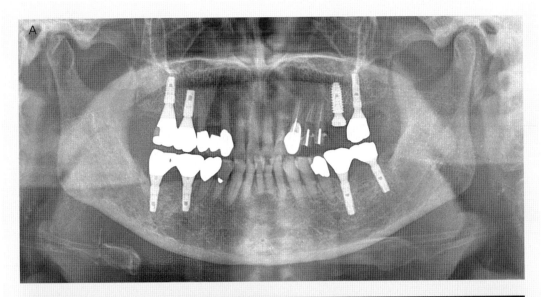

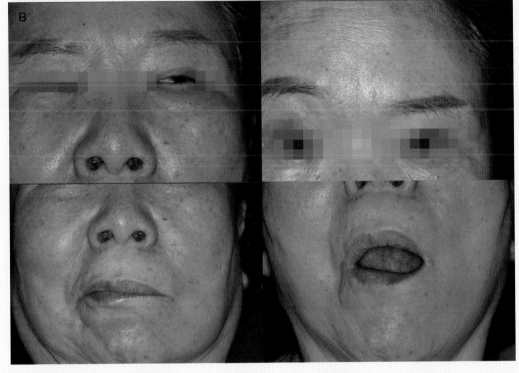

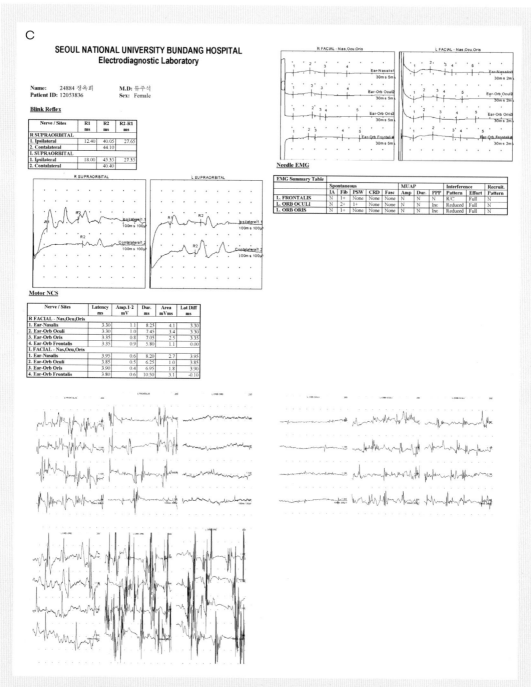

Fig 3-2 78세 여자 환자에서 상악 좌측 구치부 임플란트 식립 후 발생한 좌측 안면신경마비.

A: 초진 시 파노라마 방사선 사진. #26 부위에 임플란트가 1회법으로 식립된 것이 관찰된다.

B: 좌측 안면신경 5개 분지 지배부위의 전체 마비 증상들이 관찰되었다. 좌측 눈이 안 감기고 이마 주름이 잡히지 않으면서 코와 입술의 비대칭적인 움직임을 보이고 있다. 초진 당일부터 레이저 치료를 시행하면서 스테로이드 테이퍼링 요법(Methylprednisolone)을 시행하였고, 좌측 눈에 안연고를 넣고 안대를 착용하도록 하였다.

C: 전기생리학적 검사를 시행하였으며, 직접 안면신경을 자극하였을 때 좌측 안면신경의 terminal latency가 연장, CMAP amplitude가 감소되었으나, 우측은 정상이었다. 검사 결과들을 종합적으로 분석할 때 축삭절단(axonotemesis)에 해당하는 마비로 진단되었다. 안면신경을 직접 손상시킬 만한 어떠한 치과치료도 행해지지 않았음에도 불구하고, 이와 같은 마비 증상이 발생한 것으로 보아 바이러스 감염을 원인으로 추정하여 항바이러스제, 스테로이드 및 물리치료를 계획하였다. 이 환자는 치료 2개월 후 정상으로 회복되었다.

신경손상은 발생하지 않도록 예방하는 것이 가장 중요하며, 그림과 같은 안면신경 분지들의 해부학적 분류와 주행 방향을 반드시 숙지하고 있어야 한다(Chalhoub W, et al; 2020)**(Fig 3-3)**. 원인불명인 경우는 어쩔 수 없다 하더라도 치과치료 혹은 수술 중 부주의로 인해 발생하는 의원성 손상(iatrogenic injury)은 피해야 할 것이다. 이하선 수술 시 안면신경의 주행을 간접적으로 식별하기 위해 methylene blue를 사용하는 방법이 소개되었다. 수술 전 이하선 심부로 1 mL의 Methylene blue를 주입하고, Stenson's duct orifice 근처에 0.5–1 mL를 주사한다. 이하선의 functional parenchyma는 진한 청색을 띠게 되며, nerve locator 장비와 함께 사용하면 이하선 수술 도중 안면신경 손상을 최소화할 수 있다고 하였다(Nahlieli O, et al; 2001).

턱교정 수술 시 양측성 하악지 시상분할골절단술(BSSRO)은 "short lingual cut" 방법을 이용하는 것이 좋다. 즉 통상적인 방법으로 수술할 때 하악골의 후방 이동량이 많으면 원심골편(distal segment)의

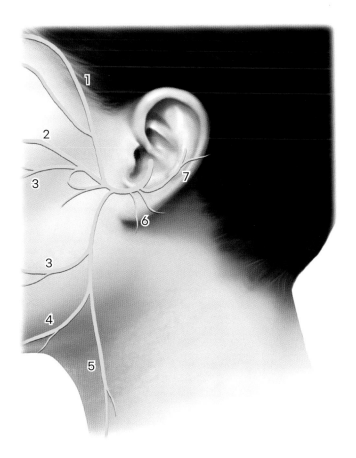

Fig 3-3 안면신경과 주요 분지들의 주행 모식도.

1. temporal branch; **2.** zygomatic branch; **3.** buccal branch; **4.** mandibular branch; **5.** cervical branch; **6.** branches to stylohyoid and posterior digastric muscles; **7.** posterior auricular nerve (Chalhoub W, et al; 2020).

후방부가 안면신경을 압박할 수 있기 때문이다. 또한 무리하게 조직에 심한 압박을 가하면서 견인하지 않도록 주의해야 한다. 혈관수축제가 포함된 국소마취제를 과량 주입하거나 국소마취 바늘을 조직으로 깊게 주입하는 것은 피해야 한다.

4 치료

안면신경마비 증상을 인지하는 즉시 약물 및 물리치료를 시행하면서 신경과, 이비인후과, 재활의학과, 안과, 신경정신과 등과 협진이 조기에 이루어져야 양호한 예후를 가져오고 의료분쟁을 최소화할 수 있다(Shafshak TS; 2006, 이천의 등; 2011). 임병섭 등(2005)은 24세 남자 환자가 하악골정중부 단순골절에 대한 관혈적 정복술을 시행받고 2주 후 안면신경마비 증상이 발생한 증례를 보고하였다. Corticosteroid, Vitamin B, electric acupuncture stimulation therapy (EAST), ultrasound 등의 치료를 시행하여 증상 발현 4주 후 완치되었다.

1) 바이오피드백 훈련(Biofeedback training)

모든 신경손상 치료 시 필수적으로 시행되어야 하는 방법임에도 불구하고 임상가들이 큰 관심을 가지고 있지 않다. 거울 앞에서 안면근육의 균형 잡힌 움직임이 이루어지도록 연습한다. 마비 부위를 마사지하고 운동을 열심히 하면 근육이 적응하면서 좋은 효과를 보일 수 있다. 근전도를 이용한 EMG biofeedback training의 효과가 매우 우수하다는 연구 결과들도 발표되었다(김원호 등; 2002).

2) 약물치료

(1) Steroids: Prednisolone tapering 요법(Langer P, et al; 2006)

특정 스테로이드, 특정 처방이 효과적이라는 확실한 근거는 없다. 각자 임상가들 나름대로의 프로토콜을 만들어서 사용하면 된다.

① Prednisolone
　　1주: 20 mg tid → 2주: 20 mg bid → 3주: 20 mg qd → 4주: 10 mg qd (Tzermpos FH, et al; 2012)
② Methylprednisolone tapering (Medrol® DosepakTM: Pfizer, New York, NY)**(Fig 3-4)**

(2) 항바이러스제(Antiviral agents)

바이러스 감염이 주 원인으로 의심될 경우에 Acyclovir 500 mg 5 times/day를 7–10일 투여한다.

(3) 항경련제(Anticonvulsants) 혹은 항우울제(Antidepressants)

신경병성 통증이 존재하는 경우에 처방한다. 65세 이상 고령자에서는 부작용이 많기 때문에 신중하게 투여해야 한다.

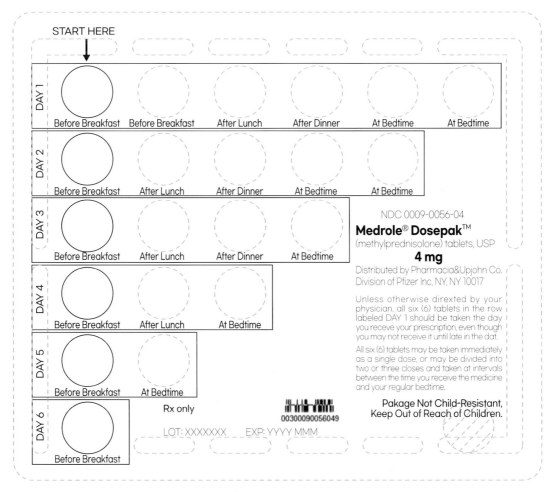

Fig 3-4 Methylprednisolone taper (Medrol® DosepakTM: Pfizer, New York, NY)

(4) Vitamin 제제

3) 온찜질 및 마비 부위 마사지

4) 측두분지 마비로 인해 눈이 감기지 않는 경우엔 이차적인 안구 손상 방지를 위해 안연고나 인공눈물을 처방하고 안대를 착용하게끔 한다.

5) 물리치료

초음파(3 MHz, for 5 min/session, 5 sessions/week for 4–6 weeks), TENS (transcuteaneous electrical nerve stimulation), EAST (electrical acupuncture stimulation therapy), soft laser, 침술 (acupunctures) 등을 이용한 물리치료가 있다(Li M, et al; 2019, Mäkelä E, et al; 2019, Ordahan B,et al; 2017, Ton G, et al; 2019).

특히 저수준 레이저 치료(low–lever laser therapy, LLLT; soft laser)가 신경기능 회복에 좋은 효과를 보

인다고 알려져 있다. 1회에 수분에서 20분, 1일 1회, 주 2-3회 경과를 관찰하면서 레이저를 조사하면 좋은 효과를 보일 수 있다.

6) 성상신경절차단술(Stellate ganglion nerve block)

국소마취제(0.25% Bupivacaine 혹은 1% 리도카인)로 성상신경절을 마취하면 교감신경을 차단함으로써 혈류를 증가시키고, 신경섬유로의 혈행을 개선시킴으로써 신경섬유의 재생을 촉진시킬 수 있다(Luo G, et al; 2015).

7) Botulinum toxin A (BTXA)

반영구적인 마비 증상을 보일 경우, 정상 부위 안면근에 BTXA를 주사하여 균형을 맞추는 치료를 시도해 볼 수 있다. 특히 입술 불균형을 치료할 때 적극적인 물리치료를 병행하면서 BTXA를 적절히 사용하면 좋은 효과를 보일 수 있다(Cooper L, et al; 2017).

8) 외과적 신경재건술

신경이 절단되었거나 심한 손상으로 재생이 불가능하다고 판단되면, 조기에 전문의에게 의뢰하여 신경재건술을 시행해야 한다. 안면신경재건술은 대이개신경(greater auricular nerve)이나 비복신경(sural nerve)을 이용한 자가신경 이식이 주로 사용된다. 이식 후 최소 6개월이 경과한 후에 예후를 예측할 수 있다. 재건술 후에도 정상 기능을 회복하기까지 긴 시간이 소요되며, 완벽한 기능 회복은 불가능 하다는 것을 술자와 환자 모두 이해하고 있어야 한다.

5 예후

1) 안면신경은 유리 혼합신경섬유(free intermingling fibers)들이 다른 신경구조물, 특히 삼차신경의 섬유들과 혼재되어 있기 때문에 손상된 기능의 자연회복이 일어날 수도 있다(Baumel JJ; 1974, May M, et al; 1976, 1985M). 그러나 모든 증례들에서 반드시 자연회복이 일어나는 것은 아니기 때문에 막연히 기다려서는 안 되고, 초기에 물리치료 등 적절한 조치를 취하면서 관찰하고, 타과 협진 및 적극적인 외과적 처치 등에 대해 환자에게 설명해야 한다(이천의 등; 2011). 신경세포가 재생되면 상방의 점막과 피부의 따끔거림, 찔리는 듯한 느낌, 화끈거림, 벌레가 기어가는 듯한 느낌을 호소하게 된다. 그러나 신경의 기능이 회복되더라도 신경병성 장애(neuropathic disorder)가 지속되면서 통증을 호소할 수도 있다.

2) 손상 부위가 원심부에 있을수록 자연회복을 기대할 수 있다.

3) Bell's palsy 환자의 10-25%에서는 지속적인 안면마비, 표정근 기능상실 및 안모 변형, 불충분한 안검 폐쇄로 인한 각막손상, 발음장애, 식사장애, 반안면연축(hemifacial spasm), 안면구축(facial

contracture), 악어눈물현상(crocodile tear phenomenon), 구륜근(orbicularis oris)과 안륜근(orbicularis oculi)의 동시 수축과 같은 후유증이 남을 수 있다(임병섭 등; 2005).

4) 외과적 수술 후(턱교정 수술, 턱관절 수술 등) 바로 안면신경마비 증상이 나타나는 경우엔 신경절단이나 수초 및 왈러변성(axonal and Wallerian degeneration)의 가능성이 높기 때문에 즉시 안면기능에 대한 신경생리학적 검사를 시행한 후 외과적 처치 등 적극적인 치료가 필요하다. 그러나 일정 시간 경과 후 안면신경마비 증상이 나타나는 경우는 신경의 연속성은 유지되고 있고, 일시적인 신경전도 차단에 의한 경우이기 때문에 보조적인 치료요법을 통해 자연 회복을 기대할 수 있다(김영균 등; 1993).

6 후유장애진단서 예시

55/남. 우측 안면신경(관골 및 협분지) 마비: S045

1. 주요 치료경과, 현증 및 기왕증, 주요검사소견 등
1) 2011년 12월 1일 우측 안면부 이물(치과마취용 바늘 파절)이 존재하는 상태에서 제거술 의뢰됨. 국소마취 하에서 제거술을 시도하였으나 실패하였음. 일반 방사선 및 CT 검사에서 우측 뺨의 피하층(교근 상방, 귀 전방부)에 파절된 바늘이 존재하였고, 양측 상악동염 소견이 관찰되었음.
2) 2011년 12월 7일 전신마취 하에서 C-ARM으로 위치를 확인하면서 이물제거술 시행함.
술후 우측 안면신경의 관골 및 협분지 손상으로 추정되는 마비 소견이 발생하였음. 마취통증의학과에서 성상신경절차단 등의 치료를 시행한 후 증상이 많이 호전되었음.
3) 2013년 12월 20일 내원 시 우측 뺨, 귀 앞 부분의 찌릿한 이상감각과 우측 상순의 움직임 둔화 소견이 관찰되었음. 근전도 등의 특수기능검사를 시행한 결과, 우측 안면신경(관골 및 협분지)의 병변(partial axonotmesis)이 남아있는 것으로 확인되었음.
➡ 현 상태를 기준으로 판단할 때, 안면신경 병변으로 인한 저작 및 발음장애가 일정부분 남아있을 것으로 예상됨.

2. 장애 평가
1) McBride
- (두부, 뇌, 척추) 신경손상 II-A. 3. 제7뇌신경(안면신경) 마비 준용(옥내외 근로자) 18%
- 현 상태는 안면신경 5개 분지 중 2개 분지의 부분적 마비 소견을 보이기 때문에 완전마비: 18%의 2/5 를 준용하여 최종 장애율: 7.2%로 산정함.
2) 미국의사협회(AMA)식 장애평가
- 안면신경 편측 완전마비: 신체장애율 10-15%
- 안면신경 5개 분지 중 2개 분지의 부분마비 증상을 보이기 때문에 10% × 2/5=4% 장애율로 평가됨.

* 비고: 장애율 평가는 담당의의 의학적 판단에 따라 차이가 있을 수 있음.

CHAPTER

4

필자의 신경손상 관련
논문 초록

TOUGH CASES　치과진료 후 발생하는 물치 아픈 신경들

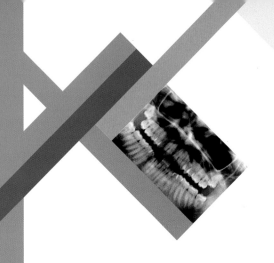

필자의 신경손상 관련 논문 초록

대한구강악안면외과학회지 : Vol 20, No 3, 1994

악교정외과수술후 발생한 특이한 합병증
: 기관삽관성 육아종 및 안면신경마비

*김영균 · *여환호 · **나한조

*조선대학교 치과대학 구강악안면외과학교실
**조선대학교 의과대학 이비인후과학교실

---- Abstract ----

PECULIAR COMPLICATIONS AFTER ORTHOGNATHIC SURGERY :
INTUBATION GRANULOMA, FACIAL NERVE PARALYSIS

*Young-Kyun Kim, DDS. MSD., *Hwan-Ho Yeo, DDS. MSD. PhD.,
**Han-Jo Na, MD. MSD. PhD.
*Dept of Oral and Maxillofacial Surgery, Dental College
**Dept of Otolaryngology, Medical College.
Chosun University.

The sagittal splitting ramus osteomy is now a widely used procedure in orthognathic surgery. The surgical techniques are well standardized and carry a low complication rate. Nevertheless, there are possibilities that several complications are developed postoperatively. The neurologic deficits, relapse, fracture, condylar posional changes, hemorrhage and so forth have been considered, but facial nerve paralysis and intubation granuloma are rare but serious complications. The case reports of 2 patients are presented, and the etiology, diagnosis, treatment and prevention of these complications are discussed

Key words : facial nerve paralysis, intubation granuloma

Implant와 신경손상
(Endosseous implant and nerve damage)

the Quintessence. Vol.7 / No.11 / 2002
대진의료재단 분당제생병원 구강악안면외과 김영균

최근 임플란트 진료와 연관된 신경손상의 빈도가 증가되고 있는 추세이다. 신경손상을 최소화하고 환자와의 분쟁을 방지하기 위해서는 진료 전에 신경손상 가능성 및 다양한 원인들에 대한 사전 설명과 예방이 가장 중요하다. 그러나 술후 분명한 신경손상 증상이나 수술과 무관하다고 판단되지만 환자가 지속적인 지각이상이나 신경성 통증을 호소할 경우엔 조기에 적극적인 보존적 치료를 시행하면서 신경손상과 연관된 기전을 설명해야 한다. 그리고 환자와 지속적으로 상담을 시행하면서 환자를 위해 무엇인가 해주고 있다는 것을 적극 표현하는 것이 중요하다.

또한 신경절단과 같은 분명한 손상이 발생한 경우엔 조기에 적극적인 외과적 처치를 시행하는 것이 좋은 결과를 얻을 수 있으므로, 미세신경문합술을 전문적으로 담당하고 있는 구강악안면외과의사에게 의뢰하는 것이 적절하다고 사료된다.

Cross-sectional Study of the Factors that Influence Radiographic Magnification of Implant Diameter and Length

Yong-Geun Choi, DDS, MPH, MPH[1]/Young-Kyun Kim, DDS, PhD[2]/
Steven E. Eckert, DDS, MS[3]/Cheong-Hwan Shim, DDS[4]

Purpose: *To study the factors that influence radiographic magnification of implant diameter and length.* **Materials and Methods:** *The dental records and panoramic radiographs of 80 patients with 210 dental implants treated with implant-supported prostheses at Bundang Jesaeng Hospital in South Korea from January 2000 through February 2003 were reviewed. The panoramic radiographs were developed under standardized conditions. The patient's gender and the anatomic locations of implants were identified from the dental records. To prevent bias, a blinded investigator measured implant diameter and length on a panoramic radiograph. To evaluate intra-examiner variability, the intraclass correlation coefficient (R_I) was calculated. The Mann-Whitney rank-sum test and the Kruskal-Wallis test were used to determine the statistical significance of the difference between actual length and radiographic length.* **Results:** *The intraclass correlation coefficients (R_I) were 0.83 for diameter and 0.87 for length. There was no statistically significant difference in length in regard to gender (P = .08). Magnification of diameter did differ on the basis of gender (P = .03; 25% magnification in radiographs of women; 20% in men). No difference in diameter was found in regard to anatomic location (P = .51), however, while evidence of difference in length in regard to anatomic location was found (P = .01).* **Discussion:** *Radiographic magnification of implant dimensions in diameter and length can have different influencing factors.* **Conclusions:** *This study found that radiographic magnification of implant diameter was influenced by gender, whereas radiographic magnification of implant length was influenced by anatomic location. Each anatomic location had a different amount of radiographic magnification for implant length.* INT J ORAL MAXILLOFAC IMPLANTS 2004;19:594–596

Key words: *dental implants, radiographic magnification*

Comparative Study > Implant Dent. 2006 Dec;15(4):404-11.
doi: 10.1097/01.id.0000243319.66845.15.

Position of the mental foramen in a Korean population: a clinical and radiographic study

In-Soo Kim [1], Su-Gwan Kim, Young-Kyun Kim, Jae-Duk Kim

Affiliations + expand
PMID: 17172959   DOI: 10.1097/01.id.0000243319.66845.15

Abstract

Purpose: The purpose of this study was to improve the treatment methods for the mental foramen by comparing the directly measured values with the radiographic measured values.

Materials and methods: One hundred and twelve mental foramina (72 males, 40 females) that were exposed during the operation were examined. The patients' age ranged from 12 to 69 years, with a mean age of 41.8 years. All patients had fully erupted lower premolars. The horizontal and vertical locations were evaluated with both direct and radiographic measurements.

Results: In 72 patients (64.3%), the mental foramen was below the second premolar. In 26.8%, it was between the first and second premolar, and in 8.9%, it was below the first premolar. By radiographic readings,most of the mental foramina were found to be below the second premolar (62.5%). The average distance between the cusp tip and the superior border of the mental foramen by direct measurement was 23.42 mm and 25.69 mm in the panoramic view. The mean distance between the superior border of the mental foramen and the bottom of the mandible was 14.33 mm by direct measurement and 16.52 mm by radiographic measurements.

Conclusion: It is important to know the position of the mental foramen for the placement of osseointegrated implants in the mandibular premolar region. The position of the mental foramen of Koreans is closer to the cusp tips of lower premolars than Westerners.

case report
CR

하치조신경전위술(Inferior alveolar nerve repositioning) 과 임플란트 식립: 증례보고

김영균*
*분당서울대학교병원 치과 구강악안면외과

Inferior Alveolar Nerve Repositioning and Implant Placement : Case Reports

Young-Kyun Kim*

*Department of Oral and Maxillofacial Surgery, Section of Dentistry, Seoul National University Bundang Hospital, Korea

Abstract

Four patients with mandibular posterior edentulous ridge visited for implant treatment. The available bone height from the alveolar crest to inferior alveolar canal was deficient absolutely. I performed the inferior alveolar nerve repositioning and simultaneous implant placement(Osstem® US II) and got the favorable results. Healing period from implant placement to second surgery was 2 to 3 months. Followup period after prosthodontic loading ranged from 8 to 17 months. Mean marginal bone resorption was 0.9 ㎜. All implants functioned well, however, some neurologic problems remained.

Key words : inferior alveolar nerve repositioning, simultaneous implant placement

[출처] 대한구강악안면임프란트학회지 2007;11(2):56-64.

> J Oral Maxillofac Surg. 2011 Mar;69(3):893-8. doi: 10.1016/j.joms.2010.10.025. Epub 2011 Jan 6.

Altered sensation after orthognathic surgery

Young-Kyun Kim [1], Su-Gwan Kim, Jong-Hwa Kim

Affiliations + expand

PMID: 21211888   DOI: 10.1016/j.joms.2010.10.025

Abstract

Purpose: The purpose of this study was to evaluate the natural recovery of neurologic injury after orthognathic surgery based on subjective neurologic evaluation.

Patients and methods: From December 2007 through June 2008, 47 patients (26 male, 21 female) from Seoul National University Bundang Hospital who had been treated with orthognathic surgery were identified. Subjective neurologic evaluation was performed 1 month, 3 months, and 6 months after surgery. Orthognathic surgery included bilateral sagittal split osteotomy (BSSO), BSSO plus genioplasty, BSSO plus Le Fort I, and BSSO plus Le Fort I plus genioplasty.

Results: Sensory changes occurred at the chin (55.7%) and lip (27.3%). Most patients reported an altered sensation when these body parts were touched. Visual analog scale (VAS) pain scores were 1.63 ± 1.89 (1 month postoperatively), 0.92 ± 1.34 (3 months postoperatively), and 0.95 ± 1.60 (6 months postoperatively); these values were not significantly different. VAS scores for altered sensation were 5.40 ± 2.83 (1 month postoperatively), 4.00 ± 2.35 (3 months postoperatively), and 3.36 ± 2.89 (6 months postoperatively). These differences were significant. For each surgery, the VAS of paresthesia decreased as time elapsed. The VAS of the altered sensation differed significantly after 1 month, 3 months, and 6 months whether or not genioplasty was performed.

Conclusions: The results indicated that the altered sensation that may develop after orthognathic surgery is an unavoidable complication. Nevertheless, with time, the condition may resolve spontaneously. In patients who underwent simultaneous genioplasty, the incidence of altered sensation was high but was not significantly associated with the age of the patient or the performance of simultaneous maxillary surgery.

> Dentomaxillofac Radiol. 2011 Feb;40(2):76-83. doi: 10.1259/dmfr/20544408.

Magnification rate of digital panoramic radiographs and its effectiveness for pre-operative assessment of dental implants

Y-K Kim [1], J-Y Park, S-G Kim, J-S Kim, J-D Kim

Affiliations + expand

PMID: 21239569   PMCID: PMC3520303   DOI: 10.1259/dmfr/20544408
Free PMC article

Abstract

Objectives: The purpose of this study was to determine the accuracy and effectiveness of digital panoramic radiographs for pre-operative assessment of dental implants.

Methods: We selected 86 patients (221 implants) and calculated the length of the planned implant based on the distance between a selection of critical anatomical structures and the alveolar crest using the scaling tools provided in the digital panoramic system. We analysed the magnification rate and the difference between the actual inserted implant length and planned implant length according to the location of the implant placement and the clarity of anatomical structures seen in the panoramic radiographs.

Results: There was no significant difference between the planned implant length and actual inserted implant length (P > 0.05). The magnification rate of the width and length of the inserted implants, seen in the digital panoramic radiographs, was 127.28 ± 13.47% and 128.22 ± 4.17%, respectively. The magnification rate of the implant width was largest in the mandibular anterior part and there was a significant difference in the magnification rate of the length of implants between the maxilla and the mandible (P < 0.05). When the clarity of anatomical structures seen in the panoramic radiographs is low, the magnification rate of the width of the inserted implants is significantly higher (P < 0.05), but there is no significant difference between the planned implant length and actual inserted implant length according to the clarity of anatomical structures (P < 0.05).

Conclusions: Digital panoramic radiography can be considered a simple, readily available and considerably accurate pre-operative assessment tool in the vertical dimension for dental implant therapy.

ORIGINAL ARTICLE

ORIGINAL ARTICLE

1

치과 수술후 발생한 지각이상 환자들의 유형 및 주관적 증상에 관한 연구

분당서울대학교병원 치과 구강악안면외과

부교수 김영균, 전임의 윤필영, 이용인

ABSTRACT

Study on the Types and Subjective Evaluation of Patients with Neurosensory Dysfuction after Dental Surgery

Department of Oral and Maxillofacial Surgery, Section of Dentistry,
Seoul National University Bundang Hospital, Korea
Young-Kyun Kim, Pil-Young Yun, Yong-In Lee

Many dental surgeries including implant surgery, orthognathic surgery etc. have possibility of neurologic injury. As neurosensory dysfunction has no definitive treatment modality and shows slow recovery, patients have discomforts and make the legal conflicts with surgeons. The purpose of this study was to survey the types and subjective evaluation of patients with neurosensory dysfuction after dental surgery. This study included 66 patients with postoperative neurosensory dysfuction who were operated at Seoul National University Bundang Hospital from Dec 2003 to Jun 2007. Male were 28 and female were 38. Age was from 17 to 74 years old.

The results of subjective evaluation of neurosensory dysfunction were as followings.

1. The sites of the altered sensation were chin, lip, tooth, tongue and so on.

2. 40.7% of the patients didn't explain accurately about their symptoms. 29.2% of the patients expressed anesthesia and 26.2% mild discomfort.

3. The altered sensation was expressed mostly in touching, mastication and speaking. 52.3% of the patients suggested that their symptoms always existed.

4. Neuropathic pain existed in 44.6% of the patients. 48.3% of the patients suggested that pain was triggered by touching. Neuropathic pain always existed in 41.4% of the patients.

5. Patients showed negative responses on the question that they will take operations which cause the risk of neurosensory dysfunction in the future.

The objective and subjective evaluation about the altered sensation after nerve injury nerver coincide. The subjective complaint can affect the result of treatment and daily life negatively.

Key words: neurosensory dysfunction, subjective evaluation, altered sensation

<Original Article>

Clinical Study of Natural Recovery of Altered Sensation after Minor Dental Surgery

Jong-Hwa Kim[1], Pil-Young Yun[1], Young-Kyun Kim[1]

1. Department of Oral and Maxillofacial Surgery, Section of Dentistry, Seoul National University Bundang Hospital, Seongnam, Korea

Corresponding Author
Young-Kyun Kim, DDS, PhD
Department of Oral and Maxillofacial Surgery, Section of Dentistry, Seoul National University Bundang Hospital, 300 Gumi-dong, Bundang-gu, Seongnam, Korea
TEL : +82-31-787-7541 FAX : +82-31-787-4068 E-mail : kyk0505@snubh.org

Received for publication Mar 22, 2011; Returned after revision Apr 29, 2011;
Accepted for publication May 9, 2011

· Abstract

Purpose: The aim of our study was to evaluate natural recovery of neurologic injury after minor dental surgery based on subjective neurologic evaluation.

Materials and Methods: From December 2005 through July 2009, 30 patients from Seoul National University Bundang Hospital were identified as having been treated with minor dental surgery. The patients were composed of 12 men and 18 women, with a mean age of 50.6 years. The median duration of this study was 62 weeks.

Results: The patients were treated by implants (17 cases), tooth extractions (6 cases), bone grafts (4 cases), inferior alveolar nerve transpositions (2 cases) and periodontal surgery (1 case) prior to the occurrence of altered sensation. Areas of altered sensation after minor surgery included the lip (36.7%), chin (30.0%) and tooth (21.7%), and at final follow-up, there was no change of ranking. Altered sensations expressed by patients included numbness (33.3%), discomfort (22.9%), relieving sense (14.6%), tingling (14.6%) and itching (14.6%). There was no change of ranking of altered sensation at the last follow-up. Patients experienced the altered sensation always (47.8%), during tactile stimulation (26.1%), when chewing food (13.0%), and talking (13.0%). Mean visual analogue scale (VAS) was 3.43±2.84 for pain and 6.64±2.72 for paresthesia. VAS of pain was decreased significantly between the first visit and the end of follow-up, and paresthesia also showed a significant difference.

Conclusion: Altered sensations may occur at any time after minor dental surgery, but we observed that natural recovery of altered sensation occurred as time went on.

· Key word : Sensation disorder, Oral surgery, Natural recovery

· J Kor Dent Sci. 2011; 4(1) : 14 - 19

> Maxillofac Plast Reconstr Surg. 2015 May 3;37(1):13. doi: 10.1186/s40902-015-0013-5.
eCollection 2015 Dec.

The quantitative sensory testing is an efficient objective method for assessment of nerve injury

Young-Kyun Kim [1], Pil-Young Yun [1], Jong-Hwa Kim [1], Ji-Young Lee [1], Won Lee [2]

Affiliations + expand

PMID: 26317084   PMCID: PMC4544621   DOI: 10.1186/s40902-015-0013-5
Free PMC article

Abstract

Background: This study evaluated Somatosensory evoked potentials (SEP), Quantitative sensory testing (QST), and thermography as diagnostic methods for nerve injury.

Methods: From 2006 through 2011, 17 patients (mean age: 50.1 years) from OOOO Hospital who sought care for altered sensation after dental implant treatment were identified. The mean time of objective assessment was 15.2 months after onset.

Results: SEP of Inferior alveolar nerve(IAN) was 15.87 ± 0.87 ms on the normal side and 16.18 ± 0.73 ms on the abnormal side. There was delayed N20 latency on the abnormal side, but the difference was not statistically significant. In QST, the abnormal side showed significantly higher scores of the current perception threshold at 2 KHz, 250 Hz, and 5 Hz. The absolute temperature difference was 0.55°C without statistically significance.

Conclusion: These results indicate that QST is valuable as an objective method for assessment of nerve injury.

Keywords: Nerve injury; Quantitative Sensory Testing; Somatosensory Evoked Potentials; Thermography.

참고문헌

- 강진한, 김미자, 서병무, 최진영, 이종호, 김명진. BSSRO CT를 이용한 하치조신경의 위치에 관한 연구. 대한병원치과의사협회지 2005;6:23-29.
- 김명래, 김영균, 안종모 등. 치과의사를 위한 의료문서 작성법. 대한나래출판사 2013.
- 김명진. 극심하게 퇴축된 치조골에서의 인공치아 임프란트 외과적 술식. 대한치과의사협회지. 1995; 33: 244-251.
- 김수관, 여환호, 김영균. 유리자가골 이식을 이용한 하악골 재건술. 대한구강악안면외과학회지 1996;
- 김영균. 하치조신경전위술과 임프란트 식립: 증례보고. 대한구강악안면임프란트학회지 2007;11:56-64.
- 김영균, 김수관, 윤필영, 이남기. 턱관절장애와 수술교정. 대한나래출판사 2018.
- 김영균, 김수관, 이부규: 골이식과 임프란트. Vol 2-2. 다양한 골이식술의 임상적용. 나래출판사. 2007.
- 김영균, 박현식, 정성민: 임프란트 문제점의 해결. Vol. 2. 수술 및 보철치료의 문제점 해결. 나래출판사. 2003.
- 김영균, 여환호, 나한조. 악교정외과수술후 발생한 특이한 합병증: 기관삽관성 육아종 및 안면신경마비. 대한구강악안면외과학회지 1993;20:374-379.
- 김영균, 윤필영, 이용인. 치과 수술후 발생한 지각이상 환자들의 유형 및 주관적 증상에 관한 연구. 대한치과의사협회지 2008;46:384-93.
- 김영균, 이양진, 윤필영 등. Complication Q&A in Dentistry. 치과 수술 및 전신적 문제점과 합병증. 대한나래출판사 2015.
- 김영균, 황정원: 치과 임플란트와 관련된 다양한 논쟁. 군자출판사. 2004;265-76.
- 김영진. 알기쉬운 치과처방 요람. Medication&Chemicals in Dentistry. 도서출판 의치학사 2003.
- 김예원, 김명래. 하치조 신경손상에 따른 하순 및 이부의 지각이상시 적외선체열검사의 진단적 효용. 대한구강악안면외과학회지 2002; 28: 53-60.
- 김용건. 전산화단층촬영 방사선영상을 이용한 이공과 하악관 전방고리의 형태학적 분석. 구강회복응용과학지 2011;27:317-326.
- 김원호, 박은영, 장기연, 이영정. 근전도 바이오피드백을 이용한 훈련이 안면신경마비 환자의 운동학습에 미치는 영향. 한국전문물리치료학회 2002;9:101-111.
- 김종협, 구홍, 안진석 등. 방사선 사진을 이용한 하악 제3대구치와 하치조신경의 관계에 대한 연구. 대한구강악안면외과학회지 2006;32:464-473
- 김주연, 정연화, 나경수. 치근단 및 파노라마 방사선사진에서 프랙탈 분석을 이용한 골다공증 예측. 대한구강악안면방사선학회지 2008;38:147-151.
- 김하랑, 유재하, 최병호 등. 설신경과 장협신경 전달마취 시행 후 발생된 설부와 협선반부의 장기간 이상감각증 관리—증례보고— 대한치과마취과학회지 2009;9:108-115.

- 김희진. 임플란트를 위한 임상해부학. 하악관의 위치 및 신경혈관 구조들의 국소해부. 세미나리뷰 제422호. 2009년 4월 6일.
- 대한치과이식임플란트학회. 아는 만큼 피해 가는 임플란트 소송 대표판결 요약집. 2019;26-48.
- 류성호, 조영철, 손장호 등. 악교정 수술 후 감각소실에 관한연구. 대한구강악안면외과학회지 2004;30:482-487.
- 신홍수, 황순정. 컴퓨터단층촬영과 파노라마상을 이용한 한국인 하치조관의 하악에서의 협, 설측 위치 관계에 대한 연구. 대한구강악안면외과학회지 2002;28:1-6.
- 악안면장애평가위원회. 삼차신경손상의 장애평가에 대한 가이드라인. J Korean Assoc Oral Maxillofac Surg 2012;38:384-493.
- 이삼선. 파노라마방사선영상에서 보는 하악관(II). 치과임상 2009;29:421-426.
- 이삼선, 최순철. 성공적인 임플란트시술을 위한 방사선 검사. 대한구강악안면방사선학회지 2005;35:63-8.
- 이병하, 임태윤, 황균 등. 치과 국소마취와 관련된 하치조신경과 설신경 손상에 대한 연구. 대한치과마취과학회지 2010;10:172-177.
- 이종호, 김명진 편역: 칼라그래픽스. 하치조신경마비. 나래출판사. 2006.
- 이지수, 송지희, 김영건, 김성택. 근관치료 후 발생한 하악신경 손상 환자에 대한 분석. 구강회복응용과학지 2011;27: 327-336.
- 이진용, 조상훈. 사랑니 발치와 설신경 마비에 관한 썰전. 상, 하. 덴탈아리랑 229호 2016년 10월 31일 34쪽, 230호 2016년 11월 7일 37쪽.
- 이천의, 유재하, 최병호, 김종배. 당뇨환자에서 하치조신경 전달마취와 턱관절 탈구후 유발된 안면신경 마비 치험 1예-증례보고- 대한치과마취과학회지 2011;11:45-50.
- 이현우, 김여갑, 이백수 등. 이열 하악관(Bifid Mandibular Canal): 방사선적 소견과 임상적 의의. 대한치과마취과학회지 2009; 9: 24-29.
- 임병섭, 황경균, 심광섭. 일시적 안면신경마비. 대한치과마취과학회지 2005;5:112-116.
- 임현대, 이정현, 이유미. 치아임플란트 시술 후 삼차신경에서의 전류인지역치에 대한 연구. 대한구강내과학회지 2007;32:187-200.
- 장승일, 팽준영. 하악구치부 임플란트 식립 후 하치조신경손상의 비수술적 처치. 대한치과이식임플란트학회지 2018;37:18-22.
- 전영훈. Intervenbtional pain management for neuropathic pain on maxillofacial region. 2014년도 대한구강악안면외과학회 추계학술집담회-악안면영역 동통 치료의 최신 지견(Update of neuralgic and neuropathic pain management). 2014, 8, 30: 26-29.
- 정민호. Minor considerations in jaw surgery. 치과임상 2012;32:827-39.
- 정현주, 김명래. 하치조신경 손상시 턱끝신경 체성감각유발전위검사의 진단적 유용성에 관한 연구. 대한구강악안면외과학회지 2001;27:250-256.
- 조준혁, 정헌종, 김선경 등. 이신경눈깜박임반사를 이용한 하치조신경 손상 평가. Journal of Dental Implant Research 2014;33:7-11.

- 최의환, 하정완, 김수관 등: 하악 무치악 인공치아매식술시 하치조신경전위술. 대한악안면성형재건외과학회지. 2001; 23: 226-231.

- 최재갑, 정재광, 변진석, 최윤정 역. 치과의 통증 50문 50답. 대한나래출판사 2019; 164-171

- 한성희. 하악 제3대구치 발치 후 발생한 하치조신경 및 설신경 손상에 관한 연구. 대한치과의사협회지 2009;47:211-214.

- 홍성철, 이희철, 윤규호 등. 심한 하악 전돌증 환자에서 하악골 시상면 골절단술(SSRO)과 관련된 안면신경 마비: 증례보고. 대한악안면성형재건외과학회지 2006;28:73-79.

- Acebal-Bianco F, Vuylsteke PLPJ, Mommaerts MY, De Clercq CAS. Perioperative complications in corrective facial orthopedic surgery: A 5-year retrospective study. J Oral Maxillofac Surg 2000;58:754-760.

- Adour KK, The true nature of Bell's palsy: Analysis of 1000 consecutive patients. Laryngoscope 1978;88:787-801.

- Akal UK, Sayan NB, Aydogan S, Yaman Z. Evaluation of the neurosensory deficiencies of oral and maxillofacial region following surgery. Int J Oral Maxillofac Surg 2000;29:331-336.

- Al-Bishri A, Dahlin L, Sunzel B, Rosenquist J. Systemic betamethasone accelerates functional recovery after a crush injury to rat sciatic nerve. J Oral Maxillofac Surg 2005;63:973-977.

- Al-Bishri A, Rosenquist J, Sunzel B. On neurosensory disturbance after sagittal split osteotomy. J Oral Maxillofac Surg 2004;62:1472-1476.

- Alhassani AA, AlGhamdi AS. Inferior alveolar nerve injury in implant dentistry: diagnosis, causes, prevention, and management. J Oral Implantol 2010;36:401 - 407.

- Alling III CC. Dysesthesia of the lingual and inferior alveolar nerves following third molar surgery. J Oral Maxillofac Surg 1986;44:454-457.

- Al-Ouf K, Salti L. Postinsertion pain in region of mandibular dental implants: A case report. Implant Dent 2011;20:27-31.

- Álvarez-Argüelles ME, Rojo-Alba S, Rodríguez Pérez M, et al. Infant facial paralysis associated with Epstein-Barr virus infection. Am J Case Rep 2019;20:1216-1219.

- Annibali S, Pipari M, La Monaca Gm Tonoli F, Cristalli MP. Local complications in dental implant surgery: Prevention and treatment. Oral Implantol (Rome). 2008;1:21-33.

- August M,Marchena J, Donady J, Kaban L. Neurosensory deficit and functional impairment after sagittal ramus osteotomy: A long-term follow-up study. J Oral Maxillofac Surg 1998;56:1231-1235.

- Bailey P, Bays R: Evaluation of long-term sensory changes following mandibular augmentation procedures. J Oral Maxillofac Surg. 1984;42:722-727.

- Bartling R, Freeman K, Kraut RA. The incidence of altered sensation of the mental nerve after mandibular implant placement. J Oral Maxillofac Surg 1999;57:1408-1410.

- Basa O, Dilek OC. Assessment of the risk of perforation of the mandibular canal by implant drill using density and thickness parameters. Gerodontol 2011;28:213 – 220.

- Bataineh AB. Sensory nerve impairment following mandibular third molar surgery. J Oral Maxillofac Surg 2001;59:1012–1017.

- Baumel JJ. Trigeminal–facial nerve communications: their function in facial muscle innervation and reinnervation. Arch Otolaryngol 1974;99:33–34.

- Behnia H, Kheradvar A, Shahrokhi M. An anatomic study of the lingual nerve in the third molar region. J Oral Maxillofac Surg 2000;58:649–651.

- Bell C. The nervous system of the human body. Longman. 1830;64

- Bigman G. Age–related smell and taste impairments and vitamin D associations in the U.S. Adults National Health and Nutrition Examination Survery. Nutrients 2020;12:984.

- Blaeser BF, August MA, Donoff RB, et al. Panoramic radiographic risk factors for inferior nerve injury after third molar extraction. J Oral Maxillofac Surg 2003;61:417–421.

- Bouloux GF, Bays RA. Neurosensory recovery after ligation of the descending palatine neurovascular bundle during Le Fort I osteotomy. J Oral Maxillofac Surg 2000;58:841–845.

- Bowe DC, Gruber EA, McLeod NMH. Nerve injury associated with orthognathic surgery. Part 1: UK practice and motor nerve injuries. Brit J Oral Maxillofac Surg 2016;54:362–365.

- Brines ML, Ghezzi P, Keenan S, et al. Erythropoietin crosses the blood–brain barrier to protect against experimental brain injury. Proc Natl Acad Sci U S A 2000;97:10526–31.

- Byram SC, Bialek SE, Husak VA, et al. Distinct neurotoxic effects of select local anesthetics on facial nerve injury and recovery. Restor Neurol Neurosci 2020;38:173–183.

- Caissie R, Landry PE, Paquin R, et al. Quantitative method to evaluate the functionality of the trigeminal nerve. J Oral Maxillofac Surg 2007;65:2254–2259.

- Calcaterra TC. Ischemic paralysis of the facial nerve: A possible etiologic factor in Bell's palsy. Laryngoscope 1976;86:92–97

- Calverley JR, Mohnac AM. Syndrome of the numb chin. Arch Intern Med 1963;112:819 – 821.

- Cavallaro J, Tsuji S, Chiu TS, Greenstein G. Management of the nasopalative canal and foramen associated with dental implant therapy. Compend Contin Educ Dent 2016;38:367–372; quiz 374.

- Chalhoub W, Korbani ET. Transient immediate facial nerve paralysis after local anesthesia in a retroauricular minor surgery. JAAD Case Rep 2020;18:608–611.

- Cheung LK, Leung YY, Chow LK. et al. Incidence of neurosensory deficits and recovery after lower third molar surgery: A prospective clinical study of 4338 cases. Int J Oral Maxillofac Surg 2010;39:320–326.

- Cho J, Jung HJ, Kim S, et al. Mental nerve blink reflex for the diagnosis of the inferior alveolar nerve damage. Journal of Dental Implant Research 2014;33:7–11.

- Choi JY, Yoo JY, Yoon BK, Leem DH, Shin HK, Ko SO. Clinical study of sensory alterations after sagittal split ramus osteotomy. J Korean Assoc Maxillofac Plast Reconstr Surg 2010;32:141–148.

- Chung AR, Kim KS. The effects of electroacupuncture stimulation therapy on the pain threshold of mandibular posterior teeth using LI4(HAP GOK) points. 대한구강내과학회지 1995;20:105-115.

- Cooper L, Lui M, Nduka C. Botulinum toxin treatment for facial palsy: A systematic review. J Plast Reconstr Aesthet Surg 2017;70:833-841.

- Cornelius CP, Roser M, Wietholter H, Wolburg H. Nerve injection injuries due to local anaesthetics. Experimental word. J Craniomaxillofac Surg 2000;28:134-135.

- D'Agostino A, Favero V, Lanaro L, et al. Does piezosurgery influence the severity of neurosensory disturbance following bilateral sagittal split osteotomy? J Craniofac Surg 2019;30:1154-1162.

- Davis H, Rydevik B, Lundborg G et al: Mobilization of the inferior alveolar nerve to allow placement of osseointegratable fixtures. In: Worthington P, Branemark P-I (es). Advanced Osseointegration Surgery: Applications in the Maxillofacial Region. Chicago: Quintessence, 1992; 129-144.

- Devulder J. Transforaminal nerve root sleeve injection with corticosteroids, hyaluronidase, and local anesthetic in the failed back surgery sundrome. J Spinal Disord 1998;11:151-154.

- De Vreis K, Devriese PP, Hovinga J et al. Facial palsy after sagittal split osteotomies. A survey of 1747 sagittal split osteotomies. J Craniomaxillofac surg 1993;21:50-53.

- Ehrenreich H, Hasselblatt M, Dembowski C, et al. Erythropoietin therapy for acute stroke is both safe and beneficial. Mol Med 2002;8:495-505.

- Eliav E, Gracely RH, Nahlieli O, Benoliel R. Quantitative sensory testing in trigeminal nerve damage assessment. J Orofac Pain 2004;18:339-344.

- Essick GK, Phillips C, Turvey TA, Tucker M. Facial altered sensation and sensory impairment after orthognathic surgery. Int J Oral Maxillofac Surg 2007;36:577-582.

- Essick GK, Phillips C, Zuniga J. Effect of facial sensory re-training on sensory thresholds. J Dent Res 2007;86:571-575.

- Evelien van Eeten E, Faber H, Kunst D. Surgical Treatment for Epstein-Barr Virus Otomastoiditis Complicated by Facial Nerve Paralysis: A Case Report of Two Young Brothers and Review of Literature. J Int Adv Otol 2017;13:143-146.

- Farhadieh RD, Nicklin S, Yu Y, Gianoutsos MP, Walsh WR. The role of nerve growth factor and brain-derived neurotrophic factor in inferior alveolar nerve regeneration in distraction osteogenesis. J Craniofac Surg 2003;14:859-865.

- Ferrigno N, Laureti M, Fanali S: Inferior alveolar nerve transposition in conjunction with implant placement. Int J Oral Maxillofac Implants. 2005;20:610-620.

- Fielding AF, Rachiele DP, Frazier G. Lingual nerve paresthesia following third molar surgery. Oral Surg Oral Med Oral Pathol Oral Radiol Endod 1997;84:345-348.

- Florence SL, Boydston LA, Hackett TA, et al. Sensory enrichment after peripheral nerve injury restores cortical, not thalamic, receptive field organization. Eur J Neurosci 2001;13:1755–1766.

- Friberg B, Ivanoff CJ, Lekholm U: Inferior alveolar nerve transpositioning in combination with Branemark implant treatment. Int J Periodontics Restorative Dent. 1992;12:440–449.

- Fridrich KL, Holton TJ, Pansegrau KJ, Buckley MJ. Neurosensory recovery following the mandibular bilateral sagittal split osteotomy. J Oral Maxillofac Surg 1995;53:1300–1306.

- Gao EF, Chung HJ, Ahn KM, Kim SM, Kim YH, Jahng J, Lee JH. Effect of nerve growth factor gene injection on the nerve regeneration in rat lingual nerve crush–injury model. J Korean Assoc Maxillofac Plast Reconstr Surg 2006;28:375–395.

- Gargallo–Albiol J, Buenechea–Imaz R, Gay–Escoda C. Lingual nerve protection during surgical removal of lower third molars. A prospective randomized study. Int J Oral Maxillofac Surg 2000;29:268–271.

- Gatot A, Tovi F. Prednisone treatment for injury and compression of inferior alveolar nerve: Report of a case of anesthesia following endodontic overfillinf. Oral Surg Oral med Oral Pathol 1986;62:704–706.

- Geurts JW, Kallewaard JW, Richardson J, Groen GJ. Targeted methylprednisolone acetate/ hyaluronidase/clonidine injection after diagnostic epiduroscopy for chronic sciatica: a prospective, 1–year follow–up study. Reg Anesth Pain Med 2002;27:343–352.

- Ghimire B, Gupta S. Location of mental foramen in dentate adults using orthopantomogra. JNMA J Nepal Med Assoc 2018;56:791–795.

- Gocmen G, Gonul O, Oktay NS, et al: The antioxidant and antiinflammatory efficiency of hyaluronic acid after third molar extraction. J Craniomaxillofac Surg 2015;43:1033.

- Gong HR, Choi SH, Kim G. Hyaluronic Acid Promotes the Peripheral Nerve Regeneration in the Experimental Rabbit Model of Common Peroneal Nerve Crush Injury. J Biomed Res 2012;13:13–20.

- Graff–Radford SB, Evans RW. Lingual nerve injury. Headache 2003;43:975–983.

- Gratt BM, Sickles EA, Shetty V. Thermography for the clinical assessment of inferior alveolar nerve deficit: a pilot study. J Orofac Pain 1994;8:369–374.

- Gregg JM. Surgical management of inferior alveolar nerve injuries (Part II): The case for delayed management. J Oral Maxillofac Surg 1995;53:1330–1333.

- Grotz KA, Al–Nawas B, de Aguiar EG, Schulz A, Wagner W. Treatment of injuries to the inferior alveolar nerve after endodontic procedures. Clin Oral Investig 1998;2:73–76.

- Gulicher D, Gerlach KL. Sensory impairment of the lingual and inferior alveolar nerves following removal of impacted mandibular third molars. Int J Oral Maxillofac Surg 2001;30:306–312.

- Hao J, Zhao C, Cao S, Yang S. Electric acupuncture treatment of peripheral nerve injury. J Tradit Chin Med 1995;15:114–117.

- Haas DA, Lennon D. A 21 year retrospective study of reports of paresthesia following local anesthetic administration. J Can Dent Assoc 1995;61:319–320, 323–6, 329–330.

- Hanalioglu D, Ozsurekci Y, Buyukcam A, et al. Acute peripheral facial paralysis following varicella infection: An uncommon complication. Turk J Pediatr 2018;60:99–101.

- Hanamatsu N, Yamashiro M, Sumitomo M, Furuya H. Effectiveness of cervical sympathetic ganglia block on regeneration of the trigeminal nerve following transection in rats. Reg Anesth Pain Med 2002;27:268–2276.

- Harn SD, Durham TM. Incidence of lingual nerve trauma and postinjection complications in conventional mandibular block anaesthesia. J Am Dent Assoc 1990;121:519–523.

- Harvey AR, Plant GW, Tan MM. Schwann cells and the regrowth of axons in the mammalian CNS: a review of transplantation studies in the rat visual system. Clin Exp Pharmacol Physiol 1995;22:569–579.

- Hasegawa T, Yamada SI, Ueda N, et al. Treatment modalities and risk factors associated with refractory neurosensory disturbances of the inferior alveolar nerve following oral surgery: a multicenter retrospective study. Int J Oral Maxillofac Surg 2018;47:794–801.

- Hashiba Y, Ueki K, Marukawa K, et al. A comparison of lower lip hypoesthesia measured by trigeminal somatosensory–evoked potential between different types of mandibular osteotomies and fixation. Oral Surg Oral Med Oral Pathol Oral Radiol Endod 2007;104:177–185.

- Hegedus F, Diecidue RJ. Trigeminal nerve injuries after mandibular implant placement–Practical knowledge for clinicians. Int J Oral Maxillofac Implants 2006;21:111–116.

- Hendy CW, Smith KG, Robinson PP. Surgical anatomy of the buccal nerve. Br J Oral Maxillofac Surg 1996;34:457–460.

- Hillerup S, Jensen R. Nerve injury caused by mandibular block analgesia. Int J Oral Maxillofac Surg. 2006; 35: 437–443.

- Hillerup S, Jensen RH, Ersbøll BK. Trigeminal nerve injury associated with injection of local anesthetics: needle lesion or neurotoxicity? J Am Dent Assoc 2011;142:531–539.

- Hirsch J–M, Branemark P–I: Fixture stability and nerve function after transposition and fixture installation. Br J Oral Maxillofac Surg. 1995;33:276–281.

- Hotta M, Endo S, Tomita H. Taste disturbance in two patients after dental anesthesia by inferior alveolar nerve block. Acta Otolaryngol 2002;Suppl 546:94–98.

- Hu KS, Kwak HH, Song WC, et al. Branching patterns of the infraorbital nerve and topography within the infraorbital space. J Craniofac Surg 2006;17:1111–1115.

- Hwang KG. Impairment evaluation of trigeminal nerve injury. J Korean Dent Sci 2012;5:45–47.

- Jaaskelainen S. Blink reflex with stimulation of mental nerve. Acta Neurol Scand 1995;91:477–482.

- Jemt T, Lekholm U, Adell R: Osseointegrated implants in the treatment of partially edentulous patients: a preliminary study on 876 consecutively placed fixtures. Int J Oral Maxillofac Implants.

1989;4:211-217.

- Jo HJ, Kim HY, Kang DC, et al. A clinical study of inferior alveolar nerve damage caused by Carnoy's solution used as a complementary therapeutic agent in a cystic lesion. Maxillofac Plast Reconstr Surg 2020;42:16.

- Jones JK, Van Sickels JE. Facial nerve injuries associated with orthognathic surgery. A review of incidence and management. J Oral Maxillofac Surg 1991;49:740-744.

- Joshi A, Rood JP. External neurolysis of the lingual nerve. Int J Oral Maxillofac Surg 2002;31:40-43.

- Juodzbalys G, Wang HL, Sabalys G, et al. Inferior alveolar nerve injury associated with implant surgery. Clin Oral Implants Res 2013;24:183-190.

- Kan JY, Lozada JL, Boyne PJ, et al. Mandibular fracture after endosseous implant placement in conjunction with inferior alveolar nerve transposition: A patient treatment report. Int J Oral Maxillofac Implants. 1997;12:655-659.

- Kan JY, Lozada JL et al: Endosseous implant placement in conjunction with inferior nerve transposition: An evaluation of neurosensory disturbance. Int J Oral Maxillofac Implants. 1997;12:463-471.

- Kalladka M, Proter N, Benoliel R, et al. Mental nerve neuropathy: patient characteristics and neurosensory changes. Oral Surg Oral Med Oral Pathol Oral Radiol Endod 2008;106:364-370.

- Kaptanoglu E, Solaroglu I, Okutan O, et al. Erythropoietin exerts neuroprotection after acute spinal cord injury in rats: effect on lipid peroxidation and early ultrastructural findings. Neurosurg Rev 2004;27:113-120.

- Karas ND, Boyd SB, Sinn DP. Recovery of neurosensory function following orthognathic surgery. J Oral Maxillofac Surg 1990;48:124.

- Kawakami T, Nakamura C, Eda S. Effects of the penetration of a root canal filling material into the mandibular canal. 2. Changes in the alveolar nerve tissue. Endod Dent Traumatol 1991;7:42-47.

- Khajehahmadi S, Rahpeyma A, Bidar M, Jafarzadeh H.Vitality of intact teeth anterior to the mental foramen after inferior alveolar nerve repositioning: nerve transpositioning versus nerve lateralization. Int J Oral Maxillofac Surg 2013;42:1073-1078.

- Khojasteh A, Hosseinpour S, Nazeman P, Dehaghan MM. The effect of a platelet-rich fibrin donduit on neurosensory recovery following inferior alveolar nerve lateralization: a preliminary clinical study. Int J Oral Maxillofac Surg 2016;45:1303-1308.

- Khullar SM, Brodin P, Barkvoll P, Haanaes HR: Preliminary study of low-level laser for treatment of long-standing sensory aberrations in the inferior alveolar nerve. J Oral Maxillofac Surg 1996;54:2-7.

- Khullar SM, Emami B, Westermark A, Haanaes HR. Effect of low-level laser treatment on neurosensory deficits subsequent to sagittal split ramus osteotomy. Oral Surg Oral Med Oral Pathol Oral Radiol Endod 1996;82:132–138.

- Kiesselbach JE, Chamberlain JG. Clinical and anatomic observations on the relationship of the lingual nerve to the mandibular third molar region. J Oral Maxillofac Surg 1984;42:565–567.

- Kim HS, Kho HS, Kim YK, et al. Reliability and characteristics of current perception thresholds in the territory of the infraorbital and inferior alveolar nerves. J Orofac Pain 2000;14:286–292.

- Kim IS, Kim SG, Kim YK, Kim JD. Position of the Mental Foramen in a Korean Population: A Clinical and Radiographic Study. Implant Dent 2006;15:404–411.

- Kim JH, Yun PY, Kim YK. Clinical study of natural recovery of altered sensation after minor dental surgery. J Korean Dent Sci 2011;4:14–19.

- Kim MR, Lee WH, Choi CW, Chung HJ. Painful dysesthesia followed after implant placement in posterior mandible and their prognosis. J Korean Assoc Oral Maxillofac Surg 1998;24:420–427.

- Kim MR, Oh JH, Cheong HJ. Sensory recovery following the GTAM tubulization of injured inferior alveolar nerve. J Korean Dent Assoc 1998;36:570–575.

- Kim SG, Yeo HH, Kim YK. Mandibular reconstruction with free autogenous bone grafts. J Korean Assoc Oral Maxillfac Surg 1996;22:502–510.

- Kim ST, Hu KS, Song WC, et al. Location of the mandibular canal and the topography of its neurovascular structures. J Craniofac Surg 2009;20:936–939.

- Kim YK, Kim SG, Kim JH. Altered sensation after orthognathic surgery. J Oral Maxillofac Surg 2011;69:893–898.

- Kim YK, Yun PY, Kim JH, Lee JY, Lee W. The quantitative sensory testing is an efficient objective method for assessment of nerve injury. Maxillofac Plast Reconstr Surg 2015;37:13.

- Kim YK, Yun PY, Lee YI. Study on the types and subjective evaluation of patients with neurosensory dysfunction after dental surgery. J Korean Dent Assoc 2008;46:222–231.

- Kim YT, Pang KM, Jung HJ, Kim SM, Kim MJ, Lee JH. Clinical outcome of conservative treatment of injured inferior alveolar nerve during dental implant placement. J Korean Assoc Oral Maxillofac Surg 2013;39:127–133.

- Klazen Y, Van der Cruyssen F, Vranckx M, et al. Iatogenic trigeminal post-traumatic neuropathy: a retrospective two-year cohort study. Int J Oral Maxillofac Surg 2018;47:789–793

- Korkmaz YT, Kayipmaz S, Senel FC, et al. Does additional cone beam computed tomography decrease the risk of inferior alveolar nerve injury in high-risk cases undergoing third molar surgery? Does CBCT decrease the risk of IAN injury? Int J Oral Maxillofac Surg 2017;46:628–635.

- Kong N, Hui M, Miao F, Yuan H, Du Y, Chen N. Mandibular incisive canal in Han Chinese using cone beam computed tomography. Int J Oral Maxillofac Surg 2016;45:1142–1146.

- Koray M, Ofluoglu D, Onal EA, et al: Efficacy of hyaluronic acid spray on swelling, pain, and trismus after surgical extraction of impacted mandibular third molars. Int J Oral Maxillofac Surg 2014;43:1399.

- Korean Association of Oral and Maxillofacial Surgeons. Guideline for maxillofacial impairment rating of trigeminal nerve damage in the Korean. J Korean Assoc Oral Maxillofac Surg 2012;38:384-393.

- Kraft TC, Hickel R. Clinical investigation into the incidence of direct damage to the lingual nerve caused by local anaesthesia. J Craniomaxillofac Surg 1994;22:294-296.

- Krough PHJ, Worthington P et al: In "Current Issues Forum." Does the risk of complication make transpositioning the inferior alveolar nerve in conjunction with implant placement a "last resort: surgical procedure? Int J Oral Maxillofac Implants. 1994;9:249-254.

- Ku MS, Kim JW, Jeon YH, et al. Evaluation of the change of lower lip sensation after inferior alveolar nerve block by using the electric pulp tester. J Korean Assoc Oral Maxillofac Surg 2011;37:464-469.

- Kwon TG, Kim SY, Kim JB. The prevalence of sensory disturbance after implant surgery- Retrospective survey of implant practitioners. J Korean Assoc Oral Maxillofac Surg 2004;30:339-344.

- Lake S, Iwanaga J, Kikuta S, et al. The incisive canal: A comprehensive review. Cureus 2018;10:e3069.

- Langer P, Fadale P, Hulstyn M, Fleming B, Brady M. Survey of orthopaedic and sports medicine physicians regarding use of medrol dosepak for sports injuries. Arthroscopy 2006;22:1263-1269. e2.

- Langlais RP, Broadus R, Class BJ. Bifid mandibular canals in panoramic radiographs. J Am Dent Assoc 1985;110:923-926.

- Lee CH, Lee BS, Choi BJ, Lee JW, Ohe JY, Yo HY, Kwon YD. Recovery of inferior alveolar nerve injury after bilateral sagittal split ramus osteotomy (BSSRO): a retrospective study. Maxillofac Plast Reconstr Surg 2016;38:25.

- Lee DK, Jo IS, Min SK, Oh SH, Jeong CJ, Lee ET. Preliminary study of neurosensory recovery after BSSRO. J Korean Assoc Maxillofac Plast Reconstr Surg 2001;23:144-153.

- Lee J, Lee DK, Min SK, Moon C. Neurosensory recovery of the inferior alveolar nerve after bilateral sagittal split osteotomy. J Korean Assoc Maxillofac Plast Reconstr Surg 2002;24:126-136.

- Lee JG, Kim SG, Lim KJ, Choi KC. Thermographic assessment of inferior alveolar nerve injury in patients with dentofacial deformity. J Oral Maxillofac Surg 2007;65:74-78.

- Lee KS, Baek JR, Lee GH, et al. Comparative Study of Scar Formation at the Site of Sciatic Nerve Repair in Rats. J Korean Orthop Assoc. 2007;42:162-170.

- Lee SS, Kim SG, Moon SY, Oh JS, You JS, Kim HS, Seo DU, Choi HI. Inferior alveolar nerve injury occurred during implant placement: Review of literatures. The Journal of Korean Academy of Osseointegration 2016;8:15–20.

- Lepilin AV, Bakhteeva GR, Erokina NL. Transcutaneous electric stimulation of nerves use in comprehensive treatment of patients with mandibular fractures. Stomatologiia (Mosk). 2007;86:54–56.

- Lemke RR, Rugh JD, Van Sickels J, Bays RA, Clark GM. Neurosensory differences after wire and rigid fixation in patients with mandibular advancement. J Oral Maxillofac Surg 2000;58:1354–1359.

- Leung YY. Management and prevention of third molar surgery–related trigeminal nerve injury: time for a rethink. J Korean Assoc Oral Maxillofac Surg 2019;45:233–240.

- Leung YY, Fung PP–L, Cheung LK. Treatment modalities of neurosensory deficit after lower third molar surgery: a systematic review. J Oral Maxillofac Surg 2012;70:768–78.

- Li M, Zhu SS, Ruan JG, et al. Clinical observation on tine–effect of electroacupuncture for idiopathic facial paralysis. Ahongguo Zhen Jiu 2019;39:1059–1062.

- Li Q, Wang W, Gu S, Wang L. Measurement of somatosensory–evoked potential to evaluate function of the trigeminal nerve after rapid palatal expansion treatment in a rabbit model. Oral Surg Oral Med Oral Pathol Oral Radiol Endod 2012;114(5 Suppl):S54–59.

- Loescher AR, Robinson PP. The effect of surgical medicaments on peripheral nerve function. Brit J Oral Maxillofac Surg 1998;3:327–332.

- Luo G, He J, Wu T, et al. The therapeutic effect of stellate ganglion block on facial nerve palsy in patients with type 2 diabetes mellitus. Eur Neurol 2015;74:112–117.

- Magennis P. Sensory morbidity after palatal flap surgery——fact or fiction? J Ir Dent Assoc. 1990;36:60–61

- Mäkelä E, Venesvirta H, Ilves M, et al. Facial muscle reanimation by transcutaneous electrical stimulation for peripheral facial nerve palsy. J Med Eng Technol 2019;43:155–164.

- Marchena JM, Padwa BL, Kaban LB. Sensory abnormalities associated with mandibular fractures: incidence and natural history. J Oral Maxillofac Surg 1998;56:822–825.

- Maria de Souza G, Elias GM, Pereira de Andrade PF, et al. The Effectiveness of Hyaluronic Acid in Controlling Pain, Edema, and Trismus After Extraction of Third Molars: Systematic Review and Meta–Analysis. J Oral Maxillofac Surg.

- Martins DD, Santos FM, Oliveira ME, et al. Laser therapy and the pain–related behavior after injury of the inferior alveolar nerve: possible involvement of neurotrophins. J Neurotrauma 2013;30:480–486.

- Martis C. Complications after mandibular sagittal split osteotomy. J Maxillofac Surg 1904;34:101 107.

- May M, Hardin WB Jr, Sullivan J. Natural history of bell's palsy: the salivary flow test and other prognostic indicators. Laryngoscope 1976;86:704–712.

- May M, Klein SR, Taylor FH. Idiopathic facial palsy: natural history defies steroid or surgical treatment. Laryngoscope 1985;95:406-409.

- Melzack R. The McGill pain questionnaire: Major properties and scoring methods. Pain 1975;1:277-299.

- Melzack R. Prolonged relief of pain by brief, intense transcutaneous somatic stimulation. Pain 1975;1:357-373.

- Melzack R. The short-form McGill pain questionnaire. Pain 1987;191-197.

- Mendes RM, Silva GA, Lima MF, et al: Sodium hyaluronate accelerates the healing process in tooth sockets of rats. Arch Oral Biol 2008;53:1155

- Metzger MC, Bormann KH, Schoen R, et al. Inferior alveolar nerve transposition—an in vitro comparison between piezosurgery and conventional bur use. J Oral Implantol 2006;32:19-25.

- Midamba ED, Haanas HR. Low reactive-level 830 nm GaAlAs diode laser therapy(LLLT) successfully accelerates regeneration of peripheral nerves in human. Laser Therapy. 1993;5:125-129.

- Miloro M. Surgical access for inferior alveolar nerve repair. J Oral Maxillofac Surg 1995;53:1224-1225.

- Miloro M, Repasky M. Low-level laser effect on neurosensory recovery after sagittal ramus osteotomy. Oral Surg Oral Med Oral Pathol Oral Radiol Endod 2000;89:12-18.

- Misch CE. Contemporary Implant Dentistry. Mosby Co. Canada 2008;711-713.

- Misch CM. Comparison of intraoral donor sites for onlay grafting prior to implant placement. Int J Oral Maxillofac Implants 1997;6:767-776.

- Mohammadi Z. Endodontics-related paresthesia of the mental and inferior alveolar nerves: An updated review. J Can Dent Assoc. 2010;76:a117.

- Morse DR. Endodontic-related inferior alveolar nerve and mental foramen paresthesia. Compend Contin Educ Den. 1997;18:963-968.

- Nagamatsu M, Low PA. Oxidized cellulose causes focal neuropathy, possibly by a diffusible chemical mechanism. Acta Neuropathol 1995;90:282-286.

- Nahlieli O, Levy Y. Intravital staining with methylene blue as an aid to facial nerve identification in parotid gland surgery. J Oral Maxillofac Surg 2001;59:355-356.

- Nakagawa K, Ueki K, Takatsuka S, Yamamoto E. Trigeminal nerve hyperesthesia after sagittal split osteotomy in setback cases: Correlation of postoperative computed tomography and long-term trigeminal somatosensory evoked potentials. J Oral Maxillofac Surg 2003;61:898-903.

- Nazarian Y, Eliav E, Nahlieli O. Nerve injury following implant placement: prevention, diagnosis and treatment modalities. Refuat Hapeh Vehashinayum 2003;20:44-50.

- Nicolielo LFP, Van Dessel J, Jacobs R, et al. Relationship between trabecular bone architecture and early dental implant failure in the posterior region of the mandible. Clin Oral Implants Res

2020;31:153-161.

- Nishijima H, Kondo K, Kagoya R, et al. Facial nerve paralysis associated with temporal bone masses. Auris Nasus Larynx 2017;44:548-553.

- Ordahan B, Karahan AY. Role of low-level laser therapy added to facial expression exercises in patients with idiopathic facial (Bell's) palsy. Lasers Med Sci 2017;32:931-936.

- Overend W. Preliminary note on a new cranial reflex. Lancet 1986;1:619.

- Ozen T, Orhan K, Gorur I, Ozturk A. Efficacy of low level laser therapy on neurosensory recovery after injury to the inferior alveolar nerve. Head Face Med 2006;2:3.

- Park YT, Kim SG, Moon SY. Indirect compressive injury to the inferior alveolar nerve caused by dental implant placement. J Oral Maxillofac Surg 2012;70:e258-259..

- Pereira LV, Bento RF, Cruz DB, Marchi C, Salomone R, Oiticicca J, et al. Stem cells from human exfoliated deciduous teeth (SHED) differentiate in vivo and promote facial nerve regeneration. Cell Transplant 2019;28:55-64.

- Penarrocha M, Bagan JV, Alfaro A, Penarrocha M. Acyclovir treatment in 2 patients with benign trigeminal sensory neuropathy. J Oral Maxillofac Surg 2001;59:453-456.

- Phillips C, Essick G, Preisser JS, et al. Sensory retraining after orthognathic surgery: effect on patients' perception of altered sensation. J Oral Maxillofac Surg 2007;65:1162-1173.

- Phillips C, Kim SH, Essick G, et al. Sensory retraining after orthognathic surgery: Effect on patient report of altered sensations. Am J Orthod Dentofacial Orthop 2009;136:788-794.

- Prazeres LDKT, Muniz YVS, Barros KMA, e al. Effect of infrared laser in the prevention and treatment of paresthesia in orthognathic surgery. J Craniofac Surg 2013;24:708-711.

- Pogrel MA. The results of microneurosurgery of the inferior alveolar and lingual nerve. J Oral Maxillofac Surg 2002;60:485-489.

- Pogrel MA, Jergensen R, Burgon E, Hulme D. Long-term outcome of trigeminal nerve injuries related to dental treatment. J Oral Maxillofac Surg 2011;69:2284-2288.

- Pogrel MA, Renaut A, Schmidt B, Ammar A. The relationship of the lingual nerve to the mandibular third molar region: An anatomic study. J Oral Maxillofac Surg 1995;53:1178-1181.

- Pogrel MA, Smith R, Ahani R. Innervation of the mandibular incisors by the mental nerve. J Oral Maxillofac Surg 1997;55:961-963.

- Pogrel MA, Thamby S. The etiology of altered sensation in the inferior alveolar, lingual, and mental nerves as a result of dental treatment. J Calif Dent Assoc 1999;27:531, 534-538.

- Pogrel MA, Thamby S. Permanent nerve involvement resulting from inferior alveolar nerve blocks. J Am Dent Assoc 2000;131:901-907.

- Porporatti AL, Costa YM, Reus JC, et al. Placebo and nocebo response magnitude on temporomandibular disorder-related pain: A systematic review and meta-analysis. J Oral Rehabil 2019;46:862-882.

- Posnick JC, Al-Qattan MM, Stepner NM. Alteration in facial sensibility in adolescents following sagittal split and chin osteotomies of the mandible. Plast Reconstr Surg 1996;97:920–927.
- Posnick JC, Choi E, Singh N. Lingual nerve injury in association with sagittal ramus osteotomy and bicortical screw fixation: a review of 523 procedures in 262 subjects. Int J Oral Maxillofac Surg 2016;45:1445–1451.
- Prazeres LDKT, Muniz YVS, Barros KMA, et al. Effect of infrared laser in the prevention and treatment of paresthesia in orthognathic surgery. J Craniofac Surg 2013;24:708–711.
- Rajchel J, Ellis III E, Fonseca RJ. The anatomical location of the mandibular canal: Its relationship to the sagittal ramus osteotomy. Int J Adult Orthod Orthognath Surg 1986;1:37–47.
- Renton T, Janjua H, Gallagher JE, et al. UK dentists' experience of iatrogenic trigeminal nerve injuries in relation to routine dental procedures: Why, when and how often? Br Dent J 2013;214:633–642.
- Renzi G, Carboni A, Perugini M, et al. Posttraumatic trigeminal nerve impairment: A prospective analysis of recovery patterns in a series of 103 consecutive facial fractures. J Oral Maxillofac Surg 2004;62:1341–1346.
- Robert DR, Elizabeth G, Richard TK, et al. Guides to the Evaluation of Permanent Impairment. American Medical Association 2007;343
- Robert RC, Bacchetti P, Pogrel MA. Frequency of trigeminal nerve injuries following third molar removal. J Oral Maxillofac Surg 2005;63:732–735.
- Robinson PP. Reinnervation of teeth, mucous membrane and skin following section of the inferior alveolar nerve in the cat. Brain Res 1981;220:241–253.
- Robinson PP, Loescher AR, Smith KG. A prospective, quantitative study on the clinical outome of lingual nerve repair. Br J Oral Maxillofac Surg 2001;38:255–23.
- Robinson PP, Smith KG. A study on the efficacy of late lingual nerve repair. Br J Oral Maxillofac Surg 1996;34:96–103.
- Robinson RC, Williams CW. Documentation method for inferior alveolar and lingual nerve paresthesias. Oral Surg Oral Med Oral Pathol 1986;62:128–131
- Rood JP, Noraldeen Shehab BAA. The radiological prediction of inferior alveolar nerve injury during third molar surgery. Br J Oral Maxillofac Surg 1990;28:20–25.
- Rosenquist B: Implant placement in combination with nerve transpositioning: Experiences with the first 100 cases. Int J Oral Maxillofac Implants. 1994; 9: 522–531..
- Rosenquist B: Fixture placement posterior to the mental foramen with transpositioning of the inferior alveolar nerve. Int J Oral Maxillofac Implants. 1991; 7: 45–50.
- Sandstedt P, Sorensen S. Neurosensory disturbances of the trigeminal nerve: a long-term follow-up of traumatic injuries. J Oral Maxillofac Surg 1995;53:498–505.
- Sathirapanya P, Fujitnirun C, Setthawatcharawanich S, et al. Peripheral facial paralysis

associated with HIV infection: A case series and literature review. Clin Neurol Neurosurg 2018;172:124–129.

- Scolozzi P, Lombardi T, Jaques B. Successful inferior alveolar nerve decompression for dysesthesia following endodontic treatment: report of 4 cases treated by mandibular sagittal osteotomy. Oral Surg Oral Med Oral Pathol Oral Radiol Endod 2004;97:625–631.

- Scrivani SJ, Chaudry A, Maciewicz RJ, Keith DA. Chronic neurogenic facial pain: lack of response to intravenous phentolamine. J Orofac Pain 1999;13:89–96.

- Sedaghatfar M, August MA, Dodson TB. Panoramic radiographic findings as predictors of inferior alveolar nerve exposure following third molar extraction. J Oral Maxillofac Surg 2005;63:3–7.

- Seddon HJ. Three types of nerve injury. Brain 1943;66:247–288.

- Seo K, Tanaka Y, Terumitsu M, Someya G: Efficacy of steroid treatment for sensory impairment after orthognathic surgery. J Oral Maxillofac Surg. 2004; 62: 1193–1197.

- Shafshak TS. The treatment of facial palsy from the point of view of physical and rehabilitation medicine. Eura Medicophys 2006;42:41–47.

- Shingo T, Sorokan ST, Shimazaki T, Weiss S. Erythropoietin regulates the in vitro and in vivo production of neuronal progenitors by mammalian forebrain neural stem cells. J Neurosci 2001;21:9733– 9743.

- Shlizerman L, Ashkenazi D. Peripheral facial nerve paralysis after peritonsillar infiltration of bupivacaine: a case report. Am J Otolaryngol 2005;26:406–407.

- Shotts RH, Porter SR, Kumar N, Scully C. Longstanding trigeminal sensory neuropathy of nontraumatic cause. Oral Surg Oral Med Oral Pathol Oral Radiol Endod 1999;87:572–576.

- Silva FMS, Cortez ALV, Moreira RWF, Mazzonetto R. Complications of intraoral donor site for bone grafting prior to implant placement. Implant Dent 2006;15:420–426.

- Smith MH, Lung KE. Nerve injuries after dental injection: a review of the literature. J Canadian Dent Assoc 2006;72:559– 564.

- Solberg WK, Graff–Radford SB. Orodental considerations of facial pain. Semin Neurol 1988;8:318–323.

- Somers DL, Clemente FR. Transcutaneous electrical nerve stimulation for the management of neuropathic pain: The effects of frequency and electrode position on prevention of allodynia in a rat model of complex regional pain syndrome type II. Phys Ther 2006;86:698–709.

- Song JM, Kim YD, Lee JY. Surgical treatment for dysesthesia after overfilling of endodontic material into the mandibular canal. J Korean Assoc Oral Maxillofac Surg 2016;54:874–879.

- Sun H, Yang T, Li Q, et al. Dexamethasone and vitamin B(12) synergistically promote peripheral nerve regeneration in rats by upregulating the expression of brain–derived neurotrophic factor. Arch Med Sci 2012;8:924–930.

- Sunderland S. A classification of peripheral nerve injuries producing loss of function. Brain

1951;74:491-516.

- Susaria SM, Kaban LB, Donoff RB, Dodson TB. Functional sensory recovery after trigeminal nerve repair. J Oral Maxillofac Surg 2007;65:60-65.

- Tabrizi R, Bakrani K, Bastami F. Comparison of postoperative paresthesia after sagittal split osteotomy among different fixation methods: a one year follow-up study. J Korean Assoc Oral Maxillofac Surg 2019;45:215-219.

- Tay AB, Go WS. Effect of exposed inferior alveolar neurovascular bundle during surgical removal of impacted lower third molars. J Oral Maxillofac Surg 2004;62:592-600.

- Teerijoki-Oksa T, Jaaskelainen SK, Forssell K, Forssell H et al. Risk factors of nerve injury during mandibular sagittal split osteotomy. Int J Oral Maxillofac Surg 2002;31:33-39.

- Techawattanawisal W, Nakahama K, Komaki M, Abe M, Takagi Y, Morita I. Isolation of multipotent stem cells from adult rat periodontal ligament by neurosphere-forming culture system. Biochem Biophys Res Commun 2007;357:917-23.

- Thygesen TH, Baad-Hansen L, Svensson P. Sensory action potentials of the maxillary nerve: A methodologic study with clinical implications. J Oral Maxillofac Surg 2009;67:537-542.

- Thygesen TH; Bardow A, Helleberg M et al: Risk factors affecting somatosensory function after sagittal split osteotomy. J Oral Maxillofac Surg. 2008;66:469-474.

- Tolisano AM, Hunter JB, Sakai M, et al. Determining etiology of facial nerve paralysis with MRI: Challenges in malignancy detection. Ann Otol Rhinol Laryngol 2019;128:862-868.

- Tolstunov L, Belaga GA. Bell's palsy and dental infection: A case report and possible etiology. J Oral Maxillofac Surg. 2010;68:1173-1178.

- Ton G, Lee LW, Chen YH, Tu CH, Lee YC. Effects of laser acupuncture in a patient with a 12-year history of facial paralysis: A case report. Complement Ther Med 2019:306-310.

- Tzermpos FH, Cocos A, Kleftogiannis M, et al. Transient delayed facial nerve palsy after inferior alveolar nerve block anesthesia. Anesth Prog 2012;59:22-27.

- Upton AR, McComas AJ. The double crush in nerve entrapment syndromes. Lancet 1973;2:359-362.

- Vasconcelos BC, Bessa-Nogueira RV, Maurette PE, Carneiro SC. Facial nerve paralysis after impacted lower third molar surgery: a literature review and case report. Med Oral Patol Oral Cir Bucal 2006;11:E175-178.

- Vigneri S, Sindaco G, La Grua M, et al. Electrocatheter-mediated high-voltage pulsed radiofrequency of the dorsal root ganglion in the treatment of chronic lumbosacral neuropathic pain: A randomized controlled study. Clin J Pain 2020;36:25-33.

- Vincent B. Sur un signe précoce de certaines ostéites du maxillaire inférieur se terminant par une nécrose. Revue Trimestrielle Suisse d'Odontologie 1896;6:148-163.

- von Arx T, Chappuis V, Winzap-Kalin C, Bornstein MM. Laser Doppler flowmetry for assessment of anterior mandibular teeth in conjunction with bone harvesting in the symphysis. A clinical pilot study. Int J Oral Maxillofac Implants 2007;22:383–389.

- Vriens JPM, van der Glas HWm Moos KF, Koole R. Infraorbital nerve function following treatment of orbitozygomatic complex fractures. Int J Oral Maxillofac Surg 1998;27:27–32.

- Walsh S, Midha R. Practical considerations concerning the use of stem cells for peripheral nerve repair. Neurosurg Focus 2009;26:E2.

- Walton JN. Altered sensation associatcd with implants in the anterior mandible: a prospective study. J Prosthetic Dent 2000;83:443–449.

- Westermark A, Bystedt H, von Konow K. Inferior alveolar nerve function after sagittal split osteotomy of the mandible: correlation with degree of intraoperative nerve encounter and other variables in 496 operations. Br J Oral Maxillofac surg 1998;36:429–433.

- Westermark A, Bystedt H, von Konow L. Inferior alveolar nerve function after mandibular osteotomies. Brit J Oral Maxillofac Surg 1998;36:425–428.

- Woda A, Navez ML, Picard P, et al. A possible therapeutic solution for stomatodynia (burning mouth syndrome). J Orofac Pain 1998;12:272–8.

- Worthington P. Injury to the inferior alveolar nerve during implant placement: A formula for protection of the patient and clinician. Int J Oral Maxillofac Implants 2004;19:731–734.

- Wright EF. Persistent dysesthesia following dental implant placement: A treatment report of 2 cases. Implant Dent 2011;20:20–26

- Yamamoto R, Nakamura A, Ohno K, Michi K. Relationship of the mandibular canal to the lateral cortex of the mandibular ramus as a factor in the development of neurosensory disturbance after bilateral sagittal split osteotomy. J Oral Maxillofac Surg 2002;60:490–495.

- Yamauchi T, Takeda E, Kamiyama I, et al. Experiences in lingual nerve repair surgery. Asian J Oral Maxillofac Surg 2006;18:280–285.

- Yang HM, Won SY, Lee YI, et al. The Sihler staining study of the infraorbital nerve and its clinical complication. J Craniofac Surg 2014;25:2209–2213.

- Yekta SS, Smeets R, Stein JM, Ellrich J. Assessment of trigeminal nerve functions by quantitative sensory testing in patients and healthy volunteers. J Oral Maxillofac Surg 2010;68:2437–2451.

- Yilmaz Z, Egbuniwe O, Renton T. The detection of small-fiber neuropathies in burning mouth syndrome and iatrogenic lingual nerve injuries: Use of quantitative sensory testing. J Oral Facial Pain Headache 2016;30:87–98.

- Ylikontiola L, Kinnunen J, Oikarinen K. Comparison of different tests assessing neurosensory disturbances after bilateral sagittal split osteotomy. Int J Oral Maxillofac Surg 1998;27:417–421.

- Ylikontiola L, Kinnunen J, Oikarinen K. Factors affecting neurosensory disturbance after mandibular bilateral sagittal split osteotomy. J Oral Maxillofac Surg 2000;58:1234–1239.

- Ziccardi VB, Assael LA. Mechanisms of trigeminal nerve injuries. Atlas Oral Maxillofac Surg Clin

North Am 2001;9:1 – 11.

- Ziccardi VB, Dragoo J, Eliav E, Benoliel R. Comparison of current perception threshold electrical testing to clinical sensory testing for lingual nerve injuries. J Oral Maxillofac Surg 2012;70:289–294.

- Zuniga JR, Hegtvedt AK, Alling III CC. Future application in the management of trigeminal nerve injuries. Oral Maxillofac surg Clin North Am 1992;4:543–554.

- Zuniga JR, Chen N, Phillips CL. Chemosensory and somatosensory regeneration after lingual nerve repair in humans. J Oral Maxillofac Surg 1997;55:2–13.

의학용어

| A |

Algometer 통각계

Allodynia 이실통

Altered sensation 변화된 감각

Alveolar distraction 치조골신장술

Anastomosis 문합

Anesthesia dolorosa 무감각통증

Anesthesia 마취, 무감각(=numbness)

Anticonvulsant 항경련제

Antidepressant 항우울제

Ataxia 운동실조, 조화운동불능

Atypical facial pain 비정형 안면통

Atypical toothache 비정형 치통

Axon 축삭

Axonotmesis 축삭절단

| B |

Blister 물집

Burning mouth syndrome 구강작열감증후군

Burning sensation 작열감

| C |

Causalgia 작열통

Chorda tympani nerve 고실끈신경

Chromatolysis 염색질융해

Collagenosis 아교질증, 콜라겐증

Collateral nerve 곁신경

Collateral 곁, 곁가지

Complex regional pain syndrome 복합부위통증증후군

Contracture 구축, 연축, 경축

Current perception threshold 전류인지도역치

| D |

Deafferentation pain 구심로차단통증

Debridement 괴사조직제거

Digital infrared thermographic imaging (DITI) 적외선체열검사

Dizziness 어지럼증, 현기증

Dynamic tactile test 동적촉각검사

Dysesthesia 불쾌감각

| E |

Ecchymosis 반상출혈

Electric pulp test (EPT) 전기치수검사

Electrical acupuncture stimulation therapy (EAST) 전기침자극요법

Electrogustometry (EGM) 전기미각검사

Electromyography (EMG) 근전도검사

Electrophysiologic 전기생리학

Endoneurium 신경내막

Epineurium 신경외막

External decompression 외부 감압법

| F |

Fibrillation 섬유성 연축

Fibromyalgia 섬유근육통

Filter paper disk (FPD) test 여지디스크법

Flap 피판

Fungiform papillae 버섯유두, 심상유두

| G |

Glossopharyngeal neuralgia 설인신경통

Greater auricular nerve 대이개신경

| H |

Heterotopic pain 이소성 통증, 연관통증

Hyperalgesia, Hyperpathia 통각과민증

Hyperesthesia 감각과민

Hypertrichosis 털과다증

Hypoalgesia, Hypopathia 통각저하증

Hypoesthesia 감각저하

| I |

Idiopathic facial pain 특발성 안면통증

Idiopathic 특발성

Infraorbital foramen 안와하공

Infraorbital nerve 안와하신경

Intentional partial odontectomy (IPO) 의도적치관절제술

Internal decompression 내부 감압법

Interpositional bone graft 삽입성골이식술

Ischemia 허혈

Itching 가려움, 소양증

| K |

Kinase 인산화효소, 활성효소

| L |

Leukopenia 백혈구감소증

Low level laser therapy (LLLT) 저수준레이저치료

Lupus erythematosus 홍반성 루푸스

| M |

Malaise 권태감

Mandible body 하악체

Mandible ramus 하악지

Mental foramen 이공

Mental nerve neuropathy 이신경병변증(=Numb chin syndrome)

Mental nerve 이신경

Mentum 이부

Multiple neuritis 다발성 신경염

Myelin 수초

Mylohyoid 턱목뿔근, 악설골근

| N |

Nerve anastomosis 신경문합술

Nerve graft 신경이식술

Nerve sheath 신경초

Neutrophil 호중구, 중성구

Neurapraxia 생리적신경차단

Neurolysis 신경박리술

Neuropathic disorder 신경병성 장애

Neurotmesis 신경절단

Neurotoxicity 신경독성

Neurotrophic 신경영양

Nissl body 니슬소체

Numbness 무감각, 저림, 저린감

| O |

Orbicularis oculi m. 안륜근

Orbicularis oris m. 구륜근

| P |

Paresthesia 감각이상

Perineurium 신경주위막

Phantom pain syndrome 환상통증증후군

Photophobia 광선공포증

Pin pressure nociceptive discrimination test 통각유해감각 구별법

Pore 구멍

Postherpetic neuralgia 대상포진 후 신경통

Pricking 따끔거림

Primary stability 일차 안정도

Purulent exudate 화농성 삼출물

| Q |

Quantitative sensory test (QST) 정량적 감각기능 검사

| R |

Rash 발진

"Red flap" symptom 치성 원인이 없는 감각이상 증상

Referred pain 연관통

Reflex sympathetic dystrophy 반사교감신경이상증

Reinnervation 신경재분포

Retraction 견인

Retractor 견인기

Retrograde degeneration 퇴행성변성, 역행변성

Root apex 치근단

| S |

Saucerization 배상형성술

Scab 딱지

Scar 흉터

Schwann's sheath 슈반신경초

Secondary stability 이차 안정도

Sensitization 감작, 민감화

Sensory nerve conduction velocity (SCV) 말초 감각신경전도속도 검사

Shingles 대상포진(=herpes zoster)

Somatization disorder 신체화장애

Somatization 신체화

Somatosensory evoked potentials (SEP) 체성감각유발전위검사

Somnolence 졸음증, 기면

Spasm 연축

Sprain 염좌

Stainless steel 스테인리스스틸

Static tactile test, Static light touch detection 정적촉각검사

Stellate ganglion block (SGB) 성상신경절차단

Styloid process 붓돌기, 경상돌기

Stylomastoid foramen 경유돌공

Superior laryngeal neuralgia 상후두신경통

Supraorbital 안와상

Sural nerve 비복신경

Sweat 발한

Sympathectomy 교감신경절제(술)

Sympathetically maintained pain (SMP) 교감신경성 지속 통증

| T |

Thermography 체열검사

Throbbing 박동성

Tinel's sign 티넬 징후

Tingling 저림증

Transcutaneous electrical nerve stimulation (TENS) 경피전기신경자극

Traumatic neuroma 외상성 신경종

Tremor 떨림

Trigeminal neuralgia 삼차신경통

Trophic 영양

Two-point discrimination test 이점 식별능 검사

| U |

Uptake 섭취율

| W |

Wallerian degeneration 왈러변성

상품명	성분	제조사
Aclofen	Aceclofenac 100 mg	동아제약
Amoclan Duo Tab.	Amoxicillin/clavulanate 500 mg	한미약품
Amoclan Duo Tab.	Amoxicillin/clavulanate 500 mg	명문제약
Andilac-S Cap.	Lactobacillus acidophilus 300 mg	일양약품
Asec	Aceclofenac 100 mg	한미약품
Augmentin Tab.	Amoxicillin/clavulanate 625 mg	일성신약
AutoBT	Autogenous tooth bone graft material: AutoBT, Autogenous demineralized dentin matrix; ADDM, Korea Tooth Bank	
Beecom	Vitamin B,C	유한양행
Beecomhexa Inj.	Vitamin B 2 ml	유한양행
Bio-Arm	Collagen	ACE Surgical. Supply Company, Inc., Brockton, MA, USA
Bio-Gide	Collagen	Geistlich, Wolhusen, Switzerland
Bone wax		Ethicon Inc., Somerville, NJ, USA
Carol-F Tab.	Ibuprofen 200 mg/Arginine 185 mg	일동제약
Dexamethasone Inj.	Dexamethasone 5 mg/ml	유한양행
Dipental cream	Capsaicin 0.025% 20 g	다림바이오텍
Eglandin	Lipo-PGE1 10 mcg/2 ml	미쓰비시다나베파마코리아
ExFuse	HANS Biomed	Daejeon, Korea
Flasinyl Tab.	Metronidazole 250 mg	에이치케이이노엔
Fullgram Inj.	Clindacycin 300 mg	삼진제약
Gelfoam	Gelatin	Pfizer, New York, NY, USA
Hirax Inj.	Hyaluronidase 1,500 IU/mL	한국비엠아이
Imotun Cap.	Avocado-soya unsaponifiables 300 mg	종근당
InduCera	Bovine hydroxyapatite	Oscotec Inc., Cheonan, Korea
Ketoprofen Inj.	Ketoprofen 100 mg/2ml	부광약품
MBCP, MBCP+	hydroxyapatite Biphasic calcium phosphate	Micro-macro Biphasic Calcium Phosphate, Biomatlante, Vigneux-de-Bretagne, France
Melocox Cap.	Meloxicam 7.5 mg	동아에스티
Mesexin	Methylol cephalexin lysinate 500 mg	한림제약
Methycobal	Mecobalamin 0.5 mg	대웅제약
Methylon Tab.	Methylprednisolone 4 mg	알보젠코리아

Naxen−F Tab.	Naproxen 500 mg	종근당
Neurontin	Gabapentin 100 mg	한국화이자제약
Neurometer		Neurotron Inc., Baltimore, MD, USA
Nisolone	Prednisolone 5 mg	국제약품공업
Oramedy ointment	Triamcinolone 10 g	동국제약
Oropherol soft cap.	Tocopherol 100 mg	신일제약
Orthoblast II	Allogenic demineralized bone matrix	SeaSpine, San Diego, CA, USA
Ossix Plus		Purgo Dental Biologics, Datum Biotech Ltd, Telrad Industrial Park, Israel
Osstell ISQ		Osstell, Gothenburg, Sweden
OSTEON	hydroxyapatite Biphasic calcium phosphate	GENOSS, Suwon, Korea
Pedi−Stick	Allogenic demineralized bone	HANS Biomed, Daejeon, Korea
Pharma mecobalamin	Mecobalamin 0.5 mg	한국파마
Regenaform	Allogenic demineralized bone matrix	Exactech, Inc., Gainesville, FL, USA
Reumel Cap.	Meloxicam 7.5 mg	한림제약
Rheuma Gel	Ketoprogen 30 mg/g 30 g	한미약품
Sensival Tab.	Nortriltyline 10 mg	일성신약
Superline	Titanium	Dentium, Korea
Suprax Cap.	Cefixime 100 mg	동아에스티
Surgicel	Oxidized cellulose	Ethicon Inc., Somerville, NJ, USA
Tegretol	Carbamazepine 100 mg	한국노바티스
Terramycin eye oint.	Tetracycline 5 mg/g 3.5 g	한국화이자제약
Therabite		Atos Medical AB, Hörby, Sweden
Tisseel	Fibrinogen, bovine thrombin	Baxter Healthcare, Deerfield, IL, USA
Tranexamic Acid Inj.	Tranexamic acid 500 mg	대한약품공업
Transamin Cap.	Tranexamic acid 250 mg	제일약품
Trileptal Film Coated Tab. 150 mg	Oxcarbazepine 150 mg	한국노바티스
Trileptal Film Coated Tab. 300 mg	Oxcarbazepine 300 mg	한국노바티스
Ultracet Tab.	Tramadol 37.5 mg/acetaminophen 325 mg	한국얀센
Yucla Tab. 625 mg	Amoxicillin/clavulanate 625 mg	유한양행

영문

INDEX

INDEX